Cam o'r Tywyllwch

I'r hogia, Aron Rhys ac Ilan Rhys

Cam o'r Tywyllwch

hunangofiant

Rhys Mwyn

Argraffiad cyntaf: 2006

Dymuna'r cyhoeddwyr gydnabod cymorth ariannol
Cyngor Llyfrau Cymru

Llun y clawr: Martin Roberts
Cynllun y clawr: Y Lolfa

Rhif Llyfr Rhyngwladol: 0 86243 923 x
ISBN-13: 9780862439231

Cyhoeddwyd yng Nghymru
ac argraffwyd ar bapur di-asid
gan Y Lolfa Cyf., Talybont, Ceredigion SY24 5AP
gwefan www.ylolfa.com
e-bost ylolfa@ylolfa.com
ffôn 01970 832 304

Rhagair

A mser maith yn ôl, mewn mileniwm arall, cyn dyfodiad y rhyngrwyd ac e-byst, pan oedd y ffôn symudol yn pwyso fel bricsen a ddim ond i'w weld ar ffilmiau Hollywood Michael Douglas, llwyddodd pync cegog ifanc o Lanfair Caereinion i greu rhwydwaith pan-Ewropeaidd o gysylltiadau tanddaearol, gan roi llwyfan rhyngwladol am y tro cyntaf i don newydd gyffrous o artistiaid. Chwalwyd ystrydebau mewnblyg canu cyfoes Cymraeg y cyfnod. Tanseiliwyd monopoli'r deinosoriaid denim, a sefydlwyd cyfres o wyliau tanddaearol, cystadlaethau bwyta Weetabix a label recordiau cyffrous. Bu taw ar y traddodiad o ganu 'Hen Wlad Fy Nhadau' ar ôl pob cyngerdd Cymraeg a chrëwyd hunanhyder diwylliannol gyda phwyslais ar garu gelynion yn hytrach na diffinio'n hunaniaeth gyda *xenophobia*.

Gydag egni gwyllt, polisi *straight edge militant punk* Americanaidd, caneuon gwych ei frawd Sion Sebon, gitâr fas, *briefcase* yn llawn cyfeiriadau a rhifau ffôn a'i basport, neidiodd Rhys Mwyn mewn fan gigydd a gyrru'n ddidrugaredd o gwmpas yr hen Ewrop o ffiniau weiran bigog yn creu rhwydwaith corfforol o gymeriadau o isddiwylliannau gwahanol – pyncs, anarchwyr, rapwyr ac ymgyrchwyr ieithyddol – ugain mlynedd cyn *myspace*.

Yn fy arddegau roedd y wefr o glywed recordiau gan Llwybr Llaethog a Datblygu o'i label Anhrefn ar Radio 1 yn anghredadwy. Ym 1985 cefais y fraint o fynd i stiwdio am y tro cyntaf fel drymiwr i recordio 'Eryr Gloyw', cân ddiniwed gan Machlud, ar gyfer casgliad cyntaf feinyl amlgyfrannog Recordiau Anhrefn, *Cam o'r Tywyllwch*.

Mae'r record honno, ac yn enwedig yr ail gasgliad *Gadael yr Ugeinfed Ganrif*, yn gerrig milltir i gerddoriaeth Gymraeg ac yn dystiolaeth i egni ac anarchiaeth gerddorol y cyfnod.

Yn ddiweddarach, yn y 90au cynnar, fel aelod o Ffa Coffi Pawb, SFA a hefyd fel *roadie/dosser* cyffredinol, treuliais gyfnodau yn fan yr Anhrefn yn sgrialu o gwmpas Ewrop yn eistedd ar amp bas Rhys Mwyn tra'r oedd yntau tu ôl i'r olwyn yn rhoi ei rant/darlith ddiweddara am wleidyddiaeth ryngwladol, diwylliant Cymru, archaeoleg, hawliau dynol, anifeiliaid, lleiafrifoedd, marwolaeth cerddoriaeth bync, cociau wyn yn y cyfryngau a.y.b. Roedd hyn yn addysg yn ei hun, ond bu'n wers hefyd mewn edrych ar ein diwylliant a'n hunaniaeth mewn cyd-destun rhyngwladol.

Yn 1994 neidiodd Dafydd Ieuan a finnau allan o'r fan am y tro olaf – blwyddyn gyntaf y rhyngrwyd, cyfnod newydd, ac ailadroddwyd y darlithoedd o'r fan fel maniffesto crynswth yr SFA mewn miloedd o gyfweliadau. Ta waeth, roedd yr Anhrefn eisoes wedi gadael yr ugeinfed ganrif yn 1985.

Gruff Rhys

Cyflwyniad

Yn ôl Sion Sebon, fe ffurfiodd o yr Anhrefn ar ôl gweld y grŵp Mul o ardal Wrecsam yn perfformio yn Eisteddfod yr Urdd 1980. Prif leisydd Mul oedd un Stifyn Parri ifanc, ac mae'n debyg fod Sion wedi gweld yr angen am grŵp tanddaearol, *punk*, swnllyd, anarchaidd, amrwd fel gwrthgyferbyniad i'r roc Cymraeg saff, canol y ffordd, henffasiwn oedd yn cael ei gyflwyno gan Mul. Dyna un fersiwn o'r stori beth bynnag, a fersiwn a ddefnyddiwyd mewn ambell i gyfweliad dros y blynyddoedd, ond dwi'n amau yn fawr iawn a yw hon yn fersiwn gyflawn o'r stori, na chwaith yn esbonio cymhlethdod y rhesymeg a'r broses o ffurfio grŵp Cymraeg *punk* yn Sir Drefaldwyn ar ddechrau'r 80au.

Un peth sydd yn gyson o'r cyfnod, ac o bosib o flwyddyn neu ddwy ynghynt, hyd heddiw yw fy mod yn credu yn gryf iawn nad oes un fersiwn o Gymreictod. Does dim modd cael 'gwell Cymro na'r llall' neu bod yn 'fwy Cymraeg' – does dim hawlfraint ar Gymreictod; does dim gwerslyfr ar sut i fod yn 'Gymro da' neu yn 'Gymro go iawn'. Dyma un o'r prif resymau am bopeth dwi wedi'i wneud – fy mod eisiau llenwi'r bylchau, ymestyn y ffiniau, ailsgwennu'r gwerslyfr a chreu fersiwn wahanol o Gymreictod. Cymdeithas yr Iaith fathodd y slogan 'Popeth yn Gymraeg', ac eto ar ddiwedd y 70au roedd y grwpiau roc Cymraeg, y trefnwyr a'r labeli wedi llwyddo i greu byd bach Cymraeg oedd yn hollol amherthnasol i'r rhan fwyaf o bobl ifanc yng Nghymru. I ni yn Sir Drefaldwyn, mor agos i'r ffin, roedd y byd Cymraeg yn hollol ddieithr er mai Cymraeg oedd ein iaith gyntaf – dyna pam y bu i mi wrthryfela mor gryf a dyna pam dwi'n dal i deimlo mor gryf am y peth heddiw. Mae'r Gymraeg yn perthyn i bawb yng Nghymru, o bob cefndir, o Gasnewydd i Shotton, ac mae'n gas gennyf gyda chas perffaith y rheini sydd am gadw'r fersiwn saff a chul o Gymreictod iddyn nhw eu hunain, boed mewn neuadd breswyl ym mhrifysgol Aberystwyth neu yng nghoridorau swyddfeydd y cyfryngau Cymraeg yng Nghaerdydd, a'i droi yn rhywbeth elitaidd gydag uchafbwynt blynyddol yn yr Eisteddfod Genedlaethol yn hytrach na diwylliant a iaith ddeinamig ac amrywiol gyda bwrlwm parhaol drwy'r flwyddyn.

Wrth sgwennu'r llyfr yma rwyf hefyd yn ymwybodol fod yma gyfle i mi gyflwyno'r stori fel y digwyddodd hi drwy lygaid yr Anhrefn a Rhys Mwyn – y gwir yn ôl Rhys Mwyn, fel dywedodd y Manic Street Preachers: 'This is my truth…'.

Mae cyn lleied o hanes y byd pop Cymraeg wedi cael ei gyhoeddi/ ddarlledu fel bod pob cenhedlaeth newydd bron yn hollol anwybodus o'r cyfoeth ddaeth o'u blaenau. Yr enghraifft orau o hyn yw'r clasur o sengl *Maes B* gan Y Blew sydd hyd heddiw heb gael ei theilwng barch fel record, nac yn wir y band, a ffurfiwyd ym 1967, a phetai rhywun yn 'clywed' yr hanes, fe ddechreuodd y Byd Roc Cymraeg gydag Edward H Dafis – dyna oedd 'yr oes aur' a does dim wedi rhagori ar hynny…

Y ddadl fwyaf gennyf yn erbyn cenhedlaeth Edward H yw fod cymaint o aelodau grwpiau'r cyfnod wedi mynd i weithio i'r cyfryngau a gwneud eu gorau i rwystro'r datblygiadau yn ystod yr 80au yn sgil rhyddhau'r record *Cam o'r Tywyllwch* – am hynny does dim maddeuant. Dyma'r genhedlaeth a drodd ei chefn ar roc Cymraeg a'i ddyfodol gan ganolbwyntio i raddau helaeth ar S4C fel y prif gyfrwng. Credaf yn hollol ddiffuant, heblaw am y grŵp Maffia Mr Huws a'u prysurdeb ar ddechrau'r 80au, y byddai'r Byd Pop Cymraeg fel rydym yn ei adnabod wedi dod i ben. Byddai ambell grŵp wedi parhau i ganu yn Gymraeg, ond drwy chwarae dros gant o gigs y flwyddyn yn ystod eu hanterth fe gadwodd Maffia y fflam yn fyw, a nhw yn fwy na neb arall oedd y dylanwad mwyaf ar yr Anhrefn o ran sylweddoli mai drwy ganu ar hyd a lled y wlad yn gyson mae cyrraedd gwir boblogrwydd, ac nid drwy ymddangos ar y teledu ddwywaith y flwyddyn. Maffia hefyd oedd y grŵp Cymraeg cyntaf 'llawn amser', y grŵp cyntaf i gychwyn y broses o bontio rhwng y Cymry Cymraeg a'r di-Gymraeg ac i ymestyn eu gorwelion a'u gobeithion y tu hwnt i'r byd bach Cymraeg – efallai am eu bod yn dod o Fethesda ac yn rhan o'r sîn roc yn hytrach na'r sîn Gymraeg. Maffia hefyd oedd y gystadleuaeth a nhw oedd i gael eu disodli gan y genhedlaeth nesa o grwpiau – Y Cyrff, Datblygu a Tynal Tywyll.

"Mae yna rai sydd yn creu y chwyldro a rhai sydd yn cerdded mewn i'r Llywodraeth."

Felly dyma'r gwir yn ôl Rhys Mwyn...

Pennod 1
Llanfair Caereinion

O'r hyn medra i gofio roedd y bwlio yn Ysgol Uwchradd Llanfair Caereinion yn systematig o'r diwrnod cyntaf i mi gychwyn yno ym mis Medi 1973 hyd at ddiwedd y pumed dosbarth. Yn aml, wrth i ni ddisgwyl am ein cinio byddai'r bwlis yn dod heibio a tharo pob un yn y rhes ar eu pennau. Weithiau byddai adnabod rhai o'r bwlis yn ddigon i'n hachub ond roedd bod yn fab i athro yn fy ngwneud i'n darged amlwg. Roedd y ffarmwrs bron yn fwy peryglus na neb gan nad oedd ganddyn nhw syniad o boen. Dyna'r patrwm yn ystod pum mlynedd gynta yr ysgol uwchradd, er, yn amlwg, i'r bwlis newid dros y blynyddoedd. Medra i hyd yn oed gofio enwau nifer ohonyn nhw y bu'n rhaid i ni eu diodde yn y flwyddyn gynta, ond fel hogia ifanc un ar ddeg oed beth fedren ni neud?

Ar y pryd dyna oedd y drefn mewn ysgol. O ystyried hefyd nifer o'r athrawon, mi ges i'r teimlad ein bod mewn cyfundrefn a oedd yn cael ei rhedeg drwy ofn a disgyblaeth yn hytrach na thrwy barch a thrwy greu diddordeb yn yr hyn a gâi ei ddysgu. Doedd hyn ddim yn wir am bob athro o bell ffordd, ond roedd yn wir am ormod ohonyn nhw. Yn y flwyddyn gynta, yn sicr, galla i gofio bod arna i ofn cymaint o athrawon o ganlyniad i'w bygythiadau a'u disgyblaeth henffasiwn, afresymol.

O ran gwisg ysgol, y drefn oedd gwisgo *pumps* y tu mewn i'r adeilad a sgidiau tu allan; rhaid oedd sefyll yn syth, pawb mewn llinell; roedd tyllau i ddal potia inc yn dal yn nesgiau'r ysgol hyd yn oed. Byddai'r prifathro yn arfer gwisgo siôl ddu, fel y gwnâi prifathrawon y cyfnod, a phan oedd o'n dod i mewn i'r gwasanaeth boreol byddai pawb yn distewi'n llwyr. Eto, roedd rhyw fath o ofn yn perthyn i'r ddefod syml yma. Byddai'r holl ysgol a'r holl athrawon yn y neuadd ar gyfer y gwasanaeth ac wedyn byddai'r prifathro yn cyrraedd, rai munudau wedyn, bron yn fwriadol i gyfrannu at y *suspense*; bron fel rhyw ffilm Dracula, ond jyst bod 'na ddim *dry ice* yn y gwasanaeth boreol.

Arferai'r disgyblion di–Gymraeg gyfeirio at athrawon fel 'Sir' a 'Miss'. Fel Cymry Cymraeg roedd ychydig bach mwy o gyfeillgarwch hefo ni tuag at rai athrawon, ond fy argraff gynta oedd mod i newydd gerdded i mewn i le tebyg i'r hyn sy'n cael ei ddisgrifio yn *Tom Brown's Schooldays*. Dwi ddim yn credu i mi erioed fod yn hoff o'r 'drefn' fel roedd hi na theimlo'n gyfforddus hefo hi, ond ar y pryd roedd hi'n ymddangos mai felly roedd hi ac felly y byddai hi. Wrth dyfu a symud o flwyddyn i flwyddyn roedd rhywun yn dod yn gyfarwydd â'r drefn ac yn dysgu sut i edrych ar ôl ei hun. Eto i gyd, roedd y bwlio yn rhan o'r drefn, fel y dodrefn, y wisg ysgol a'r gwasanaeth boreol. Doedd y ffaith mod i'n fab i athro ddim yn helpu, mae'n siŵr, ond roedd pawb yn ei chael hi yn y blynyddoedd cynta gan yr hogia hŷn, fel arfer hogia'r pumed dosbarth neu weithia'r pedwerydd.

Dros y blynyddoedd cofiaf achos ar ôl achos o feibion fferm yn plannu dwrn yn y bol, yn plygu ein dwylo neu yn gafael ynon ni gerfydd ein gyddfau. Efallai fod hyn yn llai maleisus na'r bwlis a ddioddefais yn ystod y flwyddyn gynta, ond eto roedd y peth yn annifyr. Mi fydda i'n edrych yn ôl arnyn nhw fel bwlis hefo dwylo mawr a bochau cochion. Roedd rhain i gyd, wrth gwrs, yn Gymry Cymraeg ond roedden ni, fel hogia'r pentre yn hytrach na hogia'r wlad, yn wahanol yn eu tyb nhw. Efallai nad oedden ni'n byw'n ddigon pell i fyny Dyffryn Banw neu rywbeth tebyg, ond hyd heddiw dwi'n methu â deall yr atgasedd a'r casineb roedd cymaint o'r meibion fferm hyn yn ei arddangos.

Byddai eraill yn dilyn eu ffrindiau 'dylanwadol' ac eto yn fy nhargedu, dybiwn i, am mod i'n fab i athro. Byddai eu henwi yn creu rhestr faith, a does dim pwrpas eu rhestru go iawn beth bynnag, ond mae'n rhaid i mi gyfadde nad ydw i wedi maddau iddyn nhw hyd heddiw nac yn bwriadu gwneud chwaith. Diolch byth, dwi ddim yn debygol o weld y rhan fwya ohonyn nhw byth eto ac mae'n gwestiwn da meddwl beth fyddai rhywun yn ei ddweud petai'r cyfle'n codi. Mae'n demtasiwn meddwl y byddwn yn dweud wrthynt gymaint o fastards oedda nhw bryd hynny, ond mwy na thebyg mai eu hanwybyddu y byddwn i. Na, gobeithio na fydda i'n eu gweld nhw eto fel na fydd angen penderfynu. Fe wnaethon nhw 'mywyd i'n anodd iawn; ie, ocê, mae hynny yn cryfhau'r cymeriad, ond mae o hefyd yn gadael creithia a dydi creithia ddim yn clirio – ddim gydag amser a dim ots faint bynnag o dorheulo wnewch chi!

O'r drydedd flwyddyn tan y bumed, aeth pethau o ddrwg i waeth, gydag un bwli yn benodol wrthi'n ddidrugaredd; fe wnaeth gymaint o boenydio fel bod nifer ohonon ni hyd yn oed wedi ystyried ymosod yn ôl arno'n gorfforol. Mewn ffordd, mae'n dda o beth na welais i mohono fo erioed wedyn achos dwi ddim mor fach rŵan ac yn sicr does arna i mo'i ofn o.

Byddai ei ffrindiau hefyd yn ymuno ac, yn rhyfedd iawn, un o'i ffrindiau ddaru fy ngwthio i i daro'n ôl ac i daro'n ôl yn yr unig ffordd y gallwn feddwl amdani ar y pryd, gan mod i'n rhy fach yn gorfforol i'w daro â dwrn. "Fuck off! Fuck off you fucking bastard!" Mi ro'n i wedi cael digon ac felly dyma weiddi arno fo ac ynta'n un o *prefects* yr ysgol yn y *canteen* o flaen 'pawb' yn yr ysgol. Dychrynodd yr hen Mr Bebb druan a ofalai am y *canteen* dros amser cinio ac aeth y stafell yn ddistaw. Cochodd y *prefect* mewn braw wrth i mi ddechrau bloeddio arno. Mae'n debyg i'r *prefect* benderfynu 'nharo i ar fy mhen am i mi wrthod dweud gweddi cyn bwyta; doeddwn i rioed wedi gweddïo yn fy mywyd a doeddwn i rioed wedi rhoi fy mhen i lawr mewn gwasanaeth felly doedd y diwrnod hwnnw ddim gwahanol i'r arfer. Does dim dwywaith i mi golli pob rheolaeth, a'i cholli hi go iawn. O fewn ychydig funudau roedd y dirprwy ar fy ôl, a dywedais wrtho mod i'n gadael yr ysgol a ddim yn fodlon rhoi i fyny hefo'r *crap* yma! Cerddais allan o adeilad yr ysgol gyda'r dirprwy'n dal i weiddi ar fy ôl: "Rhys Thomas! Rhys Thomas, come back here now!" Bu'n rhaid i 'nhad fy mherswadio i ddychwelyd y diwrnod wedyn.

Bu rhyw fath o *inquisition* wedyn yn ystafell Arthur Jones, yr athro daearyddiaeth, lle holwyd y *prefects* a oeddwn i'n 'hogyn drwg' – 'na i byth anghofio nhw'n petruso rhag ateb, a hynny yn benna achos bod arnyn nhw i gyd ofn y prif fwli. Yn eironig, roedd ei dad ar fwrdd llywodraethwyr yr ysgol a rai blynyddoedd yn ddiweddarach, yn yr 80au, fo oedd yn gyfrifol am wahardd gigs yr Anhrefn yn Institiwt Llanfair Caereinion. Yr unig reswm i mi fynd yn ôl i'r ysgol y diwrnod wedyn oedd ar yr amod mod i'n cael ateb i fy nghwyn! Rhaid pwysleisio yma fod Arthur Jones yn athro penigamp a'i fod wedi fy arwain ac wedi fy ysbrydoli i gael gradd A yn fy Lefel A Daearyddiaeth, felly dim ond parch sy gen i at y dyn a doedd dim bai arno am y sefyllfa a gododd yn ei ystafell y diwrnod hwnnw. Ond, o ran cyfundrefn yr ysgol, fe gollon nhw bob parch oedd gen i tuag atyn nhw y diwrnod hwnnw a lwyddon nhw ddim i'w ennill yn ôl byth wedyn. Fel arfer, gydag achosion fel hyn, does dim ateb i'w gael mewn gwirionedd, er fedra i ddim cofio i mi gael fy mwlio gymaint wedi'r digwyddiad yn y ffreutur y diwrnod hwnnw, achos ei bod yn amlwg y byddwn i'n creu stŵr.

Digwyddiad arall o bwys yn yr ysgol uwchradd oedd cael *six of the best* gan y prifathro. Doedd ein pechodau ddim yn ddifrifol iawn, ond roedd Steffan Rowlands a finna wedi gweiddi "Go home you English bastard!" ar rywun a oedd wedi'n rhwystro rhag cerdded ar hen lwybr roedden ni wedi crwydro arno ers ein plentyndod. Yn dilyn cwyn, penderfyniad y prifathro oedd fod *corporal punishment* yn addas felly dyma chwe chwip gyda *pump* du meddal, yr hen *gym shoes* fel roeddan nhw yn cael eu galw. Fu dim rhaid tynnu ein trywsusau ond roedd marc coch ar ein tinau am ddiwrnod neu ddau wedyn. Dyma un o'r ychydig enghreifftiau yn fy mywyd lle rwyf wedi difaru na fyddwn wedi gwrthod y gosb, jyst dweud "no way" a cherdded o'na. Pam mae arnon ni gymaint o ofn awdurdod a'n bod mor barod i'w dderbyn? Eto i gyd, dim ond yn fy arddegau cynnar o'n i a doedd hi ddim mor hawdd dweud wrth brifathro lle i fynd!

Fe es i yn ôl i Lanfair Caereinion er mwyn sgwennu'r llyfr hwn, mynd yn ôl yn llythrennol i hel atgofion neu jyst i drio cofio, ond ar y cyfan doedd fawr ddim yn dod yn ôl. Dwi wedi gadael yn feddyliol ers 1980 a go iawn ers 1985 ac, fel y soniais i dros y blynyddoedd, doedd fawr o *punk rock* na diwylliant Cymraeg cyfoes yn Sir Drefaldwyn i 'nghadw i yno. Byddai'n frwydr rhy anodd trio cyflwyno'r math o Gymreictod ro'n i am ei greu i drigolion amaethyddol yr ardal i gyfiawnhau mod i'n aros yno. Dyna'r rheswm penna pam na wnes i gadw cysylltiad, neu i mi golli cysylltiad, hefo 'nghyfoedion ysgol. Ie, cymysgedd o boen meddwl ac o amseroedd da a hapusrwydd oedd yr ysgol uwchradd, ond dim byd anghyffredin, dim byd anarferol, jyst bywyd mewn ysgol gymharol fach yng nghefn gwlad Cymru.

Heblaw am y bwlio mae'n debyg nad oedd hi mor ddrwg â hynny. Roedd na dipyn o wrth-Gymreictod a digon o bennau bach ond wedyn roedd 'na hefyd nifer o athrawon da a digon o ffrindia ac mi adewais y lle gyda chanlyniadau parchus.

Fe allwn ddisgrifio Llanfair Caereinion fel *one-street town* – does fawr mwy i'r lle na hynny ac mae modd cerdded o un pen i'r pentre i'r llall, sef o reilffordd y Welshpool and Llanfair Light Railway ar y ffordd allan am y Trallwng hyd at Goed y Deri ar y ffordd allan am Felin y Ddôl, mewn tua chwarter awr. Yno y cefais fy magu, er i mi gael fy ngeni yn Ysbyty Copthorne yn yr Amwythig ar 1 Gorffennaf 1962 – ffaith a fu'n boen meddwl mawr i mi yn ystod fy nyddiau yn yr ysgol gynradd gan fod pawb yn taeru fy mod yn Sais gan i mi gael fy ngeni yn Lloegr. O bosib mai dyna'r profiad cynta ges i o fod yn wahanol a gorfod dadlau hefo 'nghyfoedion a fy ffrindia. Dwi ddim yn cofio llawer am fy mlynyddoedd cyntaf ar y byd yma. Gwn i mi fyw yn Rhif 4 Heol Bowys, Maes Glas, Llanfair Caereinion am y ddwy flynedd gynta cyn symud i Tegfryn ar Ffordd y Mownt, a dyna lle bûm yn byw wedyn nes gadael cartre.

Mi alla i gofio'r diwrnod cynta i mi fynd i'r ysgol gynradd a cholli Mam yn aruthrol, rhywbeth sydd yn weddol gyffredin mae'n siŵr, ond fe arhosodd rhyw deimlad o fod yn anesmwyth gyda'r ysgol drwy gydol fy amser yn y gyfundrefn addysg – hyd yn oed yn yr ysgol gynradd, cyn i mi droi'n rebal go iawn yn ystod fy arddegau. Mae'n weddol sicr fod rhan o'r rheswm dros hynny yn deillio o'r ffaith fod fy nhad a 'mam yn wreiddiol o ardal Dyffryn Nantlle, Sir Gaernarfon, felly doedd gen i ddim teulu yn Sir Drefaldwyn tra bod pawb arall yn yr un dosbarth â mi yn perthyn i'w gilydd. Hefyd roedd hi'n ffaith mai ni oedd yr unig deulu yn yr ysgol nad oedd yn mynd i'r capel. Roedd gorfod mynegi barn mewn dosbarth ysgol gynradd nad oeddwn yn credu mewn Duw o hyd yn ddiddorol! Doedd yr athrawon druan ddim yn gwybod sut i ymateb i ddatganiad o'r fath!

Cafodd fy mrawd Sion ei eni ar 9 Mawrth 1964, eto yn Copthorne, a thrwy ein plentyndod buon ni'n rhan o'r un gang, yn cydchwarae ac yn cyd-fyw yn weddol gytûn. Fel brodyr, yn naturiol, roedd ffraeo yn beth gweddol arferol a chyffredin, ond dwi ddim yn cofio i mi erioed ddal dig. Sion yw Sion Sebon, wrth gwrs, ac ers 1980 ry'n ni wedi cydsgwennu a chydberfformio fel aelodau o grwpiau yr Anhrefn a Hen Wlad Fy Mamau. Sion Sebon yw un o'r ychydig bobl dwi wedi gallu parhau i gydweithio hefo nhw dros yr holl flynyddoedd. Mae'r ddealltwriaeth yn un lwyr, yn union fel y Musketeers – byddwn yn gwneud unrhyw beth iddo fo a fo run fath hefo mi.

Fy ffrind gorau drwy'r ysgol gynradd yn Llanfair Caereinion oedd Steffan Rowlands. Rŵan, roedd Steffan yn fab i Glyn Rowlands, aelod o'r Free Wales Army, felly roedd yn rhyw fath o arwr yn ogystal â ffrind. Roedd yn byw gyda'i fam, ei chariad a'i ddau frawd, Dafydd Iwan a Gareth, yn Stryd y Dŵr, yn hytrach na chyda'i dad oedd wedi ailbriodi ac yn byw yng Nghorris. Felly roedd gan Steffan dipyn fwy o ryddid na'r gweddill ohonon ni ac roedd hefyd yn eitha *trend setter* yn ei ffordd, yn ffan o Elvis a *rock 'n roll* ac yn cael cariadon cyn i'r gweddill ohonon ni fentro hyd yn oed eistedd wrth ymyl merch.

Roedd Glyn Rowlands yn amlwg yn arwr mawr i'r hogia, a phan oedd o yn ymweld â Llanfair roedd y cynnwrf ar wynebau'r hogia bach yna yn dweud y cyfan. Un o'r digwyddiadau pwysica i mi yn y cyfnod yma oedd cael cyfarfod Glyn a chyfarfod rhywun oedd wedi bod yn y Free Wales Army. Byddai'r hogia yn adrodd storïau am Glyn – iddo guddio arfau o dan y grisiau a bod yr heddlu wedi torri i mewn i'w gartref ganol nos gan ddod o hyd i'r arfau hynny a'i arestio. O ganlyniad cafodd Glyn gyfnod yn y carchar. Sut effaith gafodd hynny ar ei deulu, Duw a ŵyr, ond yn amlwg fe fethodd y briodas ac fe gollodd yr hogia'r cyfle i gael eu magu gan eu tad. Dros y blynyddoedd dwi wedi dod ar draws Glyn yn awr ac yn y man a phob tro mi deimlaf ryw *bond*, rhywbeth anesboniadwy ond rhywbeth eithriadol o gryf, wrth gofio bod Steff wedi bod yn berson mor bwysig yn ein bywydau ni'n dau.

Mae Glyn yn un o'r bobl hynny mae gen i amser a pharch atyn nhw a hyd heddiw mae'n hollol ddigyfaddawd wrth amddiffyn yr hyn wnaeth o. Ar yr adegau prin hynny pan fo helyntion yr FWA yn cael sylw ar y cyfryngau bydd Glyn yn ymateb fel petai'r cwbl wedi digwydd ddoe. Yn hollol ddiffuant, mae'n honni y byddai'n gwneud yr un peth eto – dwi'n gorfod chwerthin achos mae o'n *hard-liner* ac yn uffern o gês hefyd.

Hogia'r wlad oeddan ni fel plant, yn chwarae allan yn y caeau ac wrth yr afon Banw neu ar ein beics. Doedd y gair 'bored' ddim yn bodoli bryd hynny a dwi ddim yn cofio i ni erioed fod yn brin o ryw antur neu'i gilydd. Weithiau bydden ni'n mynd i drwbl ond fel arfer allan yn y wlad y bydden ni, heb boeni fawr ddim ar neb. Hyd yn oed ar ôl gadael yr ysgol gynradd bydden ni allan ar ein beics yn faw i gyd ac yn hapus wrth grwydro ac *explorio* neu adeiladu *dens*.

Rhwng 1966 a 1973, fel disgybl yn Ysgol Gynradd Llanfair Caereinion, y cefais fy mhrofiadau cyntaf o'r bywyd Cymraeg wrth dreulio wythnos yng ngwersyll yr Urdd Llangrannog (Urdd Mein Camp fel y dywedodd Dave Datblygu). Dwi'n cofio casáu y lle, diodda hiraeth am gartra a chasáu'r dawnsio gwerin. Roedd yn well gen i fynd i'r traeth neu fod ar 'y mhen fy hun na chymryd rhan yng ngweithgareddau plentynnaidd y gwersyll. Yn wir, dyma'r tro cyntaf i mi sgeifio, sef peidio mynd i wersi neu weithgaredd. Byddwn i a hogyn o'r enw David Gwyn, mab y dyn llefrith, yn cuddio tu cefn i ryw babell neu'i gilydd er mwyn osgoi mwy o ddawnsio gwerin/ twmpath neu beth bynnag arall y byddai'r Urdd yn trio ei gyflwyno er mwyn ein diddanu. Ond daeth un peth positif o'r profiad erchyll hwnnw, gan i mi brynu fy record Gymraeg gynta erioed, *Diolch yn Fawr* gan Meic Stevens, a dwi wedi cadw'r sengl hyd heddiw. Mae'n bosib mai dyma'r gân goll gan Meic Stevens: hollol syml a *throwaway* ac eto ar yr un pryd yn eitha *stroke of genius* creu cân allan o'r geiriau 'diolch yn fawr'. Ai fi sydd yn meddwl hyn, neu a gafodd y gân yma ei hanwybyddu dros y blynyddoedd?

Felly dyma ddechrau gwrando ar recordiau Cymraeg mewn cyfnod pan oedd Hogia'r Wyddfa yn grŵp pop, a chofiaf Elfed Thomas, prifathro'r ysgol gynradd, yn esbonio i ni beth oedd ystyr 'Dwi Isho Bod yn Sais' a 'Paid Anghofio' gan Huw Jones ac 'I'r Gad', 'Croeso Chwedeg Nain' a 'Peintio'r Byd yn Wyrdd' gan Dafydd Iwan. Hwn oedd y *soundtrack* i'n dyddia ola ni yn yr ysgol gynradd ym 1973. Daeth Huw a Dafydd i ganu yn Neuadd y Foel yn Nyffryn Banw, a dwi wedi cadw eu llofnodion hyd heddiw. Hwn oedd y tro cynta i mi weld grwpiau ac unigolion pop Cymraeg yn fyw. Dwi ddim yn credu bod system sain yno, a dwi'n meddwl bod DI a Huw jyst wedi canu yn fyw i gyfeiliant eu gitârs. Dyw'r neuadd bren ddim yn bodoli bellach ond bob tro y bydda i'n gyrru heibio yn y car mi fydda i'n edrych ar y safle ac yn dweud wrtha i'n hunan neu wrth bwy bynnag sy yn y car hefo mi, "Yn y fan yna y gwelais i Huw Jones a Dafydd Iwan yn canu gynta!!"

Athro Ffiseg yn yr ysgol uwchradd oedd fy nhad, Ieuan Thomas; athro gyda pharch ato gan y disgyblion, athro teg a chydwybodol ond athro oedd hefyd yn disgwyl i bawb gadw at y rheolau. Does dim dwywaith mai gan fy nhad y cefais y duedd a'r gallu i drefnu. Roedd fy nhad wedi bod yn weithgar yn sefydlu'r Recreation Association yn Llanfair a threfnu gweithgareddau megis y carnifal. Roedden nhw wedi llwyddo i godi arian ar gyfer gwella'r cae pêl-droed yng Nghae Mownt, i ail-wneud y cyrtiau tennis a'r *bowling green* a chreu bwrlwm o chwaraeon yn y dref. Drwy ein hieuenctid, felly, cawson ni ein hyfforddi i chwarae tennis ac wedyn yn yr ysgol uwchradd mi gawson ni'r cyfle i chwarae badminton a thennis bwrdd mewn clybiau yr oedd fy nhad yn eu cynnal. Efallai mai fo hefyd greodd y diddordeb yno' i mewn rhedeg traws gwlad. Byddai o'n cymryd rhan yn flynyddol yn ras draws gwlad yr ysgol ond, fel y gellid disgwyl, chafodd o mo'r gorau arna i mewn ras draws gwlad er ei fod o'n feistar arna i wrth chwarae tennis, tennis bwrdd a badminton.

Ar nos Wener y byddai'r clwb badminton yn cyfarfod, yn *gym* yr ysgol uwchradd, a dwi'n dal i deimlo'n hapus wrth edrych yn ôl a chofio am y nosweithiau hynny. Mi ddysgon ni sut i chwarae'n strategol a cheisio meistroli technegau rheoli'r *shuttlecock*, ac mi fues i'n aelod o'r clwb drwy gydol fy nghyfnod yn yr ysgol uwchradd. Roedd gweddill nos Wener yn cael ei dreulio adre gyda mam yn gwylio rhaglenni fel *The New Avengers* ar y teledu ac yn cael *treats* o focs Mr Sheen y grosar.

Dwi'n gwybod i mi roi amser anodd i 'nhad wedi i mi gychwyn darganfod merched a *punk rock* wrth i mi droi'n un deg saith, a hyd yn oed heddiw dwi ddim yn gallu osgoi peidio â dadlau yn ôl ag o. Ond y peth anodda o'r cwbl i mi, mae'n siŵr, yw methu cael y gair ola! Wedi dweud hynny, fy nhad ddysgodd i mi fod yn onest ac i fod yn sicr fy marn, drwy ei resymeg, ei drefn a'i ofal wrth weithredu. Er i ni anghytuno a dadlau cymaint am wleidyddiaeth, does dim dwywaith mai rhan ohono fo oedd yn ei hamlygu ei hun yn fy mhersonoliaeth i ac yn fy agwedd tuag at fywyd wrth i mi wrthryfela yn fy ieuenctid – y pendantrwydd a'r sicrwydd barn.

Heddiw mi alla i weld pa mor debyg ydyn ni. Rydyn ni'n dal i allu dadlau am y gorau ond gallwn hefyd fod yn ffrindiau da. Mewn gwirionedd dwi ddim yn disgwyl i unrhyw un ddeall beth yn union oedd yn mynd trwy fy meddwl yn ystod fy arddegau: arwyddocâd y Sex Pistols, y *punk rock* a'r angen am ddihangfa a mynegiant. Roedd cymaint o egni ac angerdd gen i. Efallai fod y bwlio wedi cael effaith arna i neu efallai mai rhywbeth arall oedd o, ond ro'n i'n mynd i fod yn rebel – nid drwy ddymuniad na thrwy benderfyniad, doedd dim dewis yn y peth.

Chafodd cenhedlaeth fy rhieni ddim gwir gyfnod *teenage*; yn ystod y 40au a hwythau yn eu harddegau, roedden nhw'n dal i brofi ôl-effeithiau yr Ail Ryfel Byd. Mewn ffordd roedden nhw'n oedolion cyn y 60au ac felly doedd hi byth yn mynd i fod yn hawdd uniaethu â neges *punk*, na hyd yn oed derbyn bod *punk* yn bwysig i ni.

Fe lwyddais yn fy addysg ac fe es i'r coleg, ond dwi ddim yn credu y byddwn wedi darganfod pa lwybr oedd orau i mi ei ddilyn mewn bywyd pe na bawn wedi cyfarfod ag ambell un o'r cariadon a ges i, ac yn sicr pe na bawn wedi cael profiadau'r byd *punk*. Y gwrthdaro mwya i mi ei gael gyda 'nhad, o bosib, oedd fy mhenderfyniad i gael clustdlws pan oeddwn yn y chweched yn yr ysgol. Ro'n i a Jasper Meade, un o fy ffrindiau, wedi cael ein tlysau yn ystod yr awr ginio a'r stori wedi lledu o amgylch yr ysgol fel tân gwyllt. Holodd y dirprwy "Is it true, is it true?" Doedd fawr o ddewis ond tynnu'r clustdlws y noson honno, pe bai ond i gael dychwelyd i'r ysgol a gorffen fy arholiadau. Roedd yn rhaid i Sion, fy mrawd, roi help i mi gael y blincin peth allan achos fedrwn i ddim. Sôn am strach!

Yn od iawn, ddywedodd fy mam fawr ddim am y peth. Dwi ddim yn credu i'r peth boeni fawr ddim arni hi. Byddai wedi derbyn y peth yn reit hawdd ac wedi gadael i mi gadw'r tlws yn fy nghlust. Mewn ffordd doedd arna i fawr o awydd gwisgo clustdlws – y gwir oedd i mi gael un er mwyn herio'r drefn – ond roedd yn hollol annerbyniol i fy nhad; fe gawson ni un o'r dadleuon gwirion hynny wrth iddo fynnu mod i'n treulio gormod o amser gyda merched yn yr ysgol yn hytrach na chanolbwyntio ar fy addysg. Duw a ŵyr sut roedd y clustdlws yn rhan o'r ddadl honno, ond doedd hogia ddim yn gwisgo pethau o'r fath. Roedd yn iawn i ryw raddau, gan fod merched a *punk* yn amharu ar fy addysg, er nad oedd amheuaeth am fy rhywioldeb. Er i mi sgwennu ambell erthygl yn sôn am ffansïo Billy Idol dros y blynyddoedd, dwi ddim yn un o'r rheini sydd yn gallu cyfadde eu bod wedi cael unrhyw brofiadau hoyw go iawn.

Heb os, fy mam, Sydney, oedd fy ffrind gorau yn ystod y rhan fwya o fy ieuenctid. Reit o'r dechrau ro'n i yn gallu siarad a sgwrsio gyda Mam. Roedd hi'n sefyllfa braf lle ro'n i yn gallu dweud pob dim, ac roedd hynny mor bwysig i hogyn wrth dyfu o gofio'r holl bethau personol sydd yn effeithio ar rywun ac yn ei boeni. Bob tro roedd merch yn torri 'nghalon ro'n i yn gallu troi at Mam. Doedd dim ateb ganddi, wrth gwrs, ond roedd Mam yn gallu rhoi cysur. Gyda'i doethineb a'i phrofiad mewn bywyd roedd hi'n gwybod yn iawn nad oedd y problemau hyn yn ddiwedd y byd ac y byddai rhywun yn dod dros y tristwch yn ddigon buan. Mae'n rhaid ein bod wedi sgwrsio a sgwrsio, a hynny am oriau oedd yn cyfateb i wythnosau os nad misoedd.

Yn ddiddorol iawn, fe gymerai Mam ddiddordeb mawr yn y recordiau *punk* ro'n i yn eu prynu. Yn wir, sawl gwaith pan fyddai hi'n siopa byddwn yn rhoi rhestr iddi er mwyn prynu albwm newydd Sham 69 neu sengl newydd The Clash. Yr unig grŵp doedd hi ddim yn or-hoff ohonyn nhw oedd y Pistols, ac nid oherwydd y rhegi na'r rhethreg ond oherwydd llais aflafar Johnny Rotten. Fel arall roedd mam yn ffan o Jayne County and the Electric Chairs a'r Ramones, ac o bosib hi oedd y fam fwya trendi yn Sir Drefaldwyn. Pwy arall yn eu pedwar degau fyddai wedi gallu enwi aelodau The Damned ym 1977? Doedd Mam ddim yn un fyddai'n gwylltio'n aml, a meddyliaf amdani fel dynes hefo amynedd Job a fyddai'n treulio cymaint o amser yn gwrando ar eraill yn achwyn eu cwyn.

Byddai Mam yn eistedd am oriau gyda Nain pan oedden ni'n ymweld â chartref fy nhad yng Ngharmel, Sir Gaernarfon, yn gwrando ar Nain neu Anti Maggie yn sôn am rywun o 'No 3' neu 'No 5' neu bwy bynnag arall yn y pentre oedd wedi eu pechu. Fel plentyn roedd hi bron yn amhosib deall sut y gallai unrhyw un eistedd a gwrando arnyn nhw am gymaint o amser. Mae gen i gof iddi wneud yr un peth hefo rhai o drigolion Llanfair. Athrawes yn Ysgol Gynradd Llanfair Caereinion oedd Mam. Eto fel athrawes roedd parch ati gan y plant a does gen i ddim cof iddi wylltio gydag unrhyw ddisgybl erioed, gan nad oedd rhaid iddi wneud hynny. Fel fy nhad, bu Mam yn fy nysgu ond doedd hynny ddim yn anodd. Yn wir, doedd bod mewn dosbarth gyda 'nhad na fy mam ddim yn achosi unrhyw broblem gan eu bod yn athrawon mor deg. Y broblem yn yr ysgol uwchradd oedd bod yn fab i athro, *full stop*.

Roedd gap wedyn tan 1977 cyn i mi wrando ar recordiau Cymraeg a phrin iawn oedd y cysylltiad â'r Byd Cymraeg yn ystod blynyddoedd cynnar fy arddegau. Wel, dwi'n dweud prin. Fu dim cysylltiad o gwbl a dweud y gwir. Tan i'r Sex Pistols ddenu fy sylw dwi ddim yn credu, a bod yn onest, i mi wrando ar gerddoriaeth *full stop* gan fod rhedeg traws gwlad wedi mynd â fy mryd. Aeth y Bay City Rollers, David Bowie, Roxy Music, Abba a phawb arall heibio heb effeithio arnaf o gwbl. Does gen i ddim recordiau o'r cyfnod 1973 – 1977 yn fy nghasgliad. Rhwng tair ar ddeg a dwy ar bymtheg mlwydd oed ches i ddim cariad, dim hyd yn oed sws, ond o leia fe lwyddais i basio'r rhan fwya o fy *O Levels* a chynrychioli Sir Drefaldwyn fel rhedwr traws gwlad.

Pinacl fy ngyrfa rhedeg traws gwlad oedd cipio record yr ysgol yn y ras flynyddol. Roedd y ras yn golygu croesi afonydd, rhedeg drwy fwd a thail gwartheg a rhedeg i fyny ac i lawr elltydd. Dim problem, ro'n i'n gallu gwneud hyn ac ro'n i'n ymarfer bron yn ddyddiol drwy gydol fy nghyfnod yn yr ysgol uwchradd. Byddwn i'n mwynhau'r llonyddwch a gâi'r enaid wrth redeg ac ro'n i'n mwynhau bod yn ffit. Eto, er yr holl ymroddiad, efallai nad o'n i'n rhedwr greddfol. Ro'n i'n gweithio'n galed i fod yn rhedwr da ond do'n i ddim yn ddigon da i gynrychioli Cymru. Diflannodd yr ymroddiad wedi i mi adael yr ysgol, ond yn ystod y cyfnod hwn mi gynrychiolais i Sir Drefaldwyn a rhedeg rasys yn y Drenewydd a Llandrindod, gan deimlo am y tro cynta rhyw fesur o lwyddiant. Credaf hyd heddiw fod rhywun ar daith i ddarganfod ei hun drwy ei fywyd a *punk rock* agorodd y drysau i mi gan ddangos lle dylai fy mlaenoriaeth fod ac ym mha faes y mae fy ngallu.

Roedd pedair tafarn yn Llanfair yn ystod fy mhlentyndod a'm harddegau: y Black Lion, a oedd yn drewi o gwrw a Woodbines ac felly'n ogleuo fel *pub* go iawn; y Red Lion; y Wynnstay; a'r Goat Hotel, oedd yn fwy posh. Cofiaf fod y bar yn y Black Lion heb garped na fawr o gadeiriau ac yn llawn o weithwyr; y math o dafarn na fyddai hogia ifanc diniwed yn mentro i mewn iddi nes eu bod yn o leia bedwar deg oed ac wedi treulio'r rhan fwyaf o'u bywydau yn gweithio tu allan hefo caib a rhaw. Y Red Lion oedd y dafarn lle roedd y bobl ifanc yn yfed neu, i fod yn fwy cywir, y Red Lion oedd yn gwerthu cwrw i ni a oedd o dan oed heb ofyn cwestiynau. *Mild spot* oedd y cwrw cynta i mi ei yfed sef *mild* hefo ychydig o *lemonade* ar ei ben. Peidiwch â gofyn pam, achos mae'n debyg mai'r rheswm syml oedd i mi drio peint rhywun arall gynta a phenderfynu nad oedd yn rhy anodd i'w yfed, ac felly y bu hi nes i mi adael Sir Drefaldwyn a ffendio mai *bitter* oedd y cwrw mwya cyffredin yn nhafarndai'r wlad.

Doedd 'na ddim *drugs* o'n cwmpas ni yn Llanfair Caereinion ac mi gawson ni fagwraeth heb fwgan *dealers* o flaen giatiau'r ysgol. Dwi ddim yn cofio i fy rhieni erioed orfod ein rhybuddio rhag cyffuriau. Roedd bwrdd *pool* a *jukebox* yn ystafell gefn y Red a dyna lle byddai pawb yn ymgynnull i yfed, chwarae gêm o *pool* a thrio'n gorau i roi rhywbeth cŵl ar y *jukebox*. Doedd y dewis ar y *jukebox* ddim yn wych ond mi fedra i gofio bod 'Double Dutch' Malcolm McLaren wedi ei chynnwys am gyfnod a 'Red Red Wine' gan UB40. Doedd dim *punk rock* go iawn, a dim caneuon Cymraeg.

Amanda Pearse oedd 'y nghariad cynta, ond prin bod y gair 'cariad' yn golygu unrhyw beth. Am ryw reswm neu'i gilydd roedd Amanda wedi penderfynu gafael yn fy llaw un noson, ac i hogyn un ar ddeg oed roedd hyn yn eitha cyffrous, yn enwedig o ystyried bod Amanda flwyddyn yn hŷn na fi yn yr ysgol. Y caffi *fish and chips* Bon Marche oedd ein *hang-out* gyda'r nos, a thros gyfnod o wythnosau bu rhyw fath o gyfathrach rhyngthon ni, weithiau yn gafael dwylo ac weithiau'n mentro sws neu hyd yn oed sws hir, ond digon diniwed oedd hyn i gyd. Merch y Goat Hotel oedd Amanda a ffrindiau hefo'i brawd Julian oeddwn i mewn gwirionedd. Fedra i ddim hyd yn oed cofio'r peth yn dod i ben na siarad hefo hi wedyn.

Siân James (y gantores werin enwog) oedd y cariad na fu, er i bawb sôn ei bod yn hoff iawn ohono i ym mlwyddyn gynta'r ysgol uwchradd. Ro'n i'n llawer rhy naïf i ddeall y *signals* ac erbyn i mi ddechrau deall am ferched roedd Siân wedi dechrau ffansïo Huw Graig, a methais fy nghyfle. Bu tipyn o ddagrau am y peth a dwi'n cofio sôn wrth Mam mod i wedi dechrau dod yn hoff o Siân, ond eto'r oed yna mae rhywun yn anghofio'n sydyn iawn. Bu Siân a finnau yn yr un dosbarth drwy gydol yr ysgol uwchradd a buon ni'n cydweithio yn y Byd Pop wedyn yn ystod y 90au. Heddiw mae ochr ddoniol i'r peth a rhywsut byddai wedi bod yn ddoniol petai'r ddau ohonon ni wedi bod yn gariadon ysgol.

Ar ôl Siân James (neu ddim *as the case may be*) roedd yna gap hefo merched. Ro'n i wedi bod yn eitha ffrindia hefo Enid, un o ffrindiau Siân, ond erioed wedi gwneud dim am y peth. Eto do'n i ddim y mwyaf hyderus o ran sgwrsio gyda merched neu yn sicr o ran gofyn iddyn nhw fynd allan efo fi, achos yn fy arddegau daeth *acne*...

Fe drodd yr *acne* yn *septic acne* a bu sawl ymweliad ag arbenigwyr yn yr Amwythig; fy nhad yn fy hebrwng i nôl rhyw eli newydd a finnau'n mynd i 'ngwely bob nos gyda hufen *sulphur* gwyn dros fy ngwyneb yn y gobaith y byddai pethau'n well yn y bore. Fe aeth hyn ymlaen am flynyddoedd a does dim dwywaith iddo gael effaith fawr ar fy mywyd. Edrychaf yn ôl gan ddweud mai'r *acne* fu'n gyfrifol mod i wedi pasio fy Lefel O i gyd (heblaw Cymraeg) achos doedd 'na ddim merched a dim *distractions*. Ar adegau roedd yr *acne*'n boenus ac yn llawn *pus* – dyna effaith y *septic acne*, sef ei fod yn mynd yn ddrwg – ac mae'r teimlad o fod yn hyll yn un y galla i ei ddeall a chydymdeimlo'n llwyr â fo. Fe barhaodd yr *acne* reit drwy ddyddiau coleg er bod yr eli *sulphur* wedi bod o gymorth. Yn y diwedd mae rhywun yn dysgu byw hefo'r peth, ac roedd dyddiau gwell na'i gilydd, ond ar y cyfan ro'n i yn ddrwg iawn am flynyddoedd. Yn ystod yr 80au fe ysbrydolodd y profiad fi i sgwennu erthygl i'r *Faner* am *acne* a hyd heddiw dwi'n credu mai honno yw un o'r erthyglau gorau dwi rioed 'di eu sgwennu.

Daeth achubiaeth o gyfeiriad annisgwyl iawn. Doeddwn i ddim wedi ymddiddori mewn cerddoriaeth ers gadael yr ysgol gynradd a, heblaw am archaeoleg, fy niddordeb penna oedd rhedeg traws gwlad. Felly pam yn union y cafodd erthygl yn y *Sunday Times* am The Clash gymaint o effaith arna i? Yn fuan wedyn ymddangosodd erthygl dan y pennawd 'Unseen, Unheard But On Top' am y Sex Pistols yn yr un papur a dwi'n cofio pawb yn sôn am ferch o'r ysgol, Lisa Collins, oedd wedi symud i Lundain ac wedi cyfarfod â'r Pistols. Un o ffrindiau Amanda oedd Lisa ac o beth dwi'n gofio roedd pob hogyn yn yr ysgol yn ei ffansïo hi. Fel mae'r hen ddywediad yn mynd, *I was hooked* – ar *punk rock*, hynny yw, er fel pawb arall ro'n inna hefyd wedi ffansïo Lisa. Chlywodd neb am hynt a helynt Lisa Collins wedyn.

Fe roddodd *punk rock* ddigon o hyder i mi ddod allan o 'nghragen ac anwybyddu'r *acne* i raddau drwy greu persona. Wedi cael fy ysbrydoli gan Johnny Rotten a Sid Vicious, dechreuais weld y byd drwy sbectol wleidyddol a dechreuais feithrin fy ngallu i ddadlau a rhesymu. Deallais nad oedd dim o'i le ar fod yn wahanol. Doeddwn i ddim yn *pretty boy* a doeddwn i ddim isho bod... a'r peth od am hynny yw ei bod hi'n wir fod personoliaeth yn bwysicach i ferched. Ac am y tro cynta, felly, ers blwyddyn gynta'r ysgol uwchradd dyma gael cariadon.

Roedd y ddwy flynedd ola yn yr ysgol uwchradd, yn y chweched dosbarth, yn eitha hwyl. Fe adewais hefo dwy Lefel A, mewn Hanes a Daearyddiaeth, oedd yn ddigon i gael mynd i Goleg Prifysgol Cymru, Caerdydd, i astudio archaeoleg, ond methais fy Lefel A Mathemateg. Ella bod bai ar gerddoriaeth a merched, ond mewn gwirionedd dwi ddim yn credu i mi rioed ddeall *maths* chwaith. Dechreuais yn y chweched ym Medi 1978 a gwnes yn siŵr, drwy gydol y ddwy flynedd, na fyddwn i'n gweithredu unrhyw un o fy nyletswyddau fel *prefect*. Nes i rioed fwlio neb nac achwyn ar neb wrth athro, ac i ddweud y gwir, erbyn hyn, ro'n i'n cael mwynhad o weld disgyblion yn torri'r rheolau ac yn herio'r drefn ac yn herio rhai athrawon oedd yn haeddu cael eu herio. *I was already turning into an anarchist* ac mi oedd o'n hwyl.

Ym 1977 llwyddais i anwybyddu dathliadau'r Silver Jubilee fel unrhyw un arall call. Y *plan* oedd ein bod i gyd yn mynd i ddringo i ben mynydd Moel Bentyrch fel rhyw fath o brotest anwybyddu'r dathliadau, ond yn y diwedd aros adre wnes i a rhoi help llaw i 'nhad oedd yn gweithio ar injan cerbyd *motor caravan* oedd ganddo. Fe aeth Sion a'i ffrindiau i ben Moel Bentyrch a doeddwn inna ddim am wylio'r teledu na mynychu un o'r partis stryd oedd wedi eu trefnu ledled y wlad. Chawson ni ddim *mug* chwaith, diolch byth. Ond dyma oedd y cyd-destun i *punk rock*. Roedd y wlad wedi ei hollti'n gefnogwyr y Frenhiniaeth ac yn ddilynwyr Johnny Rotten.

'Holidays in the Sun' gan y Sex Pistols oedd y gân *punk rock* gynta i mi ei chlywed. Do'n i rioed wedi clywed dim byd mor drwm ac *apocalyptic* â hynny ar sioe siartiau Radio One! Roedd David Mills yn yr ysgol wedi prynu *Rattus Norvegicus* gan y Stranglers, a'r albwm *In The City* gan The Jam oedd y cynta i mi ei gael, ond erbyn '78 ro'n i

24

wedi dechrau dal fyny! Ro'n i wedi prynu sengl *God Save The Queen* drwy'r post ac wedi ôl-ddyddio fy niddordeb yn y Pistols a dechrau casglu recordiau o ddifri. Felly dyma brynu pob dim o '77 nad o'n i wedi ei gael y tro cyntaf. Rhaid cofio ein bod yn byw yng nghanolbarth Cymru, ond o leia roedd siopau recordiau yn y Trallwng, Croesoswallt a'r Amwythig. Mewn dim o dro tyfodd y casgliad i gynnwys recordiau fel *Crossing the Red Sea* gan The Adverts, *Give 'Em Enough Rope* gan The Clash a *Never Mind The Bollocks* gan y Sex Pistols. Ro'n i'n chwarae'r recordiau yma bob bore cyn mynd i'r ysgol ac yn sicr dyma oedd yn rhoi'r nerth a'r hyder i mi wynebu pob dydd!

Roedd David Mills yn dod â'i recordiau lawr i'r *Youth Club* a'r geiriau 'arseholes, bastards, fucking cunts and pricks' yn atseinio o amgylch y clwb wrth i eraill chwarae cardiau neu dennis bwrdd. Doedd David Mills rioed yn *punk* ond roedd yn gwrando ar ac yn prynu recordiau y Stranglers, y Jam, Ian Dury ac Elvis Costello; *new wave* oedd y gerddoriaeth yma. Hogyn arall yn yr ysgol a fyddai'n prynu'r cylchgrawn *Smash Hits* ac yn gwrando ar recordiau Blondie oedd Elwyn Roberts. Eto, doedd Elwyn ddim yn *punk*, ond roedd y ffaith ei fod yn gwrando ar Debbie Harry yn ei wneud o yn 'iawn'. Roedd Elwyn a David yn y chweched hefo mi ac er na fyddwn yn dweud ein bod yn ffrindia roeddan ni'n gallu siarad am gerddoriaeth a phwy welodd 'pwy a pwy' ar *Top of the Pops*.

Gyda'r nos, wrth gwrs, ro'n i'n gwrando ar John Peel – hynny yw, bob nos o ddeg tan ddeuddeg heb fethu eiliad – ac ar y penwythnos ro'n i yn gwrando ar raglen *Street Heat* ar Radio Luxembourg gyda Stuart Henry yn cyflwyno. Roedd y signals yn amrywiol iawn ar Radio Luxembourg ac roedd yn rhaid dod o hyd i fannau arbennig yn y tŷ lle roedd modd derbyn signal er mwyn gwrando. Weithiau byddai'r signals yn gostwng fel roedd Henry yn enwi grŵp neu gân a byddwn yn diawlio o fethu cael y wybodaeth angenrheidiol er mwyn archebu'r record drwy'r post. Bryd hynny roedd cwmnïau fel Small Wonder yn hysbysebu yn nhudalennau cefn yr *NME* ac roedd modd cael record yn ôl gyda throad y post. Ar *Street Heat* y clywais 'Denis' gan Blondie a 'Wild Youth' gan Generation X am y tro cynta, yn ogystal â 'Safety in Numbers' gan The Adverts. Mae'n anodd credu faint o ddylanwad roedd y radio yn gallu ei gael. O bryd i'w gilydd roedd rhai o'r grwpiau hyn yn ymddangos ar *Top of the Pops* neu raglenni fel *Revolver* ar y teledu, ond ar y cyfan yn ystod y cyfnod yma radio oedd y cyfrwng!

Ar *John Peel* hefyd y clywais 'Angela' gan y Trwynau Coch ac 'Ansicrwydd' gan Tanc a dyma ddechrau dod ar draws cerddoriaeth Gymraeg wedi ei dylanwadu gan *punk* a'r *new wave*. Dyma ddechrau darganfod bod yna bethau cŵl yn y Gymraeg. Y broblem ro'n i wedi'i chael oedd fod Mam wedi 'mherswadio i wylio rhaglen ddogfen ar y teledu am y grŵp Cymraeg Edward H a finna'n gweld hen ddynion mewn dillad ffarmwrs yn chwarae roc trwm *pre-punk*; sori, *not having it* o gwbl. Rhaid cofio mod i erbyn hyn wedi gweld Debbie Harry ar *Top of the Pops* yn canu 'Denis' yn gwisgo crys a *boots* coch a fawr o ddim byd arall. Roedd Blondie yn cŵl a dyna ro'n i'n ddisgwyl yn y Gymraeg. Yn raddol bach, drwy ffrindia ysgol y dechreuodd pethau newid – cefais fenthyg albwm *Gwesty Cymru* gan Wyn Owen a darganfod, ie darganfod, 'Rocyrs' gan Geraint Jarman.

Gan Rhian, cariad/ffrind am gyfnod byr yn ystod y chweched, y cefais fenthyg yr EP 12" feinyl coch gan y Trwynau a gwrando a gwrando a gwrando ar 'Pepsi Cola' ac 'Angela'. Dyma ddechrau gweld bod yna botensial gan grwpiau Cymraeg. Roedd sêl bendith Peel yn help, ond wedyn wrth wylio rhaglenni fel *Twndish* roedd rhywun yn gweld grwpiau Cymraeg megis Jîp ochr yn ochr â grwpiau fel Adam and the Ants. Eto i gyd, roedd gan ambell aelod o Jîp farf; rŵan, i hogyn dwy ar bymtheg oed oedd i mewn i Blondie a'r Pistols, beth yn union oedd yn mynd ymlaen hefo'r farf? Roedd gan Peter Hook Joy Division ryw fath o farf ond... dyma oedd y strygl; ro'n i isho gwrando ar stwff Cymraeg ond roedd rhaid i'r stwff Cymraeg dderbyn bod y byd wedi symud yn ei flaen a'i fod yn symud yn gyflym wedi '77 drwy *post-punk*, *powerpop*, *two-tone* a *new romantics*.

Rhoddodd *punk rock* ryw fath o arwahanrwydd i ni yn yr ysgol. Ychydig iawn o ddisgyblion oedd wedi darganfod, neu yn sicr oedd yn derbyn, y gerddoriaeth newydd ac mewn ffordd dyma'r cyfnod i mi ymbellhau oddi wrth fy ffrindiau a'm cyfoedion Cymraeg a dechrau dod i nabod y *weirdos* a'r *outcasts* a'r *drop-outs*. Dweud y gwir, roeddan nhw i gyd yn ocê, a rhoddodd *punk* yr allwedd i mi eu hadnabod. Saesneg oedd yr iaith i fod o hyn ymlaen.

Mi ddois yn ffrindiau gyda dwy chwaer, Tracey a Jackie, ac er i mi ddechrau gweld Jackie yn gynta, mewn dim o dro ro'n i'n gweld Tracey, sydd yn beth peryglus iawn i'w wneud. Eto i gyd, parhaodd y cyfeillgarwch gyda'r ddwy am rai blynyddoedd. Tracey oedd y ferch gynta i mi ei ffansïo go iawn. Dwi ddim yn credu i ni fod mewn cariad ond ambell waith, yn ystod gwyliau coleg, byddwn yn dal i weld Tracey ac o bryd i'w gilydd byddai ychydig o garu a darganfod mwy am gyrff merched; fuodd 'na rioed ryw ond mae'n rhaid i mi ddweud bod Tracey yn un o'r genod mwya deniadol i mi rioed eu hadnabod. Beth oedd ddim rhyngthon ni oedd unrhyw ddealltwriaeth go iawn ac felly doedd dim dyfodol i'r berthynas. Mewn ffordd, *all lust and no love and no regrets*. Rai blynyddoedd wedyn daeth Tracey draw i'r Richmond yn Brighton i gig yr Anhrefn yn edrych cystal ag erioed. Ro'n i'n dal yn ei ffansïo ond yn gallu chwerthin am y peth o gofio mor ifanc oeddan ni go iawn.

Karen oedd y cariad go iawn cynta, ac i ddweud y gwir hi yw'r unig ferch arall heblaw am Nêst fy ngwraig i mi erioed fod mewn rhyw fath o gariad â hi, er mewn ffordd weddol ifanc a naïf. O leiaf gyda Karen ro'n i'n gallu sgwrsio a bod yn onest a chawson ni gyfathrach weddol ddiniwed ar un ystyr ond eto pwysig iawn mewn ffordd arall. Roedd Karen wedi fy ffansïo ers tipyn ond wedi anobeithio ar ôl i Tracey a Jackie ddod ar y sîn. Ro'n innau wedi cael camargraff ei bod yn ffansïo Sion fy mrawd ac wedyn wrth sgwrsio gyda Samantha, cariad fy mrawd ar y pryd, deall fod gen i siawns.

Yn ystod fy nyddiau ysgol ro'n i wedi cychwyn ambell sgwrs gyda Karen a chofiaf iddi fy llongyfarch unwaith ar ôl i mi ennill ras draws gwlad yr ysgol, ond wnaeth pethau ddim digwydd nes y noson cyn i mi adael i fynd i'r coleg, a hynny mewn gig yn y Wynnstay, Llanfair Caereinion, a drodd yn *riot*! Parhaodd y berthynas gyda Karen *off and on* drwy ddyddiau'r coleg ond yn amlwg doedd hi ddim yn sefyllfa ddelfrydol. Parhau hefyd wnaeth y *liaisons* gyda Tracey ac mae'n rhaid bod y ddwy wedi amau. Yn y diwedd dwi'n credu ein bod wedi disgwyl gormod ac yn llawer rhy ifanc, ond fe gymerodd amser i mi ddod dros Karen. Eto, daeth hynny yn hawdd iawn wrth gwrdd â Nêst am y tro cynta yn 1984.

Yn y Music Hall, Amwythig, y gwelais The Ruts. Roedd criw ohonon ni o'r chweched wedi mynd draw i'w gweld gyda'r Flys fel *support*. Mi dreulion ni'r noson gyfan yn pogoio ac yn poeri at y bands. Roedd The Ruts yn *brilliant* ac yn sicr hyd heddiw dyma un o'r gigs gorau i mi rioed fod ynddyn nhw. Lle gweddol fach oedd y Music Hall a chofiaf Malcolm Owen y canwr yn gorfod ailddechrau 'Babylon's Burning' achos eu bod wedi methu'r dechrau, ond y math yna o gig oedd hi – *stripped down no-nonsense rock 'n roll*. Fe es adre yn chwys doman a'm gwallt yn llond *gob*. Cofiaf fy nhad yn gofyn beth oedd yn bod hefo 'ngwallt a finna'n dweud ei bod wedi bwrw glaw cyn diflannu'n syth i fy ngwely.

Roedd The Clash yng Nghanolfan Hamdden Glannau Dyfrdwy yn gig dipyn mwy, ac wrth i'r bws mini o Lanfair Caereinion gyrraedd y *venue* dwi'n cofio bod y ciw yn mynd reit o amgylch y ganolfan. Rhan o'r 'Sixteen Ton Tour' oedd y noson honno; The Clash newydd ryddhau *London Calling* ac yn dechrau'r set hefo 'Safe European Home'. Mae'r postar yn dal gen i ond roedd yr holl beth mor gyffrous fel mai chydig iawn dwi'n 'i gofio go iawn. Fuodd 'na ddim cyfle i ni weld y Pistols na nifer o'r bands *punk* gwreiddiol fel yr Adverts, Generation X neu'r Slits felly roedd cael gweld y Clash yn eitha *big deal*. Erbyn hyn roedd y Clash yn *pop stars* ac roedd *scale* y gig yn anferth, ond dwi'n falch i ni fynd a dwi'n falch i mi weld y Clash.

O ran antur, efallai mai teithio i fyny i Leeds i'r Futurama Festival yn haf 1980 oedd un o'r uchafbwyntiau, ond erbyn hyn ro'n i wedi dod i arfer hefo gigs. Ro'n i wedi gweld The Specials yng Nghaer mewn clwb hoyw o'r enw Olivers a hefyd wedi bod i'r Belle Vue ym Manceinion i weld Joy Division a'r Fall, a hynny ar 'y mhen fy hun, heb sôn am y teithiau rheolaidd gyda chyfoedion o'r ysgol i'r Music Hall, felly ro'n i'n *hardened traveller*. Yn Futurama y gwelais

Siouxsie and the Banshees, Echo and the Bunnymen, U2, Gary Glitter (uumh?), Psychedelic Furs, Athletico Spizz 80, Soft Cell a llawer mwy. Hefyd gwelais y grŵp Young Marble Giants o Gaerdydd. Roedd Peel wedi bod yn chwarae lot ar yr albwm *Colossal Youth* ac roedd yn un o fy hoff albyms dros haf '80. Grŵp arall yn Futurama oedd y Frantic Elevators gyda Mick Hucknall yn canu. Fel gydag U2 a Soft Cell, roedd y gig yma wedi digwydd cyn iddyn nhw i gyd ddod yn enwog. Ychydig yn ddiweddarach, wrth i mi ddod i nabod criw Pesda Roc ym Methesda, fe ddois ar draws Gwynfor Pesda Roc oedd wedi rheoli'r Frantic Elevators pan oedd yn y coleg ym Manceinion. Wrth i Gwynfor ddod yn fwy o blaid gweithgareddau lleol ym mro Bethesda roedd y Frantic Elevators yn ychydig o embaras iddo gan eu bod yn grŵp Saesneg. Dwi'n siŵr ei fod wedi diawlio mod i'n gyfarwydd â'r band ac yn mynnu ei holi amdanyn nhw.

Wrth edrych yn ôl, mae'n siŵr mai'r Clash oedd y gig fwya i mi fod ynddi yn y cyfnod yma, ond wedyn roedd y Ruts mewn *venue* bach yn sicr yn un o'r gigs gorau y bues i ynddyn nhw. I mi roedd edrych ymlaen at fynd i'r coleg gyfystyr â chael cyfle i weld mwy fyth o fands. Yn y cyfnod yma, yn ystod 1979 a 1980, y dechreuais ymwneud go iawn â cherddoriaeth yn ogystal â dilyn y grwpiau. Doedd yna ddim troi nôl...

Pennod 2
Y Sîn Danddaearol

Diolch i'r *South Bank Show* ar ITV, a wnaeth raglen ddogfen ar label Rough Trade a'u taith o Brydain gyda Stiff Little Fingers ac Essential Logic, mi ro'n i'n gyfarwydd ag aelodau Essential Logic pan ddaethon nhw i mewn i'r Red Lion yn Llanfair Caereinion yn haf 1979, ond roedd yn andros o syrpreis i'r band ffendio rhywun oedd yn eu hadnabod yng nghefn gwlad Cymru! Fel nifer o grwpiau eraill ar label Rough Trade, roedden nhw'n recordio yn Stiwdio'r Foel a'r Red oedd y lle i fynd am bryd o fwyd a pheint rhwng recordio.

Arferai Lora Logic chwarae *sax* i'r grŵp X-Ray Spex cyn ffurfio ei grŵp ei hun gyda Rich T, a oedd hefyd yn gyn-aelod o'r Spex. Roedd yn ormod o demtasiwn peidio mynd i siarad gyda 'grŵp go iawn'. O fewn munudau roedd Lora wedi gofyn i mi drefnu gig iddyn nhw'n lleol a finna'n cytuno. "You'll need to sort out a PA," meddai Lora. "OK," medda finnau gan feddwl 'Be di PA?' Y syniad gorau oedd trefnu gig yn yr ysgol achos erbyn hyn mi ro'n i wedi bod yn DJ yn nisgos yr ysgol ac wedi cael blas ar drefnu'r disgos, ond gwrthododd y dirprwy ystyried y syniad felly yn y diwedd y cyfaddawd oedd cael y grŵp i ganu am ddim yn ystod yr awr ginio. Mi ddes o hyd i PA drwy ofyn i'r grŵp lleol Jagged Edge a fyddai modd benthyg eu PA, a hyd heddiw mae arna i ddyled fawr iddyn nhw am hynny. Er mawr syndod i mi, wnaeth y grŵp rioed ofyn am unrhyw dâl am fenthyg y PA.

Yn y dechrau roedd pawb yn yr ysgol reit sinigaidd bod grŵp *punk* am ymweld â'r ysgol, ond wrth i'r *sound checks* fynd yn eu blaenau ar ddechrau'r awr ginio daeth yn fwyfwy amlwg fod rhywbeth yn digwydd yn y neuadd. Erbyn i'r band orffen eu prawf sain a ninna'n agor drysau'r neuadd roedd cannoedd y tu allan am ddod i mewn pe bai ond i fusnesu. Hogyn o'r enw David Wray ddechreuodd y pogoio. Roedd pawb arall yn sefyll o amgylch y neuadd yn ansicr beth i'w wneud, ond yn sgil arweiniad David Wray daeth mwy at flaen y llwyfan i gefnogi'r grŵp. Ar ddiwedd y gig neidiodd pawb i mewn i bwll nofio'r ysgol yn eu dillad, mor boeth oedd y gig, a neb hyd yn oed yn meddwl mynd i'w gwersi y pnawn hwnnw. Fy mlas cyntaf ar 'anarchiaeth' a hefyd ar gael sylw yn y wasg leol, y *County Times*, am drefnu'r gig.

Erbyn 1980 mi o'n i wedi DJio ychydig mewn gigs i'r Urdd yn Sir Drefaldwyn ac ar 7 Mehefin 1980 trefnwyd noson yn Institiwt Llanfair Caereinion gan y papur bro lleol *Plu'r Gweunydd* gyda grŵp roc Cymraeg o'r enw Angylion Stanli. Dyma ddigwyddiad arall allweddol, achos y tro yma cafwyd sylw i'r noson yn *Y Cymro* a sôn am bync rocars Llanfair Caereinion yn rhoi croeso i'r band. Y canwr gwerin Arfon Gwilym oedd yn benna cyfrifol am drefnu'r gig ac wrth sgwrsio hefo fo cefais fwy byth o flas ar y busnes trefnu. Tua'r un adeg roedd erthygl wedi ymddangos yn *Y Cymro* yn sôn am Malcolm Neon o Aberteifi oedd yn creu cerddoriaeth electronig yn y Gymraeg. Y dylanwadau arno fo oedd grwpiau ac artistiaid fel Ultravox a John Fox. Cofiaf fod Arfon yn ddrwgdybus braidd am y peth ond dyma'n union beth ro'n i wedi bod yn disgwyl amdano – Cymry Cymraeg oedd yn fodlon arbrofi a thorri tir newydd. Doedd Malcolm ddim mor wahanol â hynny i artistiaid fel NCP o'r Trallwng, yn recordio adre ac yn arbrofi gyda synau electronig. Un o'r pethau gorau a mwya doniol wnaeth Malcolm ychydig yn ddiweddarach, ym 1984, oedd gyrru copi o sengl gynta'r Anhrefn yn ôl aton ni am ei fod yn credu bod y record yn *crap*. Mae gen i barch ato hyd heddiw am hynny!

Ar 25 Gorffennaf 1980 ro'n i wedi teithio i Ŵyl Werin Geltaidd Dolgellau i weld gig Geraint Jarman ar fy meic modur, eto ar 'y mhen fy hun, a hynny ar ôl gwrando ar yr LP *Gwesty Cymru* gan Wyn Owen, ond daeth Angylion Stanli â'r byd roc Cymraeg o fewn ein cyrraedd. Yn wir, cymaint oedd poblogrwydd yr Angylion yn Llanfair fel y gwnaethon ni eu gwahodd yn ôl o fewn y mis ar 9 Gorffennaf a dyma ddechrau trefnu o ddifri.

Ar 1 Awst 1980 trefnwyd gig arall gan Essential Logic yn yr Institiwt a chodwyd rhai cannoedd o bunnoedd i sefydlu a chyhoeddi *fanzine* o'r enw *Emotional Discharge*. Roedd criw ohonon ni yn yr ysgol wedi cychwyn sôn am gyhoeddi *fanzine* ac ymhlith y golygyddion roedd Dave Wright a Samantha cariad Sion Sebon. Doedd y berthynas â'r bobl hyn ddim i barhau gan mod i ar fin symud o Lanfair i Gaerdydd er mwyn mynd i'r coleg. Dyna fyddai diwedd ar gadw cysylltiad gyda mwy neu lai pawb o'r ysgol. Hefyd yn canu'r noson honno roedd Pal a Canwyll Corff, grŵp *punk* o'r enw Damaged Goods o'r Drenewydd ac NCP o'r Trallwng.

Roedd cymaint o dyrfa yn y gig fel y bu'n rhaid cuddio'r pres yn nho'r neuadd, ac felly pob rhyw hanner awr ro'n i'n dringo i'r to er mwyn cuddio mwy fyth o bres mewn tun bisgedi. Byddai cadw'r holl gannoedd yn fy mhoced yn demtasiwn i rywun drio dwyn y pres oddi arna i neu, yn waeth byth, ymosod arna i er mwyn ei ddwyn, felly'r to oedd y lle saffa! Ar y drws yn cyfri'r pres roedd David Gwyn, mab y dyn llefrith, y cyfaill a ddioddefodd y profiadau erchyll â mi yn Llangrannog dros ddeng mlynedd ynghynt. Diolch byth amdano, achos roedd ei brofiad fel dyn llefrith yn ei wneud yn hen law ar ddelio hefo pres a rhoi newid cywir i bobl. Does dim dwywaith nad oedd unrhyw syniad gennyn ni beth oedd yn digwydd ond roedd cymaint o bobl yno a chymaint o grwpiau ar y llwyfan fel na chafodd fawr neb amser i banicio. Ar ddiwedd y noson fe fu rhaid i ni lanhau'r neuadd o'r top i'r gwaelod gan gynnwys yr holl *puke* oedd wedi clogio'r toiledau. Erbyn tua tri y bore roedd y lle'n dwt ac yn daclus a ninnau'n gobeithio na fyddai rheswm i neb gwyno – *job done* a phawb wedi mwynhau. Yr unig beth oedd ar ôl i'w wneud nawr oedd cyfri'r pres.

Y newyddion y diwrnod wedyn oedd fod rhywun wedi torri i mewn i feddygfa'r pentre a dwyn cyffuriau. Wrth reswm, y ddawns a gâi'r bai am ddenu'r fath bobl i Lanfair. Cefais rybudd gan yr heddlu lleol i beidio trefnu mwy o gigs. Gan mai mater o wythnosau oedd hi cyn i mi adael am y coleg yng Nghaerdydd, doedd hynny ddim yn ymddangos yn ormod o broblem. Cefais y cyngor busnes gorau i mi erioed ei gael gan fy nhad ar ôl y gig *Emotional Discharge*, sef bod angen cadw cyfrifon. Yn amlwg, os oedd cannoedd o bunnoedd mewn elw yna byddai rhywun yn rhywle yn siŵr o ofyn, a hynny'n ddigon rhesymol, lle'r aeth yr holl bres. Hyd heddiw dwi'n dal i ddweud mai'r peth gorau wnes i rioed wrth gychwyn yn y byd pop oedd cael cyfrifydd. Ond mae'r diolch o hyd i 'nhad am y drefn sy gen i.

Roedd criw Pal a Canwyll Corff wedi sefydlu cwmni recordio Legless yn y Trallwng; roedd eu swyddfa uwchben siop recordiau Morocanroll a oedd yn cael ei rhedeg gan Jerry Weaver, drymiwr y band. Mewn ffordd roedd Legless yn gymaint o ysbrydoliaeth i mi ag oedd labeli fel Rough Trade neu Factory, ac efallai'n fwy felly gan eu bod yn lleol a ninnau bob amser yn cael croeso i fynd draw yno i ladd amser a chael *hang out*. O siop Jerry Weaver y prynais gymaint o recordiau'r Sex Pistols ar y diwrnod pan gaent eu rhyddhau drwy wibio ar fy meic modur o Lanfair draw i'r Trallwng a chyrraedd yn ôl i Lanfair cyn i wers gynta'r ysgol ddechrau. Dim ond methu'r gwasanaeth bore fyddai rhaid i mi!

Dylanwad mawr arall arna i yn y dyddiau cynnar hyn oedd Robert Gillham *aka* NCP, oedd yn rhedeg siop gwerthu pysgod Gillham & Sons ar stryd fawr y Trallwng yn ystod y dydd. Eto, roedd lle yno i gael *hang out* yn yr ystafell gefn, y tu cefn i'r siop. Roedd Bob i mewn i *electronica* reit o'r dechrau a fo oedd yn gyfrifol am roi'r syniad i mi o ryddhau cerddoriaeth ar gasetiau. Fo hefyd chwaraeodd recordiau fel *Blue Monday* gan New Order i mi am y tro cynta. Un o *party tricks* Bob tra o'n i yn y coleg oedd gyrru llythyrau hir ata i'n sôn bod Karen yn cael *affairs* hefo gwahanol aelodau o NCP. Roedd hon yn brentisiaeth yng nghelfyddyd *wind-up merchants*.

Un o ffrindiau Bob oedd y canwr Cheap Plectrum, a ryddhaodd gasét o'r enw *Chickens* gyda Cheap yn canu caneuon gan grwpiau enwog y dydd fel 'Paranoid' Black Sabbath ar ffurf synau cyw iâr. Does dim rhaid dweud bod NCP yn rhyw fath o fersiwn gynnar o Datblygu – *drum machines* a phesimistiaeth a chrysau du! Heb ddylanwad rhai fel Bob dwi ddim yn credu y byddai'r term 'tanddaearol' wedi cael ei ddefnyddio achos doedd delio hefo grwpiau fel Angylion Stanli yn ddim i'w wneud hefo unrhyw 'sîn danddaearol'. Beth gafodd ei gychwyn oedd creu sîn danddaearol a fyddai'n danddaearol i'r byd pop Cymraeg. Felly roeddem am greu isddiwylliant i isddiwylliant. Does dim rhaid dweud bod Bob yn un arall nad oedd yn or-hoff o'r Anhrefn am ein bod yn rhy fasnachol.

Roedd cyfle i drefnu un gig arall cyn gadael am y coleg, dim ond i mi wneud yn siŵr na fyddai'r heddlu yn gwybod. Felly, ar 3 Hydref 1980 dyma logi ystafell gefn yn nhafarn y Wynnstay a threfnu'r gig ar y noson cyn i mi adael am Gaerdydd. Trodd y noson i fod yn *riot* yn llythrennol. Daeth llond bws o *punks* lawr o'r Amwythig a dinistrio'r *pub*. Roedd y *punks* tu cefn i'r bar yn helpu eu hunain i gwrw a dwi'n cofio bod yna ddrysau wedi dod oddi ar yr *hinges*. Fe alwyd yr heddlu a ninnau'n gorfod cuddio fyny'r grisiau yn y *pub* rhagddyn nhw; y goleuadau glas yn fflachio tu allan a finnau yn meddwl am ddianc – *get out of here and get out of here fast*. Heblaw am hynny, roedd sawl arwyddocâd i'r noson. Dyma'r tro cynta i Sion Sebon a'i ffrindiau ysgol – Irfon, Inc a Steve Adams – ymddangos ar lwyfan fel The Chaos. Roedd yr Anhrefn wedi eu geni! Dyma hefyd y noson yr es i allan hefo Karen am y tro cynta, felly doedd gofalu am y noson ddim mor uchel â hynny ar yr agenda, ac fel y soniodd Karen wedyn, piti na wnaethon ni dreulio'r haf gyda'n gilydd achos dim ond yn ystod gwyliau coleg y byddwn yn ei gweld wedyn. Mewn ffordd, doedd fawr o obaith i'r berthynas lwyddo, ond rwyf yn sicr iawn i mi fod yn hoff iawn ohoni a hefyd yn sicr mod i 'mhell o fod yn ddigon aeddfed i fod mewn perthynas.

Ar 30 Hydref 1980 derbyniais lythyr yn ein gwahardd rhag llogi yr Institiwt yn Llanfair Caereinion – llythyr wedi ei arwyddo gan dad y bwli hwnnw yn ystod fy nyddiau yn yr ysgol uwchradd. Mae'n rhaid mod i wedi meddwl bod yna rywbeth yn rhedeg yn y teulu, ond ta waeth, doedd gen i ddim bwriad trefnu unrhyw beth yno byth eto. Y diwrnod wedyn, yn y gwynt a'r glaw, dyma deithio i lawr i Gaerdydd ar y motor-beic Honda CB250 a dechrau ar gyfnod newydd, pennod newydd; dianc o Sir Drefaldwyn, dianc o adre a dechrau ar gyfnod o ddwy flynedd o anaeddfedrwydd a hwyl a rhedeg reiat ar strydoedd y brifddinas.

Peidiwch â gofyn pam, ond ro'n i wedi trefnu aros yn y neuadd breswyl Gymraeg yn Llys Tal-y-bont, Gabalfa, ac mae'n wir dweud mai dyna'r ffactor ddaeth â fi yn ôl i ganol 'y byd Cymraeg' hefo'i holl anghysonderau a'i ddryswch cysylltiedig. Am y tro cynta roedd cyfoedion yn cywiro 'Nghymraeg i a des i gysylltiad â disgyblion ysgolion Cymraeg fel Rhydfelen a Phenweddig. *I hadn't met those species before* ac ro'n i'n gwybod bod fy Nghymraeg i'n *shite*. Wedi'r cwbl, dim ond ar y trydydd tro y cefais fy Lefel O Cymraeg, ond doedd dim wedi 'mharatoi am yr *élite* Cymraeg. Unwaith eto, ro'n i'n gorfod gwrthryfela er mwyn fy hunan-barch. "Fuck off you fucking Welsh bastard, you fucking elitist Welsh bastard…"

Ro'n i yng Nghaerdydd i astudio archaeoleg, ac ar ddiwedd fy nhair blynedd cefais fy ngradd BA 2:2 – gwneud digon o waith i basio ond dim digon i ennill gwell gradd. Unwaith eto ro'n i'n llawer rhy ifanc i ddeall y cysyniadau am drefn gymdeithasol, fasnachol a gwleidyddol sydd yn angenrheidiol i ddeall archaeoleg a hanes. Doedd dim profiad o fywyd gen i, do'n i ddim wedi byw y tu allan i ffiniau Llanfair Caereinion a'r unig fantais oedd gen i oedd fod y meddwl yn graff ac yn gallu storio gwybodaeth ar ôl yr holl bractis yn yr ysgol. Ond o ran deall, na, mae angen profiad bywyd i wneud hynny, felly dwi ddim yn siŵr o hyd a es i i'r coleg yn y cyfnod iawn i mi, ond wedyn pa ddewis arall oedd 'na? Doedd mynd i weithio ddim yn opsiwn achos fel y mwyafrif o bobl ifanc deunaw oed doedd gen i ddim syniad be ro'n i am 'i neud hefo gweddill 'y mywyd, felly coleg amdani.

Roedd fy nhad a finna wedi teithio i brifysgolion Sheffield a Lancaster am gyfweliadau yn gynharach ym 1980 ond roedd y gigs yn well yng Nghaerdydd, er bod bands fel Clock DVA, Human League a Cabaret Voltaire yn dod o'r *electro city*, Sheffield. Diolch byth mai yng Nghaerdydd y landies i achos roedd Sheffield yn eitha llwm. O fewn yr wythnos gynta yng Nghaerdydd ro'n i wedi bod i weld y Screen Gems yn cefnogi Nine Below Zero yn neuadd fawr adeilad Undeb y Brifysgol. Roedd Peel wedi chware sengl 'Teenage' y Screen Gems ar ei raglen ac roedd Stuart y gitarydd yn astudio hanes yn y Brifysgol. Heb yn wybod i mi ar y pryd, prif leisydd y grŵp oedd Karl

Hyde, a aeth ymlaen i gael llwyddiant rai blynyddoedd wedyn gyda'r grŵp Underworld. Fe aeth y Screen Gems yn eu blaenau i ymddangos ar deledu Cymraeg fel y band Ffreur yn canu cân o'r enw 'Geraint Jarman'.

Nid gor-ddweud yw dweud bod y gigs wedi bod yn ffactor mawr dros ddewis Caerdydd yn hytrach nag Aber neu Fangor – dychmygwch safon y gigs yn y llefydd hynny. Falle un gig gyda grŵp go iawn mewn tymor, os hynny, a gigs Cymraeg hefo grwpiau coleg bob penwythnos – AAACH, *hell on earth*! Roedd yr Athro Mike Jarrett o'r adran Archaeoleg wedi bod yn glên iawn yn ystod fy nghyfweliad hefyd ac, yn fwy na hynny, roedd yn hoyw, yn gwisgo *jeans* lledr du, roedd ganddo ddau glustdlws ac roedd yn reidio motor-beic – *sounds like my kind of* prifysgol!

Yn y Top Rank yng Nghaerdydd y gwelais y Skids ar 12 Hydref, ac wedyn yn yr un *venue* ar 26 Hydref gwelais yr UK Subs. Heb os, roedd gigs byw y Subs yn *brilliant*. Gall rhywun chwerthin heddiw ar ben Charlie Harper ond roedd y band bryd hynny – Nicky Garratt ar y gitâr, Alvin Gibbs ar y bas a Steve Roberts ar y drymiau – yn fand a hanner. Cefais gyfweliad hefo'r band y diwrnod wedyn ar gyfer cylchgrawn casét a chefais luniau o Sion a Steve Adams hefo'r band. Fe aeth Alvin Gibbs ymlaen i chwarae bas ym mand Iggy Pop ac mae Charlie Harper, wrth gwrs, yn dal wrthi hefo'r Subs.

Dyma hefyd ddechrau gweld Jarman yn rheolaidd yn perfformio yn y Casablanca yn y dociau, neu'r Casa B fel roedd pawb yn ei alw. Fe wnaeth Jarman roc Cymraeg yn rhywbeth dinesig – ychydig iawn o artistiaid Cymraeg sy wedi llwyddo i neud hynny. Yn ystod y tymor cynta yn y coleg llwyddais i wneud llungopïau o'r *fanzine Emotional Discharge* a dechrau magu a meithrin cysylltiadau yn y sîn roc yng Nghaerdydd, yn y coleg a thu allan.

Yma y cwrddes i â Dewi Gwyn. Ro'n i wedi clywed bod aelod o'r grŵp Bismyth yn aros yn y bloc drws nesa i ni felly heb oedi dyma fynd i chwilio amdano. Wrth i mi gyrraedd y fflat ces wybod bod Dewi'n sâl yn ei wely, ond doedd dim amser i boeni am bethau dibwys felly a dyma fi'n syth i mewn i'w ystafell, lle roedd Dewi yn gorwedd yn ei wely yn ei byjamas, a mynd yn syth at fusnes: "Dwi angen cael copi o ganeuon Bismyth ar gyfer cylchgrawn casét rwyf yn ei baratoi!"

Daeth Dewi, wrth gwrs, yn gitarydd bas gyda'r Anhrefn ymhen blynyddoedd, ond ar ddiwedd yr 80au fo oedd gitarydd Bismyth o'r Rhyl. Roeddan nhw wedi ymddangos ar *Sêr* ac wedi gwneud sesiwn *Sosban*, ac felly yn grŵp 'go iawn'. Ro'n i'n falch o'i gyfarfod. Dros y tair blynedd yng Nghaerdydd roedd Dewi yn rhan o'r gang, ac fel pob gang gwerth ei halen roedden ni mewn trwbl yn amlach na pheidio, nid jyst drwy oryfed, a fyddai'n digwydd o bryd i'w gilydd, ond drwy ryw awydd llawer mwy iach i greu miri a sefyllfaoedd anodd; roedd Dewi yn *situationist* heb iddo wybod dim am y *situationists*!

Un o'n hoff driciau fyddai mynd i gigs Cymraeg a gweiddi "Dafydd!!!" i weld pwy fyddai'n troi rownd, ac wedyn bydden ni hefyd, wrth gwrs, yn edrych rownd fel na fydde neb yn sylweddoli mai ni oedd yn gyfrifol am y gweiddi. Cyn i Glwb Ifor Bach hyd yn oed agor, roedd gigs Cymraeg yn digwydd mewn *venues* fel y Central Hotel neu lawr y grisiau yn y Great Western, y ddau *venue* ger gorsaf y rheilffordd. Trefnwyd y nosweithiau gan Glwb Cymraeg Caerdydd – *legitimate targets* i ni felly – ac ar sawl achlysur byddai rhywun neu'i gilydd yn gafael yn un ohonon ni am fod yn blydi niwsans. Cafwyd un ffrae fythgofiadwy am ein bod ni'n camddefnyddio ein cystrawennau ac am fisoedd wedyn roedden ni'n galw'r boi bach druan a achosodd y ffrae yn 'Cystrawennau'. Cafwyd ffrwgwd hefo Rhodri Williams (Cymdeithas yr Iaith, Bwrdd yr Iaith a phob Bwrdd arall...), os dwi'n cofio'n iawn, am wisgo crys T Undertones ac mi gawson ni sawl sgwrs ddiddorol gyda'r Pleidiwr Owen John Thomas.

Yn y Great Western y gwelais un o gigs gorau Meic Stevens, pan daflodd y gitâr ar y llawr a gweiddi "I refuse to play to shitheads like you!" ar ôl tua hanner awr o diwnio ei gitâr. A dyna ddiwedd y gig! Does dim rhaid dweud ein bod wedi ailadrodd geiriau Meic am wythnosau wedyn!!!

Cyfaill arall o'r cyfnod oedd Sion Llywelyn o Lanuwchllyn, a Sion oedd yn gyfrifol am y digwyddiad mwya doniol o bell ffordd i ni ei gael yng Nghaerdydd. Yr Halfway ym Mhontcanna oedd y dafarn lle roedd y Cymry yn yfed ac roedd yr Halfway o hyd yn lle da am ychydig o *star spotting*. Un noson roedd Dewi Pws yno ac, yn sicr, roedd Dewi yno i fwynhau ei hun ac yn meindio ei fusnes. Rywsut neu'i gilydd, wrth iddo fynd heibio Sion mae'n rhaid ei fod wedi taro yn erbyn Sion a Sion wedi dweud wrth Pws "Esgusodwch fi yw'r gair!!!" Y funud nesa mi drodd y *pub* i mewn i un *ruck* anferth wrth i ninna i gyd dargedu ryw gyfryngi neu'i gilydd a'i wthio. Doedd Pws druan ddim wedi gwneud dim byd o'i le ond ar y pryd doedd dim angen esgus – roedd bod yn gyfryngi yn golygu eich bod yn *legitimate target*. Roedd criw *Sgrech* eisoes wedi cychwyn taflu peints dros *pop stars* ym Mhlas Coch ac roedd yna deimlad o ddiffyg parch cyffredinol tuag at y rheini oedd yn byw yn fras ar draul adloniant Cymraeg drwy gyflogau hael S4Siec. Chafodd neb eu brifo ond blydi *hell* roedd yn ddoniol – clasur os buodd 'na glasur; "Esgusodwch fi?", *too bloody right*!!!

Un sefyllfa arall ddoniol i ni fod ynddi fel criw oedd mynd ar un o wrthdystiadau Cymdeithas yr Iaith i Lanidloes i gefnogi Wayne Williams. Wrth i bawb drio meddiannu Swyddfeydd y Sir yn Llanidloes gan weiddi "Tegwch i Wayne!" dyma Sion, Dewi a finna'n rhedeg i mewn i'r gegin mewn camgymeriad a finna'n gweiddi "Ahaa, tegell i Wayne" a'r tri ohonon ni'n piso'n hunain yn chwerthin wrth i *stalwarts* y Gymdeithas edrych yn ddu arnon ni. Mewn blynyddoedd i ddod roedd hon yn stori fyddai'n rhoi gwên ar wyneb Huw Gwyn, un o hoelion wyth y Gymdeithas yng Nghlwyd.

Yn fuan iawn ar ôl dechrau coleg fe es i draw i Ganolfan y Chapter i weld *The Animals Film* gyda Julie Christie yn sylwebu. Roedd y ffilm yn portreadu y ffyrdd mae dyn yn cam-drin ac yn ecsbloetio anifeiliaid, gan gynnwys yr holl arbrofion a'r fasnach gig. *That was it.* Y diwrnod wedyn es i mewn i ffreutur y coleg ac archebu *ploughman's*. Dwi heb fwyta cig ers hynny. A dweud y gwir, dwi'n credu bod hynny yn rhywbeth ro'n i isho neud ers tro achos dwi'n cofio crio wrth glywed stori Gelert yn yr ysgol gynradd. Efallai ei bod hi'n haws gwneud y penderfyniad ymhell o gartre, a phan es i adre am y Nadolig roedd yn rhaid dweud "dwi ddim yn bwyta cig" a doedd newid fy meddwl ddim ar yr agenda. Y noson honno yn y Chapter roedd Paul S Jones o Aberteifi yno hefyd, un o'r ychydig Gymry Cymraeg i weld y ffilm. Ddaeth neb arall o griw Cymraeg y coleg hefo fi i'r Chapter.

Os oedd y ddwy flynedd gynta yn y coleg i gyd yn newydd ac yn gyffrous, roedd y drydedd yn ddiflas. Yr un hen rwtîns, pawb yn mynd i'r Halfway er bod llond y lle o gyfryngis. Yr unig beth da ddigwyddodd oedd i Dewi a Sion Llywelyn ffurfio'r grŵp Sefydliad hefo'r canwr Cedwyn Aled. Roedd Cedwyn, neu Aled bryd hynny, wedi bod yn gweithio ar y rheilffyrdd yn Sir Benfro ac felly wedi byw. Roedd o hefyd yn arbenigwr ar *punk rock* felly bu sawl dadl drwy'r nos hefo Cedwyn am ragoriaeth y Pistols dros y Clash neu beth bynnag. Roedd y dadleuon yn rhai poeth ac yn rhai da ac ro'n i'n hoff o Cedwyn am nad oedd o wedi bod i'r coleg. Gwnaeth y cyfeillgarwch gyda Cedwyn a'i gariad ar y pryd, Kate, bara am flynyddoedd wedyn, er i mi fod yn llawdrwm iawn ar y Sefydliad ar adegau. Yn ddiddorol, fe gyfeiriodd Sion Llywelyn yn ddiweddar at fy nghefnogaeth i'r grŵp, ond dwi'n cofio mwy o ddadlau na dim arall, yn enwedig ar y cwestiwn a ddylid ymddangos ar y cyfryngau. Yn eu noson olaf ym Mhafiliwn Corwen cyflwynodd Cedwyn Aled y gân 'Dwi'n Adnabod Merch' i Kate y ferch roedd yn mynd i'w phriodi, ond ddigwyddodd hynny ddim. Aeth Kate ymlaen i fod yn *sexpert* ar raglenni hwyr y nos ar Living TV ar Sky ac fe gyhoeddodd y Sefydliad gasét o'r enw *S4C* ac un sengl. Fy hoff gân ganddyn nhw oedd 'Dwi'n Adnabod Merch' ond chafodd y gân yna erioed ei recordio.

Erbyn 1981 ro'n i yn RHYS MWYN, er i mi gael fy ngeni yn Gwynedd Rhys Thomas, a diolch i gamgymeriad ar y radio gan y cyflwynydd Nic Parry mae hynny. Rhwng 1980 a 1983 mi ro'n i wedi bod yn cyhoeddi *fanzines* ar ffurf brintiedig ac ar ffurf cylchgrawn casét, yn ogystal â threfnu 'gwyliau tanddaearol' yn ystod gwyliau'r haf mewn neuaddau fel rhai Llanerfyl a Meifod. Wrth drafod y gweithgareddau hyn ar Radio Cymru y cyfeiriodd Nic Parry ata i fel Rhys Mwyn am y tro cynta. Beth a ddywedwyd mewn datganiad i'r wasg oedd y dylid cysylltu â'r Anhrefn yn Llys Mwyn, Llanfair Caereinion, sef cartref Irfon Inc, aelod o'r grŵp, ond gan mai fi fyddai'n trefnu popeth ac yn camreoli, digon hawdd deall camgymeriad Nic. Y funud es i nôl i'r coleg, 'Mwyn' oedd hi a doedd dim troi yn ôl. Roedd Sion eisoes yn 'Sebon' ac Irfon yn 'Inc' a dyna oedd y drefn y dyddiau hynny. Doedd neb yn disgwyl i Rotten, Vicious, Idol, Scabies, Sensible neu Strummer fod yn enwau go iawn!

Peth arall sydd yn weddol amlwg wrth edrych yn ôl ar hyn i gyd yw nad oedd unrhyw allu cerddorol gen i, felly yr unig ffordd o fod yn rhan o'r sîn oedd drwy drefnu. Eto i gyd, fe lwyddodd Bob Gillham NCP fy mherswadio y dylwn ryddhau casét. Gan nad o'n i'n gallu chwarae offeryn, y syniad gefais i oedd camddarllen stori Wil Cwac Cwac ar gasét – gwneud hwyl o'r holl beth a gwneud yn siŵr bod y casét yn llawn camgymeriadau a gwallau iaith. A dyna ddigwyddodd. Fe recordiais y peth yn syth i gasét mewn llai na hanner awr heb feddwl dim mwy am y peth. Y sioc oedd fod pobl wedi cymryd y peth o ddifri; fe ymddangosodd adolygiad yn y cylchgrawn cerddorol cenedlaethol *Sounds* ac fe gafodd y casét sylw ar raglen *Sêr* ar HTV, ac fe ges wahoddiad gan HTV i ymweld â'r criw cynhyrchu ym Mhontcanna. Fe ges hyd yn oed lythyr gan aelod o deulu'r awdur yn cwyno mod i wedi torri hawlfraint. Yn ystod yr ymweliad cynta hwnnw â swyddfeydd HTV a chael cyfarfod Alun 'Sbardun' Huws, gynt o'r Tebot Piws, sylweddolais y byddai'n rhaid troedio'n ofalus. Roedd yna beryg go iawn y byddai fy ngweithgareddau'n cael eu derbyn a 'mwriad oedd bod yn danddaearol. Felly dyma ddechrau ar gyfnod hir o ddangos diffyg parch tuag at y cyfryngau, o fod yn gegog, yn ddigywilydd ac yn ddireidus ac o drio 'ngorau i beidio â chydymffurfio a pheidio â chael fy llusgo i mewn i'w byd nhw.

Tebyg iawn oedd y berthynas i fod gydag Eurof Williams, cynhyrchydd *Sosban* ar Radio Cymru. Yn y bôn roedd Eurof yn gefnogol – roedd wedi rhoi cryn sylw i'r 'gwyliau tanddaearol' a'r casetiau – ond does dim cwestiwn ein bod wedi rhoi amser caled i Eurof a rhai o dîm y *Sêr*. Ro'n i'n sicr bod yn rhaid i ni greu *generation gap* ac roedd hynny yn mynd i olygu sathru ar draed a thaflu ambell i garreg drwy wydr.

Os oedd casét *Wil Cwac Cwac* yn *crap*, a fi sy'n dweud ac yn cyfaddef hynny, doedd y cylchgrawn casét cyntaf, *Sut i Gladdu Morgrug*, fawr gwell. Ond o leiaf roedd yn cynnwys cyfweliad lliwgar gyda'r Trwynau Coch, a ddaeth i'r fflat yn Llys Tal-y-bont i wneud y sgwrs. Aled Sam oedd yn eu rheoli ar y pryd ac roedden ni wedi dod i nabod Aled wrth ei weld yn yr Halfway o bryd i'w gilydd. Eto i gyd, ro'n i'n teimlo i mi gael sêr pop go iawn yn galw heibio wrth i'r Trwynau alw draw yn y fflat. Roedd y Trwynau yn eitha doniol, yn lladd ar grwpiau fel Eliffant, ac i mi roedd yr holl beth yn eitha sgŵp. Roedd yr ail gylchgrawn casét *Sut i Gladdu Saeson*, yn cynnwys sgwrs gydag Ail Symudiad ac ychydig yn well o ran safon y cynhyrchu, a mynegwyd hynny gan Hywel Trewyn yn ei golofn yn *Y Cymro*. Am ryw reswm, dwi ddim yn credu i'r trydydd casét yn y gyfres, *Sut i Grogi Môr Ladron* erioed gael ei ryddhau, er i mi weithio ar waith celf ar gyfer y clawr.

Dim ond rhyw ddwsin o gopïau o bob un gafodd eu gwerthu, ond y drefn oedd y bydden ni'n gwneud copi i unrhyw un fyddai'n gyrru casét gwag aton ni. Felly doedd dim elw yn cael ei neud; roedd yr holl beth yn dilyn ethos DIY tanddaearol. Unwaith eto, o edrych yn ôl, yr unig werth sydd iddyn nhw yw fod y peth wedi cael ei neud, sef bod y cysyniad wedi cael ei greu. Roedd y cynnwys a safon y cynhyrchu yn amrywiol iawn ac yn tueddu tuag at yr anwrandawadwy mewn mannau, ond o ran diwylliant Cymraeg roedd hollt yn datblygu a dyna oedd y bwriad.

Yn raddol daeth cymeriadau fel Paul S Jones o Aberteifi i gysylltiad. Roedd Paul wedi creu grŵp o'r enw Edward H Boring, er mewn gwirionedd mai Paul oedd yr holl beth, ac o ran syniadaeth doedd y grŵp ddim yn mynd i fod yn grŵp a fyddai'n canu'n fyw nac yn ymddangos ar y teledu. Roedd hyn fel rhyw fath o *psychological warfare* yn erbyn y byd Cymraeg ac roedd yna deimlad ein bod yn creu yr *allied forces*. Does dim dwywaith bod grwpiau fel Ail Symudiad a Chwarter i Un wedi bod yn gefnogol ac yn sympathetig i beth roedden ni'n ei wneud, ond gyda phob parch roedd rhain yn grwpiau oedd yn gallu chwarae eu hofferynnau ac roedd ganddyn nhw eu cynulleidfa. Roedd yr holl beth tanddaearol roedden ni'n ei greu yn rhy bell i ffwrdd a heb obaith apelio at unrhyw un heblaw am lond dwrn o unigolion ar y cyrion.

Dros y blynyddoedd nesa roedd mwy a mwy o unigolion yn cysylltu drwy lythyr neu'n cyflwyno eu hunain mewn gigs. Ro'n i wedi sefydlu label o'r enw Casetiau Marw ac wedi rhyddhau y casét *Wil Cwac Cwac* dan yr enw Pryfaid Marw a rhyddhau y ddau gylchgrawn casét, ond wedyn daeth y label yn fodd i ryddhau cynnyrch gan yr Anhrefn. Roedd y rhan fwya o'r caneuon yn cael eu recordio gan Bob Gillham yn ei stiwdio fach yng Nghroesoswallt. Rhyddhawyd casét o'r enw *Mr Smith* a oedd yn cynnwys cân am y gŵr o Lanidloes fuodd yn cwyno am yr athro Wayne Williams, cadeirydd Cymdeithas yr Iaith. Efallai mai'r casét gorau i ni ei ryddhau yn y cyfnod yma gan yr Anhrefn oedd *Stwffiwch y Dolig Ddim y Twrci*. Roedd hon yn gân gafodd argraff ar hogyn ifanc o'r enw Gruff Rhys o Fethesda ac, yn wir, rai blynyddoedd wedyn mewn cyfweliad hefo'r Super Furrys yn yr *NME* fe soniodd Gruff am y gân. Anhygoel i feddwl mai tua deg copi o'r casét a werthwyd ac na chafodd y gân ei chwarae ar y radio erioed!

Ond at y label a'r grŵp, os gellid galw'r Anhrefn yn grŵp bryd hynny, y denwyd yr unigolion ar y cyrion, yr unigolion oedd i greu ac i gefnogi symudiad diwylliannol newydd yng Nghymru, 'y sîn danddaearol'. Fel y soniais, roedd cefnogaeth gan unigolion fel Dafydd Rhys a Tim Hartley o'r grŵp Chwarter i Un, ac yn wir daeth y grŵp draw i Neuadd Llanerfyl ym Medi 1981 i chwarae gydag Ail Symudiad yn yr Ŵyl Danddaearol. Mi hysbysebon ni'r ŵyl ar y pryd fel 'Gŵyl Tanddaearol Cymru' (sic).

Cefais lythyrau gan Gruff Davies, a fu'n ddiweddarach yn gitarydd Tynal Tywyll ac sydd erbyn heddiw yn un o gyfarwyddwyr cwmni teledu Boomerang. O Gaernarfon cawson ni lythyrau gan Gwyn Derfel, a fu'n ddiweddarach yn aelod o'r grŵp Chwyldro ac a ddaeth i enwogrwydd ar *Pobol y Cwm*, a hefyd gan Guto Bebb, y dyn busnes a'r Tori Cymraeg yn ddiweddarach. O Gaerffili daeth Gareth Potter i gysylltiad, a Macswel Peryglus o'r grŵp Pry Bach Tew. Dilynwyr eraill oedd Mark Williams o Gorwen a Nigel Trow o Lanuwchllyn. Aeth Mark ymlaen i ffurfio grŵp o'r enw Emily, gyda Gruff Rhys ar y drymiau, a recordio ar label Creation.

Roedd Ioan Einion neu John Wyn Thomas o Fôn, a ddaeth i

enwogrwydd fel gwrach wen ym mhentref Trefor, yn llythyrwr arall cyson. Trist iawn fu cyfarfod ei fam yn ddiweddar a deall ein bod wedi colli Ioan Einion. Pob parch i ti, Ioan Einion, a phob bendith pa arall fyd bynnag yr wyt ynddo nawr. Byddem yn cael llythyrau gwallgof sawl gwaith yr wythnos gan griw 'Call' o Lanbrynmair a Gwenllian o Lanefydd yn Sir Ddinbych. Roedd nifer o ddarpar drefnwyr a cherddorion fel Gorwel Roberts (Bob Delyn) a Bethan Jones o Flaenau Ffestiniog a'r cymeriad hynod hwnnw o Hen Golwyn, Huw Gwyn, hefyd yn cysylltu. Ond, yn fwy na hynny, dyma'r bobl roddodd y cyfleoedd cynta i'r Anhrefn berfformio yn fyw. Rhain oedd y ffans cynta. Rhain oedd yn credu, a hebddyn nhw does dim dwywaith y byddai'r Anhrefn wedi methu. Rhain oedd y bobl ddaeth ar y trên i abergofiant!

Trefnwyr eraill oedd Alun Clwyd o Ysgol Glan Clwyd ac Alun Llwyd o Ysgol Morgan Llwyd; dyna sut roeddan ni'n cofio p'run oedd p'run. Roedd Huw Gwyn yn adnabod y ddau fel rhai gweithgar gyda Chymdeithas yr Iaith. Alun Llwyd aeth ymlaen i sefydlu label Ankst ac sydd bellach yn rheoli'r Super Furry Animals.

Mae dau lythyrwr arall o'r cyfnod yma hefyd yn sefyll allan fel y ddau ddaru wir ddeall neges yr Anhrefn o bosib. Mae llythyrau y ddau gen i ac maen nhw'n sôn am eu ffrindiau di-Gymraeg yn yr ysgol oedd yn fodlon gwrando ar ganeuon yr Anhrefn a dilyn y grŵp – y tro cynta i *kids* di-Gymraeg o'r fath ddilyn grŵp Cymraeg. Y ddau oedd Dewi Prysor o Drawsfynydd a Rhys Ifans o Ruthun. Does dim angen cyflwyniad arnyn nhw ond roedd gweld rhain fel hogia ifanc hefo 'Anhrefn' wedi ei beintio ar gefn eu siacedi yn mynychu gigs yr Anhrefn yn golygu cymaint. Nid y niferoedd oedd yn bwysig ond ein bod yn cysylltu â rhywun, yn gallu effeithio ar rywun a'n bod yn mynd i newid y byd bach saff Cymraeg unwaith ac am byth.

Bob hyn a hyn byddai galwad ffôn yn dod gan Huw Gwyn neu Rhys Ifans – roedd yn fwriad ganddyn nhw drefnu gŵyl danddaearol mewn neuadd yn Henllan neu Ddyserth. Fel arfer, ar ôl cytuno y byddai'r Anhrefn yn chwarae bydden ni'n disgwyl ffôn gan Huw neu Rhys gyda manylion pellach neu i gadarnhau'r trefniadau. Ymhen hir a hwyr (neu'n hwyrach!) byddai'r alwad ffôn yn dod, ychydig ddyddiau cyn y gig jyst fel roedd rhywun yn dechrau gofyn y cwestiwn 'be sy'n digwydd', a siŵr i Dduw roedd y gig wedi ei chanslo. Ond yr hyn oedd yn gwneud y peth yn wirioneddol ddoniol bob tro oedd fod y naill yn beio'r llall am beidio trefnu. Felly yn ôl Huw Gwyn, Rhys Ifans oedd heb logi'r neuadd, neu yn ôl Rhys doedd Huw Gwyn ddim wedi sortio'r PA. *Double act* os buodd 'na *double act* erioed, ond gan fod y ddau ar ein hochr ni dwi ddim yn credu i ni erioed fod yn flin hefo nhw. Yn ddiweddar, ar ôl i Rhys Ifans ddod yn adnabyddus fel actor, fe atgoffodd Sion Sebon ef am hyn ond chwerthin wnaeth e am y peth, cyn rhoi y bai i gyd ar Huw Gwyn!

Ar ddechrau'r 80au roedd y cylchgrawn *Sgrech* yn ei anterth ac yn ei ffordd ei hun roedd Glyn Tomos, y golygydd, hefyd yn gefnogol. Dwi o hyd wedi bod yn hoff o Glyn a'i frawd Mei. Roedd eu hatgasedd tuag at y cyfryngau yng Nghaerdydd a'u cefnogaeth i weithgareddau bro fel y rhai a geid ym Methesda gyda Maffia Mr Huws a Pesda Roc yn feysydd lle roedd cryn gytundeb rhyngthon ni. Ar y llaw arall, roedd syniadaeth Adfer yn eitha dieithr i ni, os nad yn wrthun, a'r dadleuon gorau roedden ni'n eu cael hefo Glyn oedd "OK ta, lle mae Llanfair Caereinion? Yn y Fro neu tu allan i'r Fro?" Mae'n ddiddorol gyda llefydd fel Llanfair, a hyd yn oed Sir Drefaldwyn, cyn lleied mae pobl sy'n byw mewn ardaloedd eraill yng Nghymru yn ei wybod am fwynder Maldwyn.

Roedd cymeriadau oedd yn ymwneud â *Sgrech* yn amlwg yn fwy o Adferwyr nag o ddilynwyr y Byd Pop, a thros y ddwy flynedd rhwng '81 ac '83 bu sawl ffrae neu anghytuno rhyngon ni a *Sgrech*, ond ar y llaw arall mi gawson ni bob cefnogaeth gan Glyn drwy gael ymddangos yn sesiynau *Sgrech*. Bu Emyr Llywelyn o Gynfi, Deiniolen, hefyd yn trefnu ambell gig i ni yn Neuadd Dinorwig gyda grwpiau fel Maffia Mr Huws. Mi alla i gofio'n iawn canu yno am y tro cynta, a gyrru i fyny'r mynydd i gyrraedd y neuadd a chan fod cymaint o wynt y tu allan fedrwn i ddim agor drws y car i ddadlwytho'r offer. Roedd Emyr a hogia Llanberis, Deiniolen neu Benisarwaun i weld yn hogia caled, tyff *guys* Cymraeg, ond yn hen hogia iawn. Roedden nhw wedi ffurfio grwpiau fel Jaffync ac er ein bod ar fin creu byd pop Cymraeg gwahanol i'r hyn roedden nhw wedi bod yn rhan ohono, fel yn achos Chwarter i Un ac Ail Symudiad mae'r cyfeillgarwch wedi parhau dros y blynyddoedd rhyngthon ni a'r hogia yma.

Erbyn hyn ro'n i'n eitha hyderus wrth drefnu gigs a dechreuais o ddifri yn ystod gwylia'r coleg i ddenu grwpiau Cymraeg i Neuadd Llanerfyl. Un grŵp y llwyddon ni i'w denu yn ystod 1981 oedd Maffia Mr Huws. Newydd newid eu henw o Weiran Bigog oedd hogia Maffia, a chydag ambell i aelod newydd dyma sylw iddyn nhw yn Y Cymro dan y pennawd 'Magu Poblogrwydd, Hyder a Ieir'. Defnyddiais dameidiau o'r erthygl i greu poster ar gyfer y gig, gan ddwyn dull Jamie Reid, cynllunydd y Sex Pistols, o dorri darna allan o bapur newydd a gludo'r tameidiau ar bapur gwyn. Bryd hynny, Dafydd Meurig, o gwmni Carreg Ateb heddiw, oedd yn rheoli'r grŵp a galla i gofio, ar ôl cytuno bod y grŵp am ddod i ganu am £20, fod Dafydd wedi ailgysylltu a dweud y byddai angen £35 ar y grŵp. Roedd hyn yn ymddangos yn lot o bres ar y pryd, a rhwng cost PA a llogi'r neuadd roedd costau'r noson yn dod i £97.39.

Grŵp arall oedd i fod canu yn Llanerfyl oedd y Cyffro, a chysylltais a'u rheolwr, John Williams o Lanberis. Ar y noson doedd dim sôn am y Cyffro a bu'n jôc am flynyddoedd wedyn gan Bob Gillham, NCP a Cheap Plectrum, "Have Cyffro turned up yet?" Eto, yn ddiddorol iawn, dwi bellach yn rheoli'r Cyffro ond dwi rioed wedi cofio sôn wrthyn nhw am hyn. Wedi deall, ro'n i wedi trefnu'r gig ar yr un diwrnod â Padarn Roc yn Llanberis felly doedd dim rhyfedd nad oedd y Cyffro wedi teithio i Lanerfyl, gan fod John Williams yn un o drefnwyr Padarn Roc.

Fe agorodd drws arall wrth i mi drefnu'r Ŵyl Danddaearol ym Medi '81 yn Neuadd Llanerfyl pan gysylltodd y DJ John Peel er mwyn cael mwy o fanylion am y digwyddiad. Fy nhad atebodd y ffôn yn hwyr un noson a dweud "fod yna rhyw John Peel ar y ffôn i ti". Wrth nesáu at y ffôn meddylies i, *hang on* rŵan, *this has to be* Dewi Gwyn neu rywun o'r coleg yn cymryd y *piss*. Ond mae gan Peel lais mor unigryw doedd dim dwywaith pwy oedd yr ochr arall i'r ffôn. Ces wahoddiad gan Peel i ddarllen rhestr o enwau'r grwpiau a fyddai'n ymddangos, a hynny'n fyw ar ei raglen ar Radio 1. Yn amlwg, doedd Peel ddim yn mynd i allu ynganu Ail Symudiad, Chwarter i Un, Pry Bach Tew, yr Anhrefn na Llanerfyl chwaith. Doeddwn i ddim yn ymwybodol y noson honno y byddai Peel yn parhau i gefnogi ein gweithgareddau hyd ei farwolaeth. Pwy fyddai'n dychmygu y byddwn i a Sion a'r Anhrefn yn recordio tair sesiwn i raglen John Peel yn stiwdios Maida Vale, Llundain? Pwy fyddai'n dychmygu y byddwn yn rhannu prydau bwyd a sgyrsiau hir gyda'r DJ enwog? Ond ar y pryd ro'n i wedi cael fy nghyfweld yn fyw ar Radio 1 gan John Peel ac roedd hynny'n ddigon. Fe gysylltodd y grŵp The Skids o'r Alban hefyd i ymddiheuro na fedren nhw ddod draw i Lanerfyl. Roedd y Skids wedi cael llwyddiant yn y siartiau hefo caneuon fel 'Into the Valley', ond ar ôl *punk* roedd Richard Jobson a Russell Webb wedi cychwyn arbrofi hefo cerddoriaeth draddodiadol o'r Alban. Dysgais wers arall bwysig iawn gyda'r Skids. Roedd Russell wedi bod yn aelod o Essential Logic a dyma ddechrau deall pwysigrwydd magu cysylltiadau.

O ran y label casetiau, dyma hefyd gyfnod o drio meddwl yn ehangach a thrio creu sefyllfaoedd diddorol o fewn y diwylliant Cymraeg. Y syniad oedd recordio rhywbeth gyda Cayo Evans o'r FWA. Rŵan, dwi'n fwy na pharod i gyfadde mai dwyn y syniad wnes i gan Malcolm McLaren, gan fod y Pistols wedi recordio hefo Ronnie Biggs, felly dyma deithio lawr i Silian ger Llanbedr Pont Steffan ar y beic modur i chwilio am Cayo. Doedd gen i fawr o syniad lle roedd Cayo yn byw ond ro'n i'n deall ei fod yn cadw ceffylau felly ddylia hi ddim bod yn rhy anodd dod o hyd iddo. Wrth gwrs, mae'r gofeb â'r eryr gwyn arni y tu allan i'r tŷ yn ei gwneud hi'n hawdd darganfod cartre Cayo, felly at y drws â fi. Ces groeso yn syth gan Cayo. Gŵr tal a golygus; gŵr, mae'n debyg, fyddai'n haeddu'r disgrifiad 'urddasol'. Doedd dim dwywaith mod i yng nghwmni dyn gyda charisma a chymeriad. Yn wir, roedd Cayo yn dweud petha hollol wallgo fel "we should have bombed the Severn Bridge, preferably with loss of life". Roedd llond y gegin o gymeriada eraill; i mi roedden nhw'n edrych fel Cayo *hangers-on*. Dwi'n cofio un yn benodol yn gwisgo fest goch Almaenig o'r Ail Ryfel Byd a doeddwn i ddim yn siŵr oedd hyn i gyd jyst ychydig rhy *dodgy* ta doedd dim pwynt meddwl am y peth jyst cael rhywbeth gan Cayo.

Yn dilyn y cyfarfod aeth Cayo ati i lenwi gwerth awr ar gasét o fo yn traethu ac yn chwarae'r acordion. Yn ei eiriau ei hun, 'Popular tunes played on the accordion by Julian Cayo-Evans, Soldier of Welsh Freedom and ex Political Prisoner. Also included is historical information of the FWA campaign of the 60s as told by himself between selections of traditional Music.'

Un o'r caneuon ar y casét, yn ôl Cayo, oedd y 'Marching Tune of the Free Wales Army'. Fe welais Cayo gwpwl o weithiau wedyn dros y blynyddoedd, hefo'r *hangers-on* yn dal gyda fo a'r wên yn dal ar ei wyneb, ac, fel Glyn Rowlands, dyma gymeriad o'r llyfr hanes oedd yn dal yn fyw ar y pryd.

Mi wnes gysylltiad hefyd pan o'n i yn y coleg yng Nghaerdydd gyda Rob Jackson a oedd yn rhedeg Grassroots, canolfan gymunedol yn Heol Siarl yng nghanol y ddinas, lle roedd cyfle i fands newydd recordio a jyst 'hongian allan'. Rob gynlluniodd y clawr ar gyfer y casét *Stwffiwch y Dolig* ac roedd o'n digwydd bod wedi bod yn y coleg hefo Andy o'r grŵp Crass. Rŵan, roedd Crass yn adnabyddus fel grŵp *punk* 'anarchaidd'. Ymhlith eu sloganau roedd 'Anarchy, Peace and Freedom' yn ogystal â 'Neither God nor Master', a Crass yn fwy na'r Pistols oedd yn gyfrifol am boblogeiddio'r arwydd anarchaidd, sef y llythyren 'A' mewn cylch. Os oedd y Pistols wedi sôn am 'Anarchy in the UK' roedd Crass wedi mynd â hynny i'r lefel nesa gan ysbrydoli miloedd i droi'n llysieuwyr a dilyn llwybr anarchaidd gan fynnu gweld diwedd ar y ras arfau a rhyfel. Dyma'r cyfnod, wrth gwrs, lle roedd yr USSR yn cael eu gweld fel y gelyn a phobl yn byw dan fygythiad honedig y botwm coch. Ar ôl rhyfel y Falklands cyhoeddodd Crass y sengl *How Does it Feel to be the Mother of a Thousand Dead?* Mewn geiriau eraill, roedd Crass yn *hardcore*; roedd cwestiynau wedi eu gofyn amdanyn nhw yn y Senedd, roedden nhw'n gwisgo du (dim lledr) ac yn gymaint o ffordd o fyw ag oedden nhw yn grŵp.

Cefais lythyr gan Andy o'r grŵp yn sôn eu bod yn gwneud gigs yn yr Iwerddon a'u bod yn awyddus i chwarae yng ngogledd Cymru.

Heavy duty or what? Doedd yna ond un peth amdani – Neuadd Llanerfyl. Y gobaith oedd, wrth gwrs, na fyddai neb yn Llanerfyl yn gwybod pwy oedd Crass a doedd Crass ddim yn credu mewn hysbysebu ta beth felly roedd hi'n mynd i fod yn *top-secret* gig. Roedd dilynwyr Crass yn clywed am y gigs drwy *word of mouth* felly fe ddylian ni fod yn saff. Yr ail broblem oedd bod Crass a'r *support acts*, Dirt ac Annie Anxiety, angen lle i aros am y nos. Y *plan* gwreiddiol oedd cynnig y neuadd iddyn nhw, ond doedd hynny ddim yn mynd i weithio er bod y goriad gan fam Karen felly roedd yn rhaid eu gwahodd i'n tŷ ni yn Llanfair.

Ar y diwrnod fe es lawr i Lanerfyl i gychwyn paratoi'r neuadd ac erbyn tua hanner dydd roedd *punks*, i gyd yn eu du wrth gwrs, yn dechrau casglu. Beth fyddai trigolion Llanerfyl yn ei feddwl? Fyddai rhywun yn galw'r cops? Roedd rhywun yn gweld y llenni yn symud – roedd y Martians wedi glanio. Erbyn canol y pnawn roedd dwsinau wedi cyrraedd ac yn crwydro'r pentref yn chwilio am rywbeth i'w fwyta neu i'w yfed. Fe gyrhaeddodd Crass a chymryd y gegin drosodd a dechrau gwneud *soup* i bawb a dechreuais i a Sion a'r criw glirio'r neuadd o bopeth allai gael ei daflu at y llwyfan, gan gynnwys yr holl gadeiriau. Doedd Crass ddim yn credu bod angen gwneud hynny ac esboniais wrthyn nhw, "Have you played North Wales before? Believe me, if they can throw it they will!"

Ar y noson daeth tua 300 draw i'r neuadd ac fe aeth y gig yn hollol ddidrafferth. Dwi ddim yn amau bod rhai o *punks* Amwythig, oedd yn gyfrifol am y difrod yn y Wynnstay ddwy flynedd ynghynt, yno, ond roedd pawb yno i weld Crass. Doedd dim *nonsense* i fod. Yn wir, pan ddaeth yr heddlu draw i weld beth oedd yn digwydd fe es i ac un o aelodau Crass â'r plismyn o amgylch y neuadd i weld bod pawb yn bihafio. OK, roedd yna uffern o ogla ganja, ond beth fedrai'r cops neud am hynny? Arestio 300 o bobl? Roedd yn weddol amlwg wrth weld cwrteisi Crass hefo'r cops eu bod wedi hen arfer â sut i ddiffodd fflamau gweision y wladwriaeth. Y peth mwya doniol ddigwyddodd ar y noson oedd bod Robert Gillham a Cheap Plectrum wedi dod yno wedi eu gwisgo mewn du, heblaw am deis gwyn, ac wedi sefyll reit o flaen y llwyfan yn heclo'r band drwy'r noson. Ar y drws fues i drwy'r nos gan fod cymaint wedi troi fyny, ond galla i gofio mai dyna'r band mwyaf uchel a *trebly* i mi erioed eu clywed. Doedd methu cael gwrando go iawn ar y band fawr o golled mewn gwirionedd. Cefais fy siomi nad oedd Karen wedi dod i'r neuadd, ond roedd y straen o fod yn y coleg yng Nghaerdydd a dim ond cael cyfle i'w gweld yn ystod gwylia coleg bellach yn amlwg.

Do, fe arhosodd y bands hefo ni yn Tegfryn ar yr amod fod neb yn smygu, a bu Mam yn edrych ar ôl genod Crass, yn eu bwydo a'u helpu i ymolchi yn sinc y gegin. Dwi'n cofio Mam yn sôn bod y genod i gyd yn fronnoeth o gwmpas y tŷ. Roedd carfan arall o'r grwpiau wedi cael ei gosod yn y sièd snwcer yng ngwaelod yr ardd. Fe fues innau i fyny drwy'r nos yn dadlau hefo Crass am wleidyddiaeth.

Y diwrnod wedyn, ar ôl glanhau'r tŷ, fe aeth Sion a finna lawr i Lanerfyl ac yn llythrennol codi pob *stump* sigarét o fewn milltir i'r neuadd. Fedra i ddim mynd heibio Neuadd Llanerfyl hyd heddiw heb chwerthin a meddwl bod Crass wedi canu yn fanna, ac o ran fi fy hunan mae gallu dweud mod i wedi trefnu gig i Crass yn dal hefo *kudos*.

Yn od iawn, rai blynyddoedd wedyn mi gwrddes â Steve Ignorant, canwr Crass, mewn gwrthdystiad ym Mryste ac mi fuodd o'n ddigon annifyr. A bod yn onest roedd o'n rêl *wanker*. Ar y llaw arall, mi rannon ni lwyfan fel yr Anhrefn hefo Annie Anxiety yn Nottingham a dwi'n cofio hi'n dweud "we stayed at your place, you had a Dalmatian" ac roedd hi mor annwyl. Ar y noson honno cafodd ei heclo gan *punks* am ddarllen ei barddoniaeth a bu'n rhaid i ni stepio i mewn ac achub cam Annie.

Dros y cyfnod yma o fod yn y coleg rhwng 1980 a 1983 roedd yr holl waith o drefnu'r 'gwyliau tanddaearol' a chyhoeddi'r *fanzines* a'r casetiau wedi cael cryn sylw ar y cyfryngau. Roedd rhaglenni *Sosban* ar Radio Cymru a *Sêr* ar HTV a chyhoeddiadau fel *Y Cymro* a *Sgrech* wedi rhoi sylw cyson i ni ac wedi adolygu pob dim gafodd ei ryddhau, ond roedd dwy raglen, un ar y radio ac un ar y teledu, ar fin newid petha am byth i ni fel grŵp. Roedd digwyddiadau eraill hefyd ar fin digwydd ag iddyn nhw oblygiadau pell-gyrhaeddol na fedra neb ohonon ni fod wedi eu rhagweld ac a fyddai'n newid ein bywydau am byth!

Pennod 3
Recordiau Anhrefn

Ar 6 Ebrill 1983 fe ymddangosais i a Sion ar raglen *Codi'r Ffôn* ar Radio Cymru. Roedd y rhaglen i gychwyn am 8.45 a.m. felly does dim rhaid dweud i ni gyrraedd y BBC yn Llandaf yn hwyr. Cawson ni ychydig o drafferth mynd i mewn gan nad oedden nhw'n siŵr yn y dderbynfa pa stiwdio oedda ni i fod ynddi, a chan mai fi oedd wedi cael y gwahoddiad i fod ar y rhaglen doedd dim sôn bod Sion i fod yno hefyd. Ar ôl pwyso arnyn nhw dyma ni i mewn i'r stiwdio ac o'r eiliad gynta roedd yn weddol amlwg ein bod yn mynd i gael *kick off*. Cyhuddais y BBC o drio ein rhwystro rhag ymddangos ac roedd yn amlwg fod ymddangosiad Sion yn eitha annisgwyl i'r cyflwynydd. Hefyd ar y panel roedd Rhiannon Tomos, a dwi'n ofni ar y diwrnod hwnnw i Rhiannon druan gael ei dal yn y *crossfire*.

Natur y rhaglen oedd fod y gwrandawyr yn ffonio i mewn gyda chwestiynau ar gyfer y panelwyr, felly dyma chwerthin ar eu penau a'u pardduo am y gora. Daeth cwestiwn gan Bryn Tomos o Fetws-y-coed a oedd yn aelod o Gôr y Brythoniaid, felly fe gafodd hynny ei daflu yn ôl cyn iddo orffen ei frawddeg. "Be sy gan gorau meibion i wneud hefo'n bywydau ni?" Defnyddiwyd y cyfle hefyd i sôn bod grwpiau yn codi gormod o bris i drefnwyr eu llogi mewn ardaloedd fel Sir Drefaldwyn, ond doedd Rhiannon ddim yn cyd-weld â ni ar hyn. Ychydig iawn dwi'n ei gofio am y cwestiynau a dweud y gwir ond dwi'n cofio i ni gael hwyl 'yn fyw' ar y radio.

Dwi'n cofio hefyd i ni fynd o'r BBC heb feddwl dim mwy am y peth, a doedd dim i'n paratoi am yr ymateb oedd i fod. Mae'n ymddangos bod pawb wedi clywed y rhaglen ac wrth i ni ddychwelyd i'r coleg, y fi i Gaerdydd a Sion yn ôl i Neuadd JMJ ym Mangor, roedd rhywun yn gallu synhwyro'r cynnwrf – pobl yn twt-twtian neu yn chwerthin yn nerfus. Er i ni osgoi rhegi ar y rhaglen, dyma oedd ein Bill Grundy bach ni yn y sîn roc Gymraeg. Doedd neb wedi ei dweud hi fel hyn o'r blaen. Doedd neb arall wedi dweud "we don't give a fuck" yn y Gymraeg, ac mi roedd angen i hyn ddigwydd. Cymaint oedd yr ymateb aeth HTV ati i greu rhaglen gyfan am y sîn roc ar gyfer *Byd yn ei Le*, gyda Vaughan Hughes yn cyflwyno.

Reit o'r dechrau roedd yn amlwg fod hyn yn mynd i fod yn *stitch up*. Roedd Ronw Protheroe y cynhyrchydd wedi drafftio Dyfed Thomas, gynt o'r grŵp Hywel Ffiaidd, yno i drio'n dal ni allan. 'Dyf The Punk' oeddan ni'n galw Dyfed a phan gyrhaeddon ni stiwdios HTV yng Nghroes Cwrlwys ar 17 Mehefin 1983 i recordio'r rhaglen, y person cynta i'n cyfarch ni oedd Dyfed. Ddywedodd neb run gair yn ôl. Y tro yma ro'n i yng nghwmni Sion Sebon a Cedwyn Aled o'r Sefydliad ond roedd natur y rhaglen yma'n wahanol. Fi oedd y 'cocyn hitio' felly ro'n i yn eistedd ar gadair ar lwyfan ar 'y mhen fy hun yn wynebu'r 'panelwyr/cynulleidfa' o 'mlaen.

Roedden ni wedi amau bod hyn yn ymdrech i'n dal ni allan felly y peth cynta wnes i oedd mynd yno mewn siwt a tei a'r ail beth wnes i drwy'r rhaglen oedd bod yn gwrtais a pheidio cymryd y *bait*. Roedd y rhaglen yn *shite*! Methwyd â'n gwylltio. Doedd Vaughan ddim yn gyfarwydd â'r maes a methodd Dyf â bod yn ddigon *outrageous*; roedd yr holl beth ar ei ora yn *damp squid* go iawn, yn *shite*!

Yr unig bethau dadleuol ddigwyddodd oedd i ni gerdded oddi ar y set cyn diwedd y rhaglen gan fod y peth mor ddiflas – roedd hon yn rhaglen fyw, cofiwch – a bod Cedwyn Aled wedi piso yn y poteli gwin yn yr Ystafell Werdd cyn i ni adael yr adeilad. "Cheers suckers!"

Dros fisoedd yr hydref roedd fy mam wedi bod yn cwyno nad oedd hi'n teimlo'n dda. Roedd yn cael poenau aruthrol yn ei stumog ac yn aml iawn yn gorfod mynd i'w gwely i orwedd. Ro'n inna wedi gorffen coleg gyda gradd BA mewn archaeoleg ac yn ôl yn Llanfair Caereinion ar y dôl heb fawr o syniad beth roeddwn am ei wneud hefo gweddill fy mywyd. O bryd i'w gilydd byddai'r Anhrefn yn gwneud gigs gyda

Sion Sebon yn canu ac yn chwarae gitâr ac, erbyn hyn, Dewi Gwyn ar y bas a Rhys Bismyth ar y drymiau. Mi ro'n i dal yno yn 'camreoli' ac ers cael gwared ar ffrindiau ysgol Sion o'r band roedd Sion a finna wedi drafftio Dewi a Rhys i mewn i'r Anhrefn.

Tra o'n i adre cadwais fy hun yn brysur yn sgwennu *fanzines*, yn rhedeg i gadw'n ffit ac yn pasio fy mhrawf gyrru. Do'n i ddim yn siŵr beth oedd yn bod hefo Mam ond fe soniodd ei bod yn ofni ei bod yn diodde o gansar ac y byddai'n mynd i Ysbyty Copthorne i gael llawdriniaeth ym mis Tachwedd. Cefais gyfle i grybwyll hyn wrth Sion a chan mai ar y colon roedd y cansar roedd pawb i weld yn weddol ffyddiog y byddai'r llawdriniaeth yn llwyddiannus. Ar 13 Tachwedd, ar bnawn Sul, fe aeth Mam i mewn i'r ysbyty ac fe es i gyda 'nhad i'w hebrwng hi yno. Cofiaf hi'n edrych o'i chwmpas ar goedwig Castell Powys wrth i ni yrru tua'r Trallwng, ac o edrych yn ôl dwi'n meddwl sgwn i oedd hi'n gwybod na fyddai'n gweld yr olygfa honno byth eto. Yn od iawn, chymerodd y ci fawr o sylw o Mam wrth iddi adael y tŷ a ddaru o ddim chwilio nac aros amdani byth wedyn. Eto, beth oedd y ci wedi'i i synhwyro? Hwn oedd Ianto y Dalmatian oedd wedi bod hefo ni ers dyddiau ysgol gynradd.

Gan mod i wedi pasio 'mhrawf gyrru, ces fenthyg car 'nhad i fynd i ymweld â Mam yn yr ysbyty ac es i lawr ar y nos Lun a'r nos Fawrth i'w gweld a sgwrsio am y ddwy awr oedd gynnon ni. Cafodd ei llawdriniaeth ar y dydd Mercher ac yn ôl y sôn fe aeth popeth yn iawn a ches fynd draw i'w gweld eto ar y nos Iau. Roedd yn od ei gweld yn yr ysbyty fel hyn. Dyma fy mam, y ddynes oedd wedi ein geni, ein magu a gofalu cymaint amdanon ni, ond roedd hi'n fach ac yn fregus ond mor falch i'm gweld. Roedd hi'n poeni bod y briw yn gwaedu a daeth doctor i'w gweld, ond o hynny fedrwn i ddeall roedd popeth yn iawn. Roedden ni'n dau'n ffrindiau gorau ac roedd hi'n un dda am wrando. O'r hyn y medra i gofio, ei geiriau olaf i mi oedd "Ti a dy Johnny Rottens!"

Ro'n i newydd ddychwelyd o Fanceinion ar ôl bod yn gweld Public Image (PIL) yn canu yn yr Apollo yr wythnos gynt felly mae'n siŵr mod i wedi sôn am y gig ymhlith pob dim arall. Am wyth roedd amser ymweld drosodd ac adre â fi. Mi gawson ni'n deffro am 4.30 a.m. gan alwad ffôn. Fy nhad atebodd hi ac ro'n i'n gwybod bod rhywbeth mawr o'i le. Tybiwn y byddai rhaid i ni ruthro lawr i'r ysbyty neu rywbeth, ond dyna i gyd ddwedodd 'nhad oedd "Da ni wedi colli Syd." Gwnes baned i Dad ac wedyn roedd yn hollol amlwg ein bod yn mynd i orfod gyrru'n syth i fyny i Fangor i nôl Sion. Roedden ni yno erbyn 6 y bore felly roedd yn rhaid i ni ei ddeffro yn ei wely. Mae'n debyg mai hynna oedd un o'r petha anodda i mi orfod ei neud erioed. Dim ond pum deg un oed oedd Mam yn marw, yn llawer rhy ifanc.

Beth sydd yn anhygoel yw fod rhywun yn llwyddo i gario ymlaen gyda bywyd bob dydd achos fod rhaid gwneud hynny. Un ar hugain oeddwn i, a Sion yn ugain oed, ac mae'n rhaid iddi fod yn anoddach arno fo ar y pryd gan ei fod yn gorfod mynd yn ôl i JMJ a'r coleg ym Mangor. Ar ddiwrnod yr angladd cadwais fy hun yn brysur yn hebrwng Uncle Jack i'r orsaf yn y Trallwng a helpu lle gallwn. Gwrthodais y cyfle i weld Mam yn yr arch; mae'n debyg mai 'newis i oedd ei chofio fel roedd hi. Yn fy nyddiadur ar 18 Tachwedd 1983 ysgrifennais 'bu farw Mam rhywbryd cyn 4.30 y bore'. Wrth gwrs, bob mis Tachwedd mae'r peth yn croesi meddwl rhywun ond unwaith eto dwi'n trio cofio Mam fel roedd hi a beth gawson ni ganddi yn hytrach na rhoi pwyslais ar ddiwrnod arbennig, sef y diwrnod y bu hi farw.

Achos o dristwch mawr i mi ar ran fy nhad oedd na chawson nhw gyfle i fyw mwy gyda'i gilydd. Achos arall o dristwch, wrth gwrs, yw na fu fy mam fyw i gyfarfod fy ngwraig Nêst nac i gael gweld a gafael yn fy mhlant; *it's a tough life* ar adegau.

Does dim ergyd all gymharu â'r hyn ddigwyddodd. Doedd dim a allai fod yn waeth na'r hyn oedd newydd ddigwydd, a newidiodd fy agwedd tuag at fywyd. Doedd y berthynas hefo Tracey na Karen ddim wedi llwyddo i barhau, ac er i mi aros hefo Karen tra oeddwn ym Manceinion i weld Public Image doedd dim byd ar ôl rhyngthon ni. Ni ddaeth yr un ohonyn nhw i angladd fy mam ac yn sicr dwi ddim yn eu beio o gwbl am hynny – yn wir, do'n i ddim yn disgwyl iddyn nhw fod yno – ond roedd hyn rhywsut hefyd yn gwneud i mi dderbyn bod pethau drosodd hefo'r ddwy ohonyn nhw.

Roedd pob math o newidiadau yn digwydd. Roedd y cyfnod o ryddhau casetiau drosodd a doedd fawr o bwrpas i'r *fanzines* bellach chwaith. Os oedd pethau i symud ymlaen hefo'r band roedd yn rhaid i ni ryddhau record. Erbyn haf 1983 ro'n i wedi prynu gitâr fas a hyd yn oed wedi gwneud cwpl o gigs hefo Cedwyn Aled a Rhys Bismyth fel y Malwod. Fe chwaraeon ni yn Llwyngwair Manor hefo'r Sefydliad ac yn yr Ŵyl Danddaearol yng Nghlwb Blewyn Glas, Bangor. Cafodd yr Ŵyl Danddaearol yma ei chyd-drefnu gan Steve Eaves ar ran Cymdeithas yr Iaith, gyda llaw. Roedd trio symud o un tant i'r llall yn dipyn o her ond mi ro'n i wedi croesi'r llinell o fod yn drefnydd i fod yn gerddor ac felly y cam nesa oedd ymuno â'r grŵp ar y bas, gan mai aelodaeth weddol ansefydlog oedd gan yr Anhrefn.

Ar 17 Rhagfyr 1983 fe aethon ni i mewn i Stiwdio'r Foel i recordio ein sengl gynta gyda Dic Ben ar y drymiau a Mark Whitley ar yr ail gitâr. Roedd Dave Anderson wedi cael llwyddiant hefo'r gân 'Silver Machine' gyda'r grŵp Hawkwind ac wedi adeiladu stiwdio ar y topia rhwng Llanerfyl a Chefn Coch hefo'r arian wnaeth o o'r gwerthiant. Fe logodd Dave y stiwdio i ni am bris gostyngol – dim ond £100 y bu'n rhaid i ni dalu i recordio'r sengl – ac unwaith eto mae cymaint o ddyled arnon ni i rywun fel Dave am roi cyfle i'r grŵp.

Y syniad gwreiddiol gen i oedd y byddai'r Anhrefn yn rhyddhau sengl fel rhan o gyfres 'Senglau Sain' ac wedyn y bydden ni'n defnyddio'r arian y bydden ni wedi ei safio i recordio bands newydd Cymraeg. Cefais un o'r llythyrau enwog hirwyntog hynny gan Dafydd Iwan lle disgrifiodd ryddhau record gan yr Anhrefn fel 'piso dryw yn y môr', felly doedd yr opsiwn hwnnw ddim ar gael (am y tro). Roedd geiriau y gân 'Dim Heddwch' yn gyfieithiad o eiriau cân a gyfansoddwyd i ni gan Ian Bone o'r grŵp Living Legends a'r alaw yn un wreiddiol gan Sion Sebon. Fe ddaeth Ian Bone i amlygrwydd cenedlaethol fel golygydd y cylchgrawn *Class War* yn hwyrach yn yr 80au, ond am y tro roedd ei grŵp yn enwog am ryddhau sengl o'r enw *The Pope is a Dope* i gyd-fynd ag ymweliad y Pab â Phrydain yn '82. Cân arall ar sengl y Living Legends oedd 'Dumb Dumb Bullets for a Dumb Dumb

Dummy', a oedd yn cyfeirio at yr achos o saethu yr Arlywydd Ronald Reagan.

Yn ôl Ian Bone roedd angen i ni hyrwyddo'r sengl drwy amharu ar y seremoni 'A oes heddwch' yn yr Eisteddfod Genedlaethol. Dyna'r peth hefo Ian, roedd yn ofnadwy o hoffus ac yn ofnadwy o ddoniol ond ddim i'w gymryd ormod o ddifri.

Fe gyfrannais erthyglau i'w gylchgrawn *The Scorcher* yn yr 80au cynnar, ac yn yr erthygl gynta fe ysgrifennais feirniadaeth lem iawn os nad enllibus ar y cyfryngau Cymraeg. Gan fod yr erthygl yn Saesneg fe aeth y cyfryngau Cymraeg i rhyw fath o *hyperventilation* am y peth, gan iddyn nhw ddechrau pryderu, siŵr o fod, y byddai pobl yn gweld eu gwendidau a'u methiannau. Roedd yn ddigon saff ysgrifennu rhywbeth tebyg yn *Sgrech* achos dim ond llond dwrn fyddai'n darllen colofn Wil a Fi. Pan ysgrifennais yn yr ail erthygl y byddwn yn hoffi gweld grŵp Cymraeg yn canu yn Gymraeg ar *Top of the Pops* fe gyhuddodd Ian Bone fi o werthu allan a mynd yn ôl ar fy ngair, ond doeddwn i ddim yn gweld dim gwahanol yn hynny i weld y Buzzcocks, Sham 69 neu'r Adverts ar *Top of the Pops*. Doedd y grwpiau yma ddim wedi 'gwerthu allan'. Meddyliwch am yr effaith fyddai hynny yn ei chael o ran hyrwyddo'r iaith Gymraeg, a hyd heddiw dwi'n synnu na fyddai'r Super Furrys neu rywun wedi sicrhau bod hyn wedi digwydd. Dwi'n gwybod bod athroniaeth y Furrys yn wahanol, nad ydyn nhw eisiau gwneud gormod o ffys am y ffaith eu bod yn canu yn Gymraeg, ond o ran *situationism* dwi'n dal i gredu y byddai grŵp yn canu yn Gymraeg ar *Top of the Pops* yn rhyw fath o garreg filltir.

Os oedd cyfrwng ein cerddoriaeth yn symud o'r *fanzine* a'r casét i record feinyl, roedd ein cyfoedion, ein cyfeillion a'n cyd-chwyldroadwyr hefyd am newid, a dyma'r cyfnod lle ffurfiwyd y partneriaethau cryfa ar gyfer creu newid yng Nghymru. Roedd fel petai'r blynyddoedd cynt wedi bod yn arwain at yr hyn oedd i ddod, yr hyn oedd i fod, ac o'r diwedd fe ddaeth unigolion a grwpiau i'r amlwg oedd am symud pethau i'r lefel nesa.

Ro'n i'n gyfarwydd ag enw'r grŵp Datblygu o Aberteifi a'r ffaith eu bod wedi rhyddhau casetiau, ond drwy lythyru daeth yn fwyfwy amlwg ein bod yn rhannu'r un weledigaeth, felly teithiais i a Sion i lawr i Aberteifi i gyfarfod â David R Edwards. Mi gawson ni gyfarfod enwog/*seminal*/holl bwysig yn y *bandstand* yn Aberteifi, a dyna lle gwnaethon ni benderfynu ein bod am gydweithio i greu chwyldro diwylliannol yng Nghymru. O hyn ymlaen fydda 'na ddim edrych yn ôl ac, fel yn achos *punk rock* yn 1976–77, y bwriad oedd creu *year zero* yn y sîn Gymraeg. Byddai'r hen yn gyfystyr â'r gelyn a dim ond y rhai fyddai'n rhannu'r weledigaeth fyddai'n rhan o'r newydd. Hollol Stalinaidd, ond roedd hyn mor angenrheidiol gan fod plant y 60au a grwpiau'r 70au wedi meddiannu'r holl beth ac wedi mynd i mewn i'r cyfryngau *lock, stock and barrel* er mwyn eu hyrwyddo nhw eu hunain. *We were the bastard offspring* o Wil a Fi ond gyda gwleidyddiaeth *punk rock* nid y Fro Gymraeg.

Fel gyda Mark E Smith o'r Fall, roedd gan aelodau Datblygu enwau fel David R Edwards a Wyn T Davies, roedden nhw'n gwisgo mewn du yn eitha henffasiwn ac roedden nhw'n llawer mwy arbrofol yn gerddorol na'r Anhrefn. Dilyn patrwm Cabaret Voltaire neu Joy Division oedd Datblygu felly y nhw oedd adain electronig y chwyldro.

Yn gwisgo dipyn yn fwy ffasiynol ac yn edrych fel *rejects* o'r Velvet Underground roedd Ian Morris, Blondi, Dafydd Felix a Nathan Hall. Ro'n i wedi eu gweld yng Nghorwen heb wybod pwy oeddan nhw ac wedi gweiddi rhywbeth am gyffuriau arnyn nhw yn y maes parcio y tu allan i Bafiliwn Corwen er mwyn gweld sut bydden nhw'n ymateb. O fewn dyddiau cefais lythyr gan Ian Morris, prif leisydd y grŵp Tynal Tywyll o Fethesda a Thregarth. Fel yn y ffilm *Magnificent Seven*, roedd y TTs eisiau taflu eu hetiau i mewn hefo'r don newydd a bod yn aelodau o'r gang. Tynal Tywyll oedd adain steil a rhamant y chwyldro.

Nesa i ymuno oedd Y Cyrff o Lanrwst; ro'n i wedi eu gweld yn perfformio ym Mhafiliwn Corwen fel triawd. Bryd hynny Barry Cawley oedd ar y bas, Mark Roberts yn canu ac ar y gitâr a Dylan Hughes yn drymio. Dwi'n cofio eu clywed nhw'n gwneud *cover version* o 'London Calling' gan y Clash a theimlo cenfigen fod Barry yn gallu chwarae'r *baselines*. Gan fod hyn mewn gig Cymdeithas yr Iaith rhaid eu bod wedi cyfieithu'r geiriau, ond fedra i ddim cofio'n iawn. Ar ddiwedd y gig ceisiais gael Barry i brynu copi o sengl yr Anhrefn a fynta'n gwrthod. A dweud y gwir, ar yr argraff gynta ro'n i'n meddwl mai *poseurs* oeddan nhw, ond fel sy'n digwydd mor aml ro'n i'n hollol anghywir ac yn fuan iawn wedyn, mewn gig yn y Fic, Porthaethwy, roedd y Cyrff hefyd wedi arwyddo i fod yn rhan o'r chwyldro, er i Barry erfyn ar ei gydaelodau "Don't sign anything lads!" wrth i mi gynnig cytundeb recordio iddyn nhw. Y Cyrff oedd adain cyfansoddi *hits*/steil gwalltiau a *working class heroes* y chwyldro.

Trwy ein cysylltiad â Dic Ben daeth Elfyn Presli i'n sylw. Dyma griw o Borthmadog oedd yn *punks* Cymraeg ac i mewn i'r un pethau â ni. Elfyn Presli oedd y Damned i Pistols yr Anhrefn a Clash y Cyrff. Eu canwr oedd y bardd a'r sylwebydd ar fywyd Bern, arbenigwr ar bopeth dan haul ond dyn â'i lygaid wedi eu hagor. Elfyn Presli oedd adain *alcoholic* y chwyldro.

Doedd 'na ond un peth amdani sef recordio'r holl lot ar un record hir amlgyfrannog a 'gorfodi' pawb i gymryd sylw o'r don newydd, y sîn danddaearol, dyfodol y sîn roc Gymraeg, ac felly nôl â ni i Stiwdio'r Foel. Unwaith eto roedd Dave Anderson wedi rhoi telerau hollol wallgo i ni a chawsom wythnos gyfan yn y stiwdio, y tro yma am £300. O ran busnes, y syniad oedd y byddai pob band yn cyfrannu £60 tuag at y stiwdio ond wedyn yn cael cant o recordiau i'w gwerthu er mwyn cael eu pres yn ôl, ac os oeddan nhw o ddifri roedd cyfla i wneud ychydig o elw hyd yn oed. Yn ystod mis Rhagfyr 1983 dyma ddechrau ar y gwaith o recordio dwy gân yr un gan bob un o'r grwpiau. Pawb yn cael diwrnod i wneud eu dwy gân a rhai ohonyn nhw yn campio yn y stiwdio am yr wythnos gyfan mwy neu lai.

Ro'n i wrth fy modd. Cefais glywed 'Y Teimlad' yn cael ei hadeiladu o'r *drum machine* hyd at lais Dave ar y diwedd. Cefais glywed 'Tic Toc' a 'Lebanon' cyn neb arall a dwi'n credu mai 'Hangofyr' oedd y record Gymraeg gynta i gynnwys y gair 'fuck', er yn anfwriadol gan fod dadl rhwng Bern a Dic Ben wedi cael ei chadw ar y tâp achos fod y peth mor ddoniol. Cofio'r Cyrff wedyn yn gwrthod siarad hefo'r Elfyn Preslis ac yn gorfod rhannu llawr y stiwdio hefo nhw i gysgu un noson, ond yn fwy na dim cofio'r teimlad o glywed caneuon Cymraeg ro'n i'n gallu bod yn falch ohonyn nhw, caneuon ro'n i'n credu ynddyn nhw ac yn rhan ohonyn nhw. Caneuon ro'n i yn argyhoeddedig fyddai yn newid pethau unwaith ac am byth. I raddau ro'n i yn iawn, er efallai nad oedd y rhan fwya o'r Cymry Cymraeg yn mynd i fod yn barod am y newid; eto i gyd, does dim dwywaith yn fy meddwl i na fyddai Catatonia na'r Super Furrys wedi datblygu heblaw bod *Cam o'r Tywyllwch* wedi digwydd. Heb Dave Datblygu fyddai *Cam o'r Tywyllwch* heb ddigwydd. Heb y Cyrff a Tynal Tywyll fydda 'na ddim grwpia. Sut bynnag mae rhywun yn dadansoddi hyn, yr oll fedra i ddweud yw *cause and effect: to every action there is an equal and opposite reaction.* Hwn oedd y *fuse* a'r cymeriada yma ganiataodd i ni danio'r *fuse.*

Hyd heddiw, dwi'n sôn am yr Anhrefn, y Cyrff, Tynal Tywyll a Datblygu fel y gang gwreiddiol. Sut bynnag mae pawb arall wedi ailsgwennu hanes a beth bynnag fo ein perthynas â'n gilydd erbyn heddiw, y *fuse* yma yw'r rheswm da ni i gyd yn dal yma. Fel arall lle byddan ni? Ambell i gasét a gig i Gymdeithas yr Iaith ac ambell i Steddfod? Ambell i sesiwn Radio Cymru ac ymddangosiad ar S4C? Fi sy'n sgwennu'r llyfr, *this is my truth.* Dim *Cam o'r Tywyllwch*, dim Catatonia a dim Super Furrys!

Teimlaf yn aml fod yr Anhrefn wedi cael eu hanghofio gan y rheini ddaeth wedyn i ailsgwennu hanes, ond os mai ni oedd y 'Pistols Cymraeg' efallai fod hynny yn beth da. Doeddan ni ddim y cerddorion gorau a dim gyda ni roedd yr *haircuts* gorau chwaith, ond wedyn pwy gafodd y Peel Session gyntaf? O edrych yn ôl rŵan dwi'n gwybod i Peel ein cefnogi am ein hagwedd ac am yr hyn oeddan ni yn ei wneud yn fwy nag am ein cerddoriaeth. Does dim dwywaith fod Datblygu yn fwy at ddant Peel, ac yn wir aethon nhw ymlaen i recordio nifer fawr o sesiynau i raglen Peel o'u cymharu â'r tair sesiwn a recordiodd yr Anhrefn iddo. Fe gafodd Tynal Tywyll ambell i *airplay*, fel y cafodd Elfyn Presli, ond roedd y Cyrff ychydig yn rhy fasnachol iddo efallai. Y jôc gan yr Anhrefn am John Peel oedd mai'r mwya allan o diwn ac allan o amser oedd cân y mwya y byddai John Peel yn ei hoffi.

Os hoffodd Peel y gân 'Hollol Hollol Hollol' gan Datblygu, fe fu 'Rhywle yn Moscow' gan yr Anhrefn yn dderbyniol hyd yn oed i Geraint Davies, cynhyrchydd rhaglen *Sosban* Radio Cymru. Geraint Davies oedd *public enemy No. 1* y sîn danddaearol. Ac yntau'n gynaelod o'r grŵp Hergest ac i mewn i'w *West Coast harmonies*, mae'n rhaid bod yr Anhrefn a Datblygu fel rhyw fath o *Antichrists* i Geraint druan. Bu sawl achos o wahardd casetiau a sesiynau cynnar Datblygu am eu bod yn rhy ansafonol i'w chwarae ar Radio Cymru ac mae llythyrau Dave Datblygu o'r cyfnod yn sôn am ei rwystredigaeth gyda Radio Cymru a chyda Geraint Davies yn benodol. Fe gododd sawl dadl gyda Geraint yn y blynyddoedd wedyn am 'safon' y recordiau ar label Anhrefn. Ond fe gafodd 'Rhywle yn Moscow' sylw da ar Radio Cymru a dyma'r gân gyntaf i Peel ei chwarae ar Radio 1 o'r LP *Cam o'r Tywyllwch*.

Cyn mynd i mewn i Stiwdio'r Foel i gychwyn gweithio ar *Cam o'r Tywyllwch* ro'n i wedi galw cyfarfod yn y Can Office, Llangadfan, dan faner 'Pop Positif', a'r syniad oedd trio symud pethau ymlaen gyda'r cyfryngau mewn ffordd fwy positif yn hytrach na'r dadlau parhaol oedd bellach yn 'norm'. Fe ddaeth Eurof Williams draw yn ogystal â Glyn Tomos *Sgrech* a dyna lle cyhoeddon ni'n bwriad i sefydlu label Recordiau Anhrefn a'n bod yn paratoi i gasglu nifer o grwpiau newydd tanddaearol at ei gilydd er mwyn creu LP.

Yr wythnos wedyn roedden ni yn Stiwdio'r Foel ac ro'n i'n sicr fod gynnon ni *hits* ar ein dwylo. *Hits* tanddaearol, falle, ond cyn belled ag yr o'n i yn y cwestiwn dyma'r stwff gorau i gael ei recordio yn y Gymraeg erioed. Un o'r *hits* heb os oedd 'Y Teimlad' gan Datblygu ac fe brofwyd hyn dros ddeng mlynedd yn ddiweddarach pan wnaeth y Super Furrys fersiwn o'r gân ar gyfer yr albwm *Mwng* – prawf os oedd angen erioed fod David R Edwards yn gwybod sut i wneud pop.

Fel roedd '83 yn dirwyn i ben roedd sengl gynta yr Anhrefn wedi ei recordio ac yn barod i'w gyrru i'r ffatri i wasgu'r senglau ac roedd *Cam o'r Tywyllwch* yn prysur ddod at ei gilydd, felly roedd gynnon ni ddwy record yn barod i'w rhyddhau yn fuan yn '84. Roedd y Dolig yn mynd i fod yn anodd gan mai cwta fis oedd yna ers i ni golli Mam, ac ro'n i hefyd wedi cael swydd gydag Ymddiriedolaeth Archaeolegol Clwyd a Phowys oedd i ddechrau yn y flwyddyn newydd. Felly roedd yna deimlad fod yna lot o bethau yn mynd i newid yn y flwyddyn newydd, ac er nad oedd unrhyw syniad gen i am yr hirdymor roedd cael gwaith o leia yn rhoi rhywbeth i mi wneud a byddai'r grŵp a'r label yn gallu parhau o amgylch hynny. Er fod gen i radd mewn archaeoleg ro'n i wedi cael y gwaith drwy'r cynllun Manpower Service Commission oedd yno i roi help i gael y di-waith yn ôl i weithio ac felly byddwn i'n cael cyflog o £48 yr wythnos am bedwar diwrnod o waith. Doedd dim gwaith ar ddydd Gwener, oedd yn newyddion da o safbwynt teithio i gigs – er, yn ystod '83 doedd yr Anhrefn ddim yn gwneud llawer mwy na gig neu ddwy y mis hefo pwy bynnag oedd ar gael i chwarae hefo ni.

Er i mi chwarae'r bas yn y stiwdio ar gyfer y sengl, ro'n i yn ôl dan ddylanwad McLaren erbyn recordio *Cam o'r Tywyllwch* ac yn teimlo mod i'n drefnydd ac nid yn gerddor ac nad oedd ots pwy oedd yn chwarae ar y recordiau. Hefin Huws o'r grŵp Maffia Mr Huws chwaraeodd y *drums* ar 'Rhywle yn Moscow', 'Action Man' a 'Dagrau' hefo Dewi Gwyn yn ôl ar y bas. Yn ddiddorol iawn, wrth i mi ddechrau ar fy ngyrfa newydd fel archaeolegydd yn Four Crosses ger y Trallwng yn cloddio safle claddu o'r Oes Efydd dyma ailgyfarfod â Michael Probert a oedd hefyd ar y cynllun MSC. Roedd Probert wedi mynd i Ysgol Uwchradd Llanfyllin ond ro'n i wedi dod i'w nabod wrth fynd allan i glybiau nos pan oeddwn yn y chweched dosbarth. Probert oedd un o'r ychydig *punks* eraill yn Sir Drefaldwyn felly roedd ein llwybrau wedi croesi drwy hynny. Un o ffrindiau Probert oedd Adrian, eto o Lanfyllin, ac roedd yntau hefyd ar y *dig* hefo ni ac yn rhannu'r un blas mewn cerddoriaeth. Roedd pawb arall ar y *dig* yn dipyn hŷn ac yn hipis oedd wedi symud i mewn i Gymru felly roedd yna *rapport* reit o'r dechrau rhwng Probert, Adrian a fi. Cyd-ddigwyddiad arall oedd fod ffrind i'r ddau ohonyn nhw yn mynd allan hefo Tracey, oedd bellach yn disgwyl plentyn, ac roedd Jackie a chwaer arall i'r genod, Lucy, hefyd yn gweld rhai o gang Llanfyllin. *Oh shit*, byd bach, ond ro'n i dros y garwriaeth hefo Tracey felly doedd dim gormod o ots, er y byddai'n anorfod y byddwn yn ei gweld eto yn fuan felly.

Effaith colli Mam oedd y teimlad hwnnw o 'I don't give a shit'. Fedrai dim byd fod yn waeth ac felly roedd fy agwedd yn eitha *gung-ho*. Un ar hugain oed oeddwn i, a doedd gen i ddim syniad beth oedd o fy mlaen. Ro'n i'n llythrennol yn byw o ddydd i ddydd ac yn fodlon hefo hynny. Roedd y band a'r label yn rhoi pwrpas uwch i mi, wrth gwrs, ond ar y funud ro'n i'n gweithio hefo caib a rhaw hefo *lads* a hipis ac yn cael profiad o fywyd. Yn ystod y cyfnod yma ro'n i'n byw adre a rhaid dweud i 'nhad fod yn ofnadwy o dda yn edrych ar fy ôl. Roedd te yn fy nisgwyl bob nos wrth i mi ddod adre o'r gwaith ac yn aml byddai'r ddau ohonon ni'n mynd lawr i'r Red wedyn am beint. Er mod i'n talu £20 i fy nhad yn wythnosol am fy nghadw rhoddodd yr holl arian yn ôl i mi ar ddiwrnod fy mhriodas. Bob nos Wener byddwn i'n prynu cans o gwrw ac yn aros adre i wylio rhaglen *The Tube* cyn mynd allan yn hwyrach i'r Red, ond daeth yr hen deimlad yna yn ôl. Doedd nunlle i fynd. Roedd Llanfair yn rhy fach ac mi ro'n i isho byw bywyd llawer mwy dinesig na hyn, ond drwy Probert ac Adrian dyma gychwyn mynd allan i Lanfyllin ar y penwythnosau.

Yn y Cross Keys roedd pawb yn ymgynnull ac roedden nhw'n smocio *dope* yn hollol agored yno. Eu syniad o amser da oedd 'let's get wrecked' a dyna oedd yr agenda ar gyfer y penwythnosau. Weithiau byddai'r penwythnos yn cychwyn ar bnawn Iau os oedden ni'n cael gorffen gwaith yn fuan, ac yn syth i'r *pub* yn Four Crosses y bydden ni'n mynd cyn bwrw yn ôl i'r Trallwng ac wedyn yn ein blaenau. Dwi rioed wedi bod yn un am yfed lot. Dwi rioed wedi gallu dal fy nghwrw a dwi o hyd wedi cael yr *hangovers* gwaetha dan haul, ond am gyfnod ymunais inna hefyd yn y 'let's get wrecked' gan gymysgu diodydd a chael ambell i *toke* o *joint* neu hyd yn oed *blow-backs* neu *hot knives* gan Probert neu Adrian.

Y tro cynta i mi drio *joint* roedd yn *classic case* o be sy'n mynd i ddigwydd ac, wrth gwrs, prin y cafodd unrhyw effaith. Gan nad o'n i erioed wedi ysmygu do'n i ddim yn gwybod sut i gymryd y mwg drwg i mewn yn iawn. Fe ddysgais ac fe chwerthais. Fe orweddais ar lawr mewn cae llond o wartheg yn *stoned* a meddwl y byddwn yn cael fy mwyta yn fyw ac mi deimlais gefn fy ngwddw yn llosgi hefo'r *hot knives*. Un peth a ddysgais hefyd oedd ei fod yn beth da bod yng nghwmni ffrindiau os am fod yn *wrecked* ac y byddai rhywun wedyn yn weddol saff. Fe deithiodd Probert, Adrian a finna lawr i Gaerdydd i weld y Psychedelic Furs yn yr Undeb. Y *plan* oedd trio *acid* (LSD) hefo Adrian a Probert ond pan ddaeth y cyfle fe ddywedais mod i'n ddigon hapus a ddim am gymryd tab. Er fy mod wedi cael ambell *toke* o *joint* doeddwn i ddim wir awydd cael trip LSD a dwi rioed wedi cymryd *chemicals* yn yr ystyr o gyffuriau ar ffurf tabledi. Roedd *dope* yn rhywbeth oedd yn tyfu'n naturiol a heblaw am fod yn swrth a'i fod yn gwneud i rywun chwerthin doedd rhywun ddim yn cael y teimlad o fod allan o reolaeth. Roedd y syniad o drip fyddai'n para hyd at chwe awr yn ormod i mi. Fe arhoson ni gyda Cedwyn Aled a Kate y noson honno. Roedd y Furs yn ddigon diflas a doeddwn i ddim yn mynd i fod yn *full-on drug head*. Petai Mam heb farw, digon o waith y byddwn hyd yn oed wedi trio *dope*. Ro'n i wedi gwrthod y temtasiwn drwy ddyddiau prifysgol ond o fewn y criw ar y *dig* roedd y peth yn gyffredin ac yn hwyl a dwi ddim yn difaru i mi gael ychydig o brofiad – digon o brofiad ond dim gormod o brofiad.

Yr unig gyffur arall i mi rioed drio oedd madarch hud. Y tro cynta ro'n i yn aros hefo Sion yn JMJ ac ar ôl berwi madarch mewn pot o de ac yfed sawl cwpaned *off* â ni i'r Vaults ym Mangor Ucha. Ymhen yr awr, wrth i mi olchi fy nwylo ar ôl pisiad gwelais fy mysedd yn toddi o dan y tap a dyma sylweddoli bod yr *hit* yn dod. Sôn am chwerthin. Daeth hogyn o'r enw Gerallt i siarad hefo ni ac roedd ganddo glustiau mawr. Dan ddylanwad y madarch ro'n i'n gweld clustiau eliffant yn dod allan o'i ben, ac ar ben hynny roedd yna *pulse* yn y clustiau yn mynd i fyny ac i lawr. Roedd y chwerthin yn boenus ac yn afreolus. Roedden ni mewn *bubble*. Duw a ŵyr beth roedd pawb arall yn ei feddwl ond fe chwerthon ni am tua tair awr yn ddi-baid ar bawb a phopeth.

Fel trip roedd o'n *brilliant* ac fel roedden ni'n dod i lawr roedd yna deimlad digon tebyg i *dope*, o fod wedi ymlacio ac yn eitha *chilled*. Cefais ddau drip arall yn fuan wedyn ar y madarch hud a dyna ddiwedd hynny. Dwi ddim wedi cyffwrdd mewn cyffur ers '84 ac erioed wedi cael yr awydd. Sawl gwaith yng nghyfnod ecstasi bu rhaid i mi ddadlau hefo pobl fy mod wedi gwneud hynny o gyffuriau ro'n i am eu gwneud ac nad oeddwn i'n bwriadu mynd trwy fywyd yn gorfod trio pob cyffur newydd fyddai'n cael ei greu.

Ar 1 Mawrth 1984 rhyddhawyd y sengl *Dim Heddwch* ar Recordiau Anhrefn ar feinyl llachar gwyrdd. Mi wnaethon ni ambell gyfweliad radio i hyrwyddo'r sengl ac yn ystod un o'r trips i fyny i Fangor yn y cyfnod hwn y gwnes i rhywbeth do'n i erioed wedi ei wneud o'r blaen yn fy mywyd. Ro'n i wedi gweld Nêst o gwmpas Prifysgol Bangor ac ro'n i'n ei ffansïo ond do'n i ddim yn meddwl y byddai gen i unrhyw obaith o ddenu ei sylw. Wrth i ni fynd mewn i'r Ship ym Mangor am beint hefo'r band dyma sylweddoli bod sêt wag nesa at Nêst, oedd allan hefo criw o ffrindiau. Eisteddais nesa ati gan adael i Sion Sebon gael y *round* i mewn. Dwn i ddim sut ond dechreuais siarad hefo Nêst a siarad fuon ni wedyn am awr neu fwy. Gadawodd Sion a'r criw am Fangor Ucha a dywedais y byddwn yn eu dilyn. Cerddais i fyny law yn llaw hefo Nêst. Es yn ôl adre ar ôl y penwythnos mewn cariad ac eto doedd dim wedi digwydd. Y broblem oedd mod i'n gwybod mai hi oedd yr un. Roedd hynny yn hollol sicr. Erbyn Pesda Roc yn haf '84 roedd Nêst a finnau hefo'n gilydd. Ro'n i wedi trefnu ymweld â'i chartref ym Maenan ger Llanrwst i gyfarfod ei rhieni y penwythnos ar ôl Pesda Roc.

Fe ddaeth ychydig yn fwy o gydnabyddiaeth i'r Anhrefn yn dilyn rhyddau y sengl ac fe gawsom wahoddiad i gefnogi Maffia Mr Huws yn Pesda Roc. Maffia oedd prif fand Cymru erbyn hyn, yn grŵp llawn amser oedd yn perfformio dros gant o gigs y flwyddyn, ac yn y Bwthyn, tŷ y Maffia, y buon ni'n aros am y penwythnos. Er ein bod yn ffrindiau hefo aelodau'r Maffia, dyma fyddai'r tro ola i ni rannu llwyfan hefo nhw fel band, er i gymaint o aelodau'r Maffia yn eu tro hefyd fod yn aelodau o'r Anhrefn. Yn dilyn rhyddhau *Cam o'r Tywyllwch* yn yr hydref doedd dim edrych yn ôl ac fe anwyd y sîn danddaearol go iawn. Doedd yr un o'r bands am rannu llwyfan hefo unrhyw grŵp o'r hen sîn.

Ar y diwrnod fe chwaraeodd Dic Ben y drymiau gan mai fo oedd ar y sengl ac fe chwaraeodd Whitley ail gitâr a finnau y bas. Drwy weithio allan hefo'r archaeoleg roedd gen i *tan* da a chyhyrau felly ro'n i yn noeth fy mol ar y llwyfan, patrwm oedd i barhau am weddill gyrfa yr Anhrefn. Roedd yn ddiwrnod o haul poeth ac roedd ffrindiau Dic ar ochr y llwyfan yn smocio *dope* a ninnau'n arogli'r *wafts* yn croesi'r llwyfan ac yn gwenu gan wybod nad oedd y gynulleidfa ddim callach. Ar ôl y gig, *off* y llwyfan a syth at Nêst – *seriously* stwffio *punk rock*, roedd gen i rywbeth pwysicach ar fy meddwl.

Un o uchafbwyntiau'r haf yna oedd teithio i fyny i Lerpwl i weld y Mighty Wah ac Aswad yn chwarae ar sgwâr St George yn yr awyr agored. Roedd y gwaith a'r criw archaeoleg wedi fy ysbrydoli i fyw ac i fentro felly roedd mynd am dro i Lerpwl yn rhan o hyn. Gwell bod yn gwneud rhywbeth nag aros adre neu fynd lawr i'r Red. Fe ddaeth Sion hefo mi ac mi gawson ni bnawn a nos Sul yn Lerpwl. Ro'n i yn ffan o Pete Wylie ac roedd y cyfle i glywed 'Come Back' a '7 Minutes to Midnight' yn un nad oeddwn am ei golli, yn enwedig mewn gig rad fel hyn wedi ei threfnu gan Gyngor Lerpwl. Roedd hyn cyn llwyddiant mawr Aswad felly roedden nhw'n dal yn *militant reggae* gyda neges bron fel *punk*, yn ddigyfaddawd. Arthur Scargill oedd y siaradwr gwadd ar y diwrnod ac fe gafodd dderbyniad a chroeso ymhell y tu hwnt i'r hyn a roddwyd i'r grwpiau. Dyna Lerpwl i chi, a dyna'r peth am Lerpwl – mae wedi ysbrydoli llawer mwy arna i, a gweddill gogledd Cymru mae'n siŵr, nag a wnaiff Caerdydd byth!

Fe weithiais yn Llandrindod, Trefaldwyn a Chaersws hefo'r archaeoleg, ar safleoedd canoloesol a Rhufeinig, a mwynhau'r gwaith. Ond os gwnaeth colli fy mam fy arwain ar lwybr llai pwyllog mi arweiniodd cyfarfod Nêst fi'n syth yn ôl; fu na ddim madarch hud byth wedyn a dechreuais feddwl o ddifri am fy nyfodol am y tro cynta yn fy mywyd. Rhoddais y gorau i'r cloddio a symudais i fyny i Fangor i gael bod hefo Nêst, a'r *bright idea* oedd dilyn cwrs ymarfer dysgu. *Oh yeah?* Wel, o leiaf roedd yn gwrs hawdd iawn. Erbyn hyn roedd *Cam o'r Tywyllwch* wedi ei rhyddhau a Sion a finnau wedi cael ein cyfweld gan David Quantick o'r *NME* ac wedi cael sylw dan y pennawd 'Welsh RareBit – Young Non Business Men of the Year'. Fel arfer, roedd datganiadau hollol wallgo gynnon ni, gan gynnwys na fyddwn i'n recordio unrhyw grŵp ar y label pe bai ganddyn nhw grefydd. Mi gawson ni *photo shoot* yn Euston gan Bleddyn Butcher y ffotograffydd enwog a'r trefniant oedd y byddai Quantick yn cwrdd â ni ger yr *escalators* i'r *tube* yn Euston. Ar ôl syllu am yn hir ar ddyn gweddol nerfus gyda sbectol a chôt law wen dyma ofyn "Are you from the *NME*?" Dyma'r tro cynta i ni ddod ar draws y *dweebs* sydd yn gweithio i'r wasg gerddorol yn Llundain. Prynodd Quantick y diodydd a fesul peint cododd ein lleisiau a'n rhegfeydd gan ddychryn y dynion busnes yn Euston oedd yn disgwyl am eu trenau.

Er mwyn hyrwyddo *Cam o'r Tywyllwch* teithiais yn ôl i Lundain, y tro yma gydag ugain copi o'r record mewn bag plastig, a theithiais o gwmpas ar y *tube* gan ymweld â Capital Radio, Sounds, *The Face*, *ZigZag*, NME, *Melody Maker* a Radio 1. Beth oedd yn anhygoel bryd hynny oedd fod rhywun yn gallu cael mynediad i'r swyddfeydd a chyfarfod â'r golygyddion neu'r cynhyrchwyr. Heddiw fyddai dim modd mynd heibio'r dderbynfa heb apwyntiad. Hefyd, yn yr oed yna doedd gen i ddim ofn, ro'n i'n mynd yn syth i mewn – "We're from Wales – we've made this record…" Ar ddiwedd y dydd cefais wybod gan staff y dderbynfa yn Radio 1 fod John Peel mewn *wine bar* rownd y gornel i'r BBC felly unwaith eto i mewn â fi, spotio Peel a cherdded yn syth at ei fwrdd. "You're not a mugger I hope," meddai Peel. "No, I'm Rhys Mwyn from Wales – you interviewed me about one of our Welsh Underground Festivals – we've made this record…" Cefais ddiod gyda Peel yng nghwmni grŵp o'r enw'r Higsons cyn dal y trên ola adre i Fangor.

Ddwy noson yn ddiweddarach roedd 'Rhywle yn Moscow' yn cael ei chwarae ar Radio 1 ar sioe John Peel. Y gwir amdani oedd fod Prydain gyfan yn gallu clywed y gân, a dyma sylweddoli ein bod yn gallu ymestyn y tu hwnt i waharddiadau Geraint Davies a Radio Cymru. Os oedd modd disgrifio'r teimlad, roedd o braidd fel *shove it up your arse* Radio Cymru. Dros yr wythnosau nesa cafodd 'Dagrau' gan yr Anhrefn ei chwarae yn ogystal â thraciau gan Datblygu. Mae'n debyg mai dyna oedd dechrau perthynas Peel a Datblygu, felly *job done*. Ro'n i o hyd wedi disgrifio fy hun fel catalydd, rhywun oedd yn gallu creu cyfleoedd yn hytrach na rhywun oedd wedi meistroli'r gitâr bedwar tant.

Fel y gwelwch chi o hyd yng Nghymru, mae yna wastad *blasts from the past*, ac roedd Eurof bellach yn gynhyrchydd ar raglen bop HTV, *Larwm*, a daeth gwahoddiad i'r Cyrff ymddangos ar y rhaglen. Rhan o ideoleg y grwpiau tanddaearol oedd ein bod yn casáu'r cyfryngau felly galwodd y Cyrff gyfarfod yn nhŷ Paul Jones y basydd yn Llanrwst i drafod a oedd yn iawn iddyn nhw ymddangos ar y teledu. Y fi o bawb oedd yr un oedd o blaid iddyn nhw ymddangos gan mod i hefyd yn deall bod angen i'r chwyldro fod ar y teledu (gyfaill). Teithiais i lawr i Gaerdydd hefo'r Cyrff i ffilmio ar gyfer y rhaglen *Larwm* ac yn fuan wedyn roedd Tynal Tywyll a Datblygu hefyd i ymddangos ar y teledu. Doedd dim gwahoddiad i Elfyn Presli a gwrthododd yr Anhrefn hyd yn oed ystyried y peth.

Dwi ddim yn siŵr faint o gopïau a werthwyd o *Cam o'r Tywyllwch*, ond rhwng y gwerthiant a gigs yr Anhrefn roedd digon yn y banc i feddwl am wneud ail gasgliad sef *Gadael yr Ugeinfed Ganrif*. Ro'n i'n awyddus iawn i weld grwpiau newydd yn ymddangos ar *Gadael* felly dyma roi gwahoddiad i Igam Ogam, grŵp oedd yn gysylltiedig â Gorwel Owen, a Traddodiad Ofnus, grŵp newydd Gareth Potter.

I mi roedd hyn yn gam hollol naturiol ymlaen, i gadw'r momentwm, ond fe ddaeth yr agwedd yna gan rai pobl bod angen dal yn ôl. Efallai ei bod yn rhy fuan i ryddhau ail record hir, y math yna o negatifrwydd, ac er mai fi oedd yn gyfrifol go iawn am redeg y label roedd yna deimlad hyd yn oed gan rai o'r grwpiau bod hyn yn ormod. Fel arfer, dysgais mai anwybyddu'r negatifrwydd oedd yr ateb, ond cefais ffrae hefo Geraint Davies Radio Cymru a oedd yn anfodlon cael sgwrs arall hefo mi ar y radio i sôn am y peth gan ein bod newydd sgwrsio am *Cam o'r Tywyllwch*. Fel y dywedais wrtho, fedri di ddim ein cosbi am fod yn brysur; os oes rhywbeth yn digwydd mae felly yn haeddu sylw. Yn y diwedd dwi'n cofio ffonio fo o *kiosk* ym Mangor Ucha a dweud wrtho nad oedd caniatâd iddo chwarae *Gadael yr Ugeinfed Ganrif* ar y radio. Nid am y tro cynta ac nid am y tro ola, *war was declared*.

Y peth arall achosodd ychydig o annifyrrwch oedd fy mod i'n awyddus i weld mwy o labeli yn cael eu ffurfio, ac felly yn yr un ysbryd â label Crass roedd syniad gen i y dylid rhoi cyfle i grwpiau recordio un waith gyda Recordiau Anhrefn ac wedyn y byddai'n rhaid iddyn nhw sefydlu eu labeli eu hunain i ryddhau cynnyrch. Roedd Mark Cyrff wedi ffonio yn awyddus i ryddhau eu sengl newydd *Yr Haint* ar label Anhrefn felly hon oedd y drydedd record ar y label ac wedyn *Gadael yr Ugeinfed Ganrif* oedd Anhrefn 004. Ond mae'n rhaid mod i wedi sôn wrth Mark am y syniad y dylen nhw sefydlu label eu hunain achos y tro nesa i mi weld Paul Cyrff cefais "how's your label doing, Rhys?" digon swta ganddo. Ta waeth, fe ddaeth ail sengl y Cyrff, *Pum Munud*, allan ar eu label nhw, SUS, a dyma ddechrau ar dwf y labeli annibynnol yng Nghymru. Dwi'n credu bod fy athroniaeth yn un iawn ar y pryd ac mai gweithredu fel catalydd oedd y bwriad ac nid sefydlu label oedd yn mynd i fod yn gystadleuaeth i Sain. Ond mae'r ffaith nad oedd gen i ddiddordeb treulio gweddill fy oes yn rhedeg label recordio yn un a gafodd ganlyniadau diddorol a chanlyniadau na fedra i mewn gwirionedd gwyno amdanyn nhw. Os edrychir ar label Ankst fe welir yr holl grwpiau a etifeddwyd gan Recordiau Anhrefn: Y Cyrff, Datblygu, Tynal Tywyll, prosiectau Gareth Potter, Llwybr Llaethog. Fel dwi'n dweud, fedra i ddim cwyno achos fi oedd yr un oedd yn gwrthod rhedeg label yn yr hirdymor. Fe fu Tynal Tywyll yn ffyddlon iawn ac yn erfyn arna i i gario ymlaen, a daeth yr LP *Wyau* gan Datblygu allan ar Anhrefn, ond erbyn y sengl olaf ar y label yn '87 ro'n i'n edrych ar ffyrdd eraill o gael recordiau allan. Yn syml, cael pobl eraill neu labeli eraill i dalu. Dros y blynyddoedd dwi wedi sôn am Ankst fel label na chafodd syniad gwreiddiol erioed, ond wedyn nhw wnaeth barhau gyda'r grwpiau uchod a derbyn y clod amdanyn nhw'n aml iawn. Does dim dwywaith fod Alun Llwyd yn rheolwr craff ac mae wedi profi ei hun gyda'r Super Furrys, ond yn ystod yr 80au doedd fawr o amser gen i i'r hyn roedden nhw'n ei wneud. Roedd Alun a Gruff wedi bod yn dod i gigs yr Anhrefn ond yn raddol roedd y ddau wedi cychwyn herio tipyn arnan ni fel grŵp, oedd yn beth iach wrth gwrs, ond dwi'n cofio'n glir meddwl ei bod yn amser i ni ymbellhau a dyna wnaeth yr Anhrefn ar ôl '85.

Yn ystod '85 roedd yr Anhrefn a'r Cyrff wedi parhau i wneud gigs hefo'n gilydd mewn llefydd fel Rhyd Ddu, Llansannan a Glantwymyn, unrhyw le fyddai'n ein derbyn ni, ac roedd y ddau fand yn tueddu i gynnig unrhyw gig roedden nhw'n ei chael i'r band arall fel ail grŵp. Yn ystod Eisteddfod '85 fe drefnwyd noson i'r Anhrefn a'r Cyrff yn y Fountain, Bodelwyddan, gan griw y Gymdeithas yng Nghlwyd – criw Bryn Tomos, Toni Schiavone a Huw Gwyn. Roedd pawb yno: Prysor, Rhys Ifans, Sws Glec o Langefni, John Wyn Tomos. Dyma oedd y tro cynta i'r Anhrefn gael *headlining* gig go iawn ac roedd yn drobwynt i ni. Yn ddiweddar cefais ffrae gyda Schiavone a digon o waith y siarada i hefo fo byth eto ond ym Modelwyddan fe roddodd nid yn unig gyfle ond hwb i'r band ac o hynny ymlaen roedd y band yn ymddangos fel prif grŵp ar lwyfannau Cymru. Ar ddiwedd y gig yn y Fountain daeth Mark a Paul o'r Cyrff i'r llwyfan i chwarae 'Rhywle yn Moscow' hefo ni ac yn sicr roedd yna deimlad ein bod wedi bod yn rhan o rywbeth hefo'n gilydd.

Ar 1 Tachwedd 1985 rhyddhawyd yr ail gasgliad, *Gadael yr Ugeinfed Ganrif*, a rhwng y record hon a'r LP gyntaf *Cam o'r Tywyllwch* bu cryn sylw i'r grwpiau tanddaearol ar y cyfryngau. Yn wir, cymaint oedd y pwysau ar yr Anhrefn i ymddangos ar y teledu fe wnaethon ni ymddangos ar *Roc Rôl Te* yn fyw o'r Wyddgrug ar 3 Ionawr 1986. Er mwyn gwneud sioe ohoni daeth Ian Morris Tynal Tywyll i chwarae'r allweddellau a daeth Dylan Hughes o'r Cyrff i chwarae ail set o ddrymiau gyda Hefin Huws, jyst fel Adam and the Ants. Fe gyhoeddwyd y ffaith fod yr Anhrefn yn ymddangos ar y teledu am y tro cynta ar *Newyddion* S4C y noson honno. Roedd Sion wedi sgwennu 'fuck' mewn *marker pen* ar ei ddwylo a finnau wedi eistedd lawr drwy'r sioe. Doedd dim angen i ni ymddangos yn rhy frwdfrydig i fod ar S4C.

File Under Welsh Music

Wrth gwrs fod yna ychydig o nonsense a gorddweud yn yr erthyglau: yr holl bwrpas ydi sgwennu rhywbeth diddorol i'w ddarllen, ond mae yna bwrpas tu cefn iddynt hefyd. Yn gyntaf dwi isio rhoi syniadau ger bron pobl – dwi isio agor y drysau – rhoi cyfle i bobl feddwl am gyfeiriad newydd a ffyrdd newydd o ymestyn ffiniau'r Gymraeg – i wneud y Gymraeg yn hip, yn cŵl, yn berthnasol... yn bopeth mae'r Cymry wedi wrthod dros y blynyddoedd...

Rhys Mwyn, Mai 1986

Yn dilyn gwahoddiad gan Emyr Price, golygydd *Y Faner*, dechreuais sgwennu colofn iddo o '84 ymlaen, er i mi drio 'ngorau i wrthod. Yn wir, roedd yr erthygl gynta yn gofyn y cwestiwn 'pa ddiddordeb sydd gan athrawon, gweinidogion a'r crach Cymraeg ym marn lowt o grŵp pync o Lanfair Caereinion?' Llwyddais i greu erthygl yn gwneud hwyl am y syniad o sgwennu i'r *Faner* ond fe gyhoeddodd Emyr Price yr erthygl ac mae'n rhaid i mi ddweud ei fod wedi bod yn gefnogol iawn i mi erioed ac yn dal felly heddiw pan fydda i'n ei weld o gwmpas. Wnaeth o erioed olygu na sensro unrhyw beth a ysgrifennais. Wnaeth o erioed boeni am y gwallau iaith, nifer ohonyn nhw'n fwriadol a nifer heb fod felly gan mod i'n sgwennu'r erthyglau mewn llai nag ugain munud gydag un bys ar y teipiadur. Meddyliaf am Emyr fel golygydd yr *old school* gyda'i lewys wedi eu torchi a'i dei yn rhydd. Cofiaf ymweld â Neuadd y Cyfnod yn y Bala wrth fynd â'm herthyglau yno ac arogl y *printing press* yn gryf yn yr adeilad.

Oherwydd fy marn a'm safbwyntiau a'm ceg fawr, wrth gwrs, ro'n i'n creu gyrfa i mi fy hun gyda cholofn yn y *Faner* ac ymddangosiadau di-ri ar raglenni celfyddydol fel *Arolwg* gyda Derec Llwyd Morgan a rhaglenni trafod S4C fel *Byd yn ei Le*. Edrychaf yn ôl ar y cyfnod o sgwennu i'r *Faner* gyda hoffter. Roedd yn hwyl ac yn therapi ond hefyd ro'n i'n cyflwyno syniadau am y tro cynta yn y Gymraeg efallai. Ysgrifennais am fy mhrofiadau gyda Probert ac Adrian a sôn bod pobl ifanc yn cymryd cyffuriau achos ei fod yn hwyl. Fel dwi wedi ei ddweud yn barod, ysgrifennais am ffansïo Billy Idol ac amheuon am fy rhywioldeb, oedd yn *nonsense* llwyr ond eto roedd angen ei wneud; yn wir, yn y cyfnod yma roedd aelodau'r Anhrefn wedi dechrau gwisgo *make-up* ar lwyfan. Ysgrifennais yn yr un ysbryd â cholofnwyr *The Face* fel Julie Burchill a Jon Savage a soniais fod y Celtiaid wedi colli eu steil. Yn aml iawn byddwn yn gofyn lle mae'r Madonna Cymraeg neu'r Sigue Sigue Sputnik Cymraeg. Ond efallai mai'r erthygl orau i mi ei sgwennu i'r *Faner* oedd yr un am *acne*, fel y soniais eisoes. Weithiau dwi'n meddwl mai dyna'r peth gorau dwi rioed wedi'i sgwennu achos ar ôl iddi gael ei chyhoeddi daeth pobl i fyny ata i ar y stryd a diolch i mi am sgwennu erthygl o'r fath. Dim un neu ddau ond nifer o bobl, pobl doeddwn i ddim yn eu hadnabod, jyst *Joe public* wedi cael eu cyffwrdd gan rywbeth, a dwi'n dal yn teimlo'n falch o hynny.

Fe wnaeth Dyfed Thomas, Siân Naomi a Dyfan Roberts *sketch* am yr erthygl ar ryw raglen gomedi *non-funny* S4Caidd ac ro'n i'n gwybod wedyn mod i wedi cael effaith. Yn od iawn, tua blwyddyn wedyn cefais fy nghyfweld gan Siân ar gyfer rhaglen deledu a dwi'n credu ei bod hi'n disgwyl i mi droi a bod yn gas hefo hi. Eto, cofiais sut mae ennill y dydd drwy fod yn hollol gwrtais hefo hi, *total charmer*. Doedd hi ddim yn gwybod beth i'w feddwl. Ysgrifennais 'I've been to Zit City' ar ddiwedd yr erthygl ond roedd yn ddatganiad o obaith. Roedd hi'n erthygl boenus o onest ond o'i darllen eto wrth sgwennu'r llyfr hwn mae'n dal i roi gwên ar fy wyneb.

Os oedd Burchill a Savage wedi fy ysbrydoli i sgwennu a Rotten a'r Pistols *et al*. wedi ffurfio fy ngwleidyddiaeth, daeth cylchgrawn *The Face* â'r ochr fwy creadigol i'r amlwg. Ro'n i wedi ystyried rhoi gorau i'r Byd Pop mor gynnar ag '83, ymhell cyn sefydlu Recordiau Anhrefn, a throi fy llaw at ffasiwn neu rywbeth arall. Eto mae'n siŵr mai dylanwad McLaren oedd lot o hyn ond ro'n i'n mynd trwy'r *phases* yma, 'mae pop mor ddiflas, mae cerddoriaeth drosodd…'

Cafwyd arddangosfa o luniau o'r *Face* yn Oriel Mostyn, Llandudno, ac yn wir roedd Hefin Huws a'i grŵp Offspring wedi perfformio yn y noson lansio, felly fe es lawr un dydd Sadwrn i weld yr arddangosfa. Yn gweithio yn yr oriel ar y pryd roedd Huw Prestatyn, un o gyfeillion Huw Gwyn ond rhywun doeddwn i ddim wedi dod i'w adnabod cyn hynny. Fe sgwrsiodd y ddau ohonon ni am y pnawn cyfan am *The Face* ac am gulni'r Cymry Cymraeg, am John Peel ac am y Llygod Ffyrnig. Doedd dim modd cael sgyrsiau fel hyn yn aml iawn yn y Gymraeg – yn wir, ddim hyd yn oed yng Nghymru. Daeth Huw Prestatyn yn rhan o'r sîn ac fe gyflwynodd y bardd Attila the Stockbroker o Harlow, Essex, i'r Anhrefn a Datblygu. Roedd Attila yn un arall a chwaraeodd ran allweddol yn natblygiad y sîn yn ystod '86.

Yn ystod '86 roedd y label wedi mynd o nerth i nerth gan ryddhau EPs gan Datblygu, yr EP *Hwgr-grawth-og*, sengl Tynal Tywyll *73 Heb Flares*, EP Tynal Tywyll a'r EP i'r mudiad gwrth-apartheid yng Nghymru *Galwad ar Holl Filwyr Buffalo Cymru*. Ar yr EP *Hwgr-grawthog* yr oedd y clasur 'Casserole Efeilliaid' – o'r diwedd, cân yr oedd John Peel yn gallu ei henwi heb orfod ffonio rhun ohonon ni i gael gwybod sut i ddweud yr enw. Datblygu oedd ffefrynnau Peel heb os, ac fe chwaraeodd 'Casserole' sawl gwaith ar ei raglen. Ond yn ystod '86 cafwyd mwy fyth o *airplay* i grwpiau Cymraeg gan gynnwys 'Emyr' gan Tynal Tywyll ac 'Yn yr Eira' Traddodiad Ofnus a hyd yn oed Cathod Aur oddi ar yr EP *Buffalo*.

Huw Prestatyn oedd yn cynllunio'r cloriau a bu sawl noson ddifyr yn nhŷ un o'r bandiau lle roedd tri neu bedwar ohonon ni'n torri a phlygu cloriau a gosod y recordiau ynddyn nhw – 1,000 o'r *bastard things*!!! Huw hefyd oedd yn gyfrifol am ddechrau'r arfer o roi 'File Under' ar gefn y cloriau fel bod pobl ddi-Gymraeg yn cael syniad o gynnwys y recordiau. Felly, yn amlwg, roedd EP Datblygu gyda 'File Under: Non-hick' ar y cefn.

Yn dilyn adolygiad o gig yr Anhrefn a Datblygu yn Neuadd y Farchnad, Aberhonddu, i'r mudiad Red Wedge/Plaid Lafur gan John Peel ym mhapur Sul yr *Observer* ro'n i wedi darbwyllo cwmni dosbarthu

Revolver i ddosbarthu ein recordiau drwy Brydain, felly roedd rhywun yn gallu mynd i mewn i Piccadilly Records ym Manceinion a phrynu Datblygu neu Tynal Tywyll. Dwi'n cofio'r wefr o'u gweld ar y silffoedd yno. Roedd Roy Jones, brawd y canwr enwog Howard Jones, wedi bod o gymorth mawr yn hyn o beth fel aelod o'r Beirdd Coch ar yr EP *Buffalo*. Ond dyma oedd y tu ôl i'r syniad o roi 'File Under' i helpu pobl oedd heb glywed y caneuon ar Peel, oherwydd Cymraeg bron i gyd oedd y clawr yn amlwg. Roedd hefyd yn rhan o'r hiwmor sych roedd pobl fel Huw wedi ei ychwanegu at y label. Fel rhan o raglen 'The ABC of British Music' ar y *South Bank Show* dan olygyddiaeth y cyfarwyddwr ffilm Ken Russell dewiswyd 'Ewyllys y Golomen' gan y Beirdd Coch i gynrychioli Cymru a, *typical* o Russell, gwnaeth fideo o ddynes noeth yn raddol yn gwisgo ei hun yn y wisg Gymreig ar gyfer y gân.

Roedd y broses o ymestyn ffiniau wedi dechrau wrth i'r broses o ymbellhau oddi wrth y sîn Gymraeg ddigwydd, a dyma chwarae am y tro cynta yng Nghasnewydd yn y Stow Hill Labour Club gyda'r grŵp Blurt. Cafodd y gig ei threfnu gan Karl, rhywun arall fyddai'n gefnogol iawn i'r Anhrefn, a bu sawl cân gan yr Anhrefn ar EPs roedd Karl yn eu rhyddhau ar ei label Words of Warning. Ymhlith cyfeillion Karl roedd Chris McDonaugh a aeth ymlaen i chwarae bas i'r Darling Buds ac a fu'n ddiweddarach yn gynhyrchydd i Gwacamoli a'r Gogz. Roedd criw Casnewydd yn mynd i fod yn rhan o'r stori am flynyddoedd i ddod. Drwy Attila cawsom wahoddiad i ganu hefo Datblygu yn The Square yn Harlow ac yn y Ranters Cup Final yn Bay 63, Ladbroke Grove, gyda Benjamin Zephaniah. Fe ddaeth y ddau Huw − Gwyn a Prestatyn − hefo ni ar y daith ond cyn hyn roedd y gig gynta yn Llundain yn y Fulham Greyhound.

Sam King, gitarydd y Traddodiad Ofnus a gohebydd gyda'r cylchgrawn *Sounds*, oedd wedi llogi'r *venue* ac roedd Traddodiad Ofnus, yr Anhrefn a'r Cyrff i chwarae'r noson honno, 3 Ebrill 1986. Peidiwch â gofyn pam ond am ryw reswm roeddan ni wedi trefnu cyfarfod y Cyrff am 6 a.m. yn Llanrwst ac roedd y ddau fand i deithio lawr i Lundain gyda'i gilydd mewn bws mini. Felly fel y diawled dwl oeddan ni, dyma gyrraedd y Greyhound ar Fulham Palace Road erbyn hanner dydd, tua chwe awr yn rhy fuan. Doedd dim modd mynd i mewn tan o leia 5 p.m. felly fe aeth gweddill yr Anhrefn a'r Cyrff draw at y Serpentine i fynd ar y cychod rhwyfo tra saethais i lawr i'r Hamilton Gallery i weld arddangosfa Jamie Reid.

Roedd Jamie *actually* yn eistedd yno, ond roedd hyn cyn i mi ddod i'w adnabod felly nes i ddim siarad â fo. Roedd Jamie yn un o'r Pistols felly doedd gen i mo'r *guts* i ddweud dim byd wrtho a sgwennais wedyn yn *Y Faner* ei fod yn edrych yn *bored* yn yr oriel. Wrth gwrs, dyma'r Jamie dwi bellach yn nabod ac yn ffrindia gorau ag e. Fel yna mae o – diolch byth nes i ddim trio siarad hefo fo. Yn od iawn, dwi rioed wedi cyfadde wrtho i mi ei weld bryd hynny a phan nethon ni gyfarfod yn ffurfiol ym 1990 roedd yn amlwg fod gynnon ni *rapport* o'r eiliadau cynta ac rydyn ni wedi bod yn ffrindia agos byth ers hynny.

Drwy gefnogaeth Peel a sylw mewn cylchgronau fel *ZigZag*, *Melody Maker* a hyd yn oed *preview* yn *Time Out* roedd pobl wedi dod i glywed am y sîn Gymraeg a'r Anhrefn, felly ar y noson roedd y Greyhound yn llawn. Bu sylw mawr i'r ffilmiau Cymreig *Boy Soldier* a *Coming Up Roses* ac roedd yna deimlad fod rhywbeth yn digwydd yng Nghymru a bod petha da yn dod allan o Gymru. Roedd rhywun yn teimlo'r *buzz*, y brwdfrydedd a'r hyder newydd. Os oedd cylchgrona Llundain a Lloegr yn sgwennu am y peth, mae'n rhaid bod rhywbeth yn digwydd.

Dwi'n sicr bod hwn wedi bod yn gyfnod o ddadeni yng Nghymru ac er mor *cocky* oeddan ni fel arfer dwi'n credu ein bod ni i gyd wedi bod yn weddol nerfus cyn mynd ar y llwyfan y noson honno. Doedd nerfa ddim yn rhan o'r *equation* fel arfer ond roedd hyn yn gyffrous yng ngwir ystyr y gair, jyst y teimlad fod unrhyw beth yn bosib a bod neb cweit yn siŵr beth fyddai'n digwydd nesa. Roedd rhai o ffrindia Attila o Swindon wedi dod lawr, roedd Attila ei hun yno, wrth gwrs, a phobl oedd wedi dechra deall bod rhywbeth yn digwydd. A na, cyn i chi ddechra meddwl, doedd yna ddim Cymry Cymraeg yno heblaw yr ychydig rai oedd wedi teithio i lawr o Gymru. Gig yn Llundain oedd hon ar y *circuit* byw, gig i bobl oedd yn dilyn cerddoriaeth, nid esgus i'r *expats* ddod allan am beint!

Y peth mwya doniol ddigwyddodd ar y noson oedd fod Traddodiad Ofnus wedi gofyn i ni adael yr ystafell newid cyn iddyn nhw fynd ar y llwyfan. Dwi'n cofio ni i gyd yn chwerthin gan feddwl mai jocio oeddan nhw, ond roedd Sam King yn hollol o ddifri. *Wankers*! Ta waeth, roeddan ni newydd gael gig dda ac allan â ni i gyfarfod rhai o'r ffans felly fe gafodd y Traddodiad Ofnus eu llonyddwch. Roedd yna elfen eitha *pretentious* gyda'r criw yna erioed ac er mod i'n hoff o Potter a Lugg fûm i erioed mor gyfeillgar â hynny hefo Sam King.

Erbyn hyn roedd Sion a finna'n byw yn yr un tŷ ym Mangor – Myddfai ar Ffordd Deiniol – a Rhiannon Tomos oedd y *landlady*. Yn dilyn gigs ro'n i wedi eu trefnu yn yr Albion ym Mangor roeddan ni wedi cyfarfod criw Johnny a Jez o'r grŵp Paraletics a daeth gwahoddiad i ni ganu yn y Jazz Rooms, *venue* bach yn dal tua chant o dan adeilad Undeb y Myfyrwyr ym Mangor. Fe aeth y Cymry Cymraeg ac undeb UMCB yn wallgo hefo ni. Roeddan ni am chwarae o fewn adeilad yr NUS a thorri'r gwaharddiad ar y Cymry Cymraeg ac aeloda UMCB i fynychu'r adeilad. Yn waeth na hynny, roedden ni am chwarae o flaen Saeson. Mae'n anodd credu heddiw mod i wedi gallu mynd allan i dafarn y Glôb ym Mangor Ucha a chael *hard-liners* JMJ yn dweud "fuck off nôl i Gaerdydd y cont" wrtha i.

Cefais ymateb digon bygythiol bron yn wythnosol am y golofn yn *Y Faner* a dysgais gadw'n dawel a cherdded yn gyflym, ond beth oedd yn dechrau dod yn amlwg ac yn gwneud i mi fod yn hapus oedd fod yr holl weithgareddau yn cael effaith. Roedd y sîn yng Nghymru yn cael ei pholareiddio a doedd dim angen i ni boeni os oedd UMCB am bwdu hefo ni achos roedd eu gigs nhw o hyd ar gyfer myfyrwyr wedi meddwi a byddai'r Jazz Rooms yn datblygu i fod yn rhan bwysig o'r sîn. Fe chwaraeodd y Cyrff yno yn rheolaidd, fel y gwnaeth yr Anhrefn, ond un o'r gigs gorau i mi weld yno oedd ymweliad prin gan Tynal Tywyll â'r *venue*. Os oedd *alternative types* Bangor yn gallu handlo *Welsh bands* fel yr Anhrefn a'r Cyrff roedd Ian Morris a Tynal Tywyll yn rhywbeth arall iddyn nhw. Yn pôsio ac yn chwythu swsys ac yn campio hi fyny. Gyda sawl *airplay* John Peel y tu cefn iddyn nhw roedd y TTs hefyd yn hyderus ac yn rhoi rhywbeth arall i'r sîn Gymraeg. Y piti mwya am y TTs oedd eu bod am ennill enwogrwydd ond ddim am wneud y gwaith caled. Ychydig iawn o gigs wnaeth y band ond roedd y gig yna yn y Jazz Rooms yn un *seminal*.

Bu sawl gig gofiadwy yn ystod '86. Teithiodd yr Anhrefn a'r Cyrff i lawr i Abergwaun mewn fan *transit* a finna'n sâl ar ôl eistedd yn y cefn ar y ffordd yn ôl Mark a Barry yn darllen am y *stock exchange* yng nghefn y fan a Dewi Gwyn yn cymryd y *piss* yn ddidrugaredd. Hefyd yn chwarae y noson honno roedd Mellt a Thrannau, grŵp roc o'r ardal oedd yn cynnwys y brodyr Rheinallt a Peredur ap Gwynedd. Ar achlysur arall roedd yr Anhrefn i gefnogi Dafydd Iwan yng nghlwb cymdeithasol atomfa Trawsfynydd. Ro'n i wedi sôn wrth Dafydd Iwan cyn y gig am rannu offer ac roedd wedi bod yn iawn am y peth, ond ar y noson doedd dim sôn am osod y PA ac wrth i mi ofyn i Dafydd beth oedd y drefn dyma fo'n troi arna i. I ddechrau meddyliais mai tynnu coes oedd o, ond sylweddolais fod yr holl "fuck off Rhys Mwyn" o ddifri. Roedd Dafydd wedi gwylltio am rywbeth ro'n i wedi ei sgwennu yn *Y Faner* ynglŷn â phregethu i'r un bobl a chefais araith go iawn ganddo. Ches i fawr o gydymdeimlad gan weddill aelodau'r Anhrefn gan fod Hefin Huws, wrth gwrs, yn ffrindiau hefo Dafydd drwy gysylltiad Maffia â Sain; doedd Sion ddim yn ymwneud â'r *shit* beth bynnag ac roedd Dewi yn chwerthin. Fe chwaraeais yr holl gig heb blygio'r bas i mewn a dwi ddim yn credu i neb sylweddoli. Unwaith eto ro'n i'n teimlo fel gadael y band a byddai hyn yn ddigwyddiad wythnosol bron am weddill gyrfa'r Anhrefn.

Y gig bwysica i ni ei gwneud yn '86 o ran ein gyrfa oedd ymddangosiad yn yr Octagon, Bangor, ar gyfer y rhaglen *Trannoeth y Ffair* oedd i'w darlledu ar S4C. Bu cryn ddadlau am y *line-up*. Roedd Teledu Tŵr wedi ychwanegu y grŵp Mwg o Fethesda i'r *line-up* o'r Anhrefn a'r Cyrff. Dywedais yn blwmp ac yn blaen nad oedden ni'n hapus gan fod Mwg yn perthyn i'r hen sîn ac oni bai eu bod yn mynd ymlaen gynta fydda na ddim siawns o gael yr Anhrefn i ganu ar y noson. Daeth pawb allan ar gyfer y noson, criw y Jazz Rooms a chriw Huw Gwyn, pawb roedden ni'n eu hadnabod. Dwi'n credu bod pawb wedi sylweddoli bod hon yn gig bwysig, a hefyd roedd siawns iddyn nhw gael eu gweld ar y teledu. Ar y pryd roedden ni'n dal yn gyfeillgar â Schiavone felly roedd posteri ac arnynt lun Ffred Ffransis, a oedd ar y pryd yn gwneud sbel yn y carchar, wedi eu gosod o amgylch y neuadd a baner 'Bangor Animal Rights' wedi ei gosod ar y llwyfan tu cefn i'r band.

Y funud y daeth yr Anhrefn ar y llwyfan aeth y gynulleidfa yn *nuts*, pawb yn dawnsio'n wyllt a'r gwalltiau yna yn sticio i fyny yn yr awyr. Pe baech chi'n edrych ar y ffilm o'r dawnswyr mae fel *who's who* o ddyfodol y sîn roc Gymraeg. Ond roedd pethau i fynd yn fwy a mwy gwallgo. Un o'r pethau hefo'r Anhrefn oedd ein bod yn wrth-gyfryngau felly dyma gicio'r dynion camera, gwrthod sefyll yn llonydd a thynnu stumiau ar y camerâu. Ar un pwynt gofynnwyd i ni stopio'r cyngerdd er mwyn i Teledu Tŵr newid y ffilm yn y camerâu. Arweiniodd hyn at Huw Gwyn yn trefnu i'r holl gynulleidfa eistedd ar lawr yr Octagon fel protest ac o'r llwyfan daeth un o'r dyfyniadau gorau gan yr Anhrefn erioed: "Fuck S4C, they're a bunch of cunts!" Dyfyniad arall o'r noson oedd "Get the bouncers off now or we smash the fucking lot up!" – hyn mewn ymateb i'r bownsars yn trio cael Huw Gwyn a Johnny Fflaps oddi ar y llwyfan.

Fe ddefnyddiwyd caneuon o'r gig hon ar record hir gynta'r Anhrefn, gan gynnwys y dyfyniadau uchod, er i ni ddweud mai caneuon wedi eu recordio yn Efrog Newydd oedden nhw rhag i S4C hawlio'r arian amdanynt. Pan ddarlledwyd y cyngerdd ar S4C cefais alwadau ffôn gan bobl fel Gorwel Owen yn ein llongyfarch ac roedd yr Octagon wedi ein codi i fyny gam arall o'r *headliner* cynta yn y Fountain, Bodelwyddan. O hyn ymlaen doedd dim modd rhwystro datblygiad yr Anhrefn. Ni oedd y grŵp Cymraeg mwya poblogaidd er bod mwyafrif ein cynulleidfa yn ddi-Gymraeg. Yn wir, mae'n siŵr mai ni oedd y grŵp Cymraeg mwya amhoblogaidd hefyd, ond doedd dim ots o gwbl gynnon ni. O'r diwedd roedd y band yn teimlo fel band go iawn. Roedd sêl bendith Peel yn gwneud i fyny am ddiffyg diddordeb a chefnogaeth y cyfryngau yng Nghymru, fel roedd cyfeillgarwch Attila neu bwy bynnag yn gwneud iawn am y 'cenedlaetholwyr' atgas yn y Glôb neu lle bynnag.

Unwaith eto roedd John Peel ar ochr arall y ffôn ond y tro yma roedd am gynnig sesiwn John Peel i'r Anhrefn. Dreifiais i a Sion yn syth i Fethesda i wneud yn siŵr fod Hefin Huws yn iawn ar gyfer 22 Gorffennaf, sef dyddiad y recordio yn stiwdios y BBC yn Maida Vale. Daeth Gorwel Owen i lawr hefo ni am dro a dyma recordio pedair cân mewn diwrnod: 'Action Man', 'Dawns y Duwiau', 'Nefoedd Un Uffern y Llall' a 'Defaid'. Darlledwyd y sesiwn ar 4 Awst ac ailddarlledwyd y sesiwn wedyn ar 20 Awst 1986. Fel y dywedodd Peel ei hun wrth chwarae 'Defaid', "that's the one I think", ac o bosib oherwydd diffyg cwsg y noson cynt yn teithio i lawr i Lundain roedd y caneuon wedi cael eu chwarae'n rhy ara deg yn y stiwdio, ond gyda thîm cynhyrchu Dale Griffin, cyn-ddrymiwr Mott the Hoople, cafwyd sŵn mawr i'r caneuon er mai 'Defaid' oedd yr agosa at sut roedd y band yn swnio'n fyw. Dyma'r tro cynta i grŵp Cymraeg wneud sesiwn John Peel ac mae hynny yn rhywbeth na fedrith neb ddwyn oddi ar yr Anhrefn. Mae cymaint yng Nghymru wedi trio ailsgwennu'r hanes neu feddiannu'r clod ac er nad ydw i'n colli cwsg am y peth dwi'n ffendio'r peth yn ddiflas. Yn ddiflas gan nad oes unrhyw ymdrech wedi bod yng Nghymru i gofnodi'r hanes na hyd yn oed ymdrech i ymchwilio pan mae'r hanes yn cael ei drafod ar y cyfryngau.

Ar 20 Rhagfyr 1986 priodais i â Nêst yn Swyddfa Gofrestru Bangor. Mi gawson ni ddiwrnod o haul braf, cinio llysieuol wedyn yng Ngharreg Brân a Dewi, Hefin a Sion o'r Anhrefn i gyd yno. Ym mhob ystyr roedd yn ddiwrnod bendigedig heblaw am y ffaith nad oedd Mam wedi cael byw i weld hyn yn digwydd. Yn wir, doedd Mam ddim wedi cael byw i gyfarfod â Nêst ac roedd hon yn golled y byddwn yn ei chario gyda mi am flynyddoedd i ddod. Doedd dim mis mêl i fod tan fis Ebrill. Y diwrnod ar ôl i ni briodi roedd gen i gig yn y Fountain, Bodelwyddan, ac wedyn ro'n i'n mynd yn syth i lawr i Gasnewydd i gefnogi'r Membranes yn y Stow Hill Labour Club y diwrnod wedyn. Roedd y band yn cael blaenoriaeth, hyd yn oed ar adegau fel hyn, a phopeth yn gorfod cael ei drefnu o amgylch dyddiadur y band. Trefnwyd mis mêl yn Berlin yn Ebrill, rhwng gigs, a hyd yn oed wedyn roedd rhaid hedfan yn syth yn ôl i Lundain i wneud gig arall yn y George Robey, Finsbury Park, hefo'r Cyrff.

Yn ystod ein mis mêl yn Berlin mi glywon ni 'Hollol Hollol Hollol' gan Datblygu yn cael ei chwarae gan y DJ yn Café Sign yn y Nollendorfplatz. Gan mod i'n rhy cŵl i ofyn ges i rioed wybod sut daeth y DJ ar draws un o recordiau label Anhrefn ond roedd yn eitha anhygoel bod mewn caffi yn Berlin a'r funud nesa Datblygu yn dod dros y *sound system; dreams come true* ta beth? Do, fe aeth Nêst a finna i'r Dwyrain drwy Checkpoint Charlie a mynd i weld y wal. Ro'n i yn y nefoedd! Treulion ni'r rhan fwya o'r amser yn yfed coffi, yn sugno'r egni, yn edrych ar y milwyr hardd yn y Dwyrain ac yn cymryd y *piss* o *decadent Westerners*. Bryd hynny, gan fod y wal yn dal mewn bod, roedd yn rhaid croesi i'r Dwyrain i gerdded drwy'r Brandenburg Gate. Roedd y Dwyrain mor llwyd o'i gymharu â'r Gorllewin. Doedd dim hysbysebion na goleuadau neon. A dweud y gwir roedd y llonyddwch yn braf, yn atgoffa rhywun o ddyddiau Sul yn ôl adre. Mae'n debyg fod y teimlad yna o gerdded drwy'r strydoedd hanesyddol yn atgyfnerthu'r teimlad o ramant yn Berlin. Hyd heddiw mae Berlin yn un o fy hoff ddinasoedd ac yn ddinas sydd wedi fy ysbrydoli.

Hefyd yn ystod '86 cafwyd gigs yn cefnogi grwpiau enwog o Loegr fel y Newtown Neurotics yn Wrecsam a Bangor a gig yn y Boardwalk, Manceinion, hefo Patrick Fitzgerald. Trefnwyd gig y Boardwalk gan Peter Elliot, oedd i gydweithio hefo ni ar brosiectau 'Artists For Animals'; mae Peter bellach yn asiant i grwpiau fel Daft Punk ac Air ac yn un o'r *booking agents* mwya. Erbyn 1987 roedd gigs yn Lloegr yn fwy cyffredin na gigs yng Nghymru. Aethpwyd yn ôl i'r Greyhound i wneud gig Gŵyl Ddewi ar 1 Mawrth a hynny y noson ar ôl perfformio hefo Datblygu ym Mhrifysgol Manceinion mewn noson wedi ei threfnu gan un o ffrindiau Attila. Cynyddu ochr yn ochr â'r holl gigs oedd y sylw yn y cyfryngau Prydeinig wrth i adolygiadau o recordiau'r Cyrff a Tynal Tywyll ymddangos yn yr *NME*, ond roedd gwell fyth i ddod ar ddechrau '87.

Ym mis Chwefror ymddangosais i a Sion ar y *Whistle Test* ar BBC2 gyda'r bwriad o fod yn rhan o banel i drafod labeli recordiau annibynnol;

hefyd ar y panel i fod roedd Morrissey o'r grŵp The Smiths. Dwi'n credu mai'r syniad oedd cael gwrthgyferbyniad rhwng Morrissey ar label Rough Trade fel artist hynod lwyddiannus a ni fel *Welsh language as obscure as it gets band*, ond ar y dydd methodd Morrissey â chyrraedd y stiwdio deledu gan fod rhywun wedi taflu ceiniog ato'r noson gynt mewn gig yn Nulyn ac wedi anafu ei wyneb. Felly dim ond Sion a finna oedd ar y soffa i wynebu Andy Kershaw, a phan ofynnodd o "What would you do if a record company offered you a million pounds to sing in English?" dyma Sion yn ymateb yn swta gyda'i draed i fyny ar y bwrdd, "Tell 'em to shove it up their arse." Dangoswyd clips o'r Anhrefn a'r Cyrff o *Drannoeth y Ffair* ar y rhaglen a gadawyd Kershaw am unwaith yn fyr o unrhyw beth i'w ddweud.

Daeth gwahoddiad arall i ymddangos ar y *Tube* ar Channel 4 a'r tro yma y syniad oedd ffilmio fideo gyda'r Anhrefn, y Cyrff a Datblygu ym Mhortmeirion, ochr yn ochr â grwpiau fel Siouxsie and the Banshees ac XTC, ond yn y diwedd penderfynwyd ffilmio'r bands Cymraeg tu cefn i King's Cross yn Llundain. Unwaith eto roedd yr Anhrefn a'r Cyrff i deithio lawr i Lundain gyda'i gilydd ond y tro yma fe dorrodd y fan lawr ger Luton a bu'n rhaid gadael y fan yno a mynd ar y trên am weddill y daith. Fe fu'n rhaid i'r *Tube* ddarparu amps a dryms i ni gan fod yr offer yn dal yn y fan ond fe aeth y ffilmio yn iawn. Ar y ffordd adre fe aeth pawb arall ar y trên yn ôl i ogledd Cymru gan adael un neu ddau ohonon ni i aros dros nos yn Luton i drio cael y fan yn ôl ar y ffordd y diwrnod wedyn. Hyd heddiw fedra i ddim gyrru heibio Luton heb gofio am y noson hynod oer ac anghyfforddus honno yng nghefn fan *transit* Wheels Van Hire ar ryw stad ddiwydiannol yn nhwll din nunlle, Luton. Erbyn hyn ro'n i wedi gorffen yr ymarfer dysgu ac yn gwneud gwaith fel athro llanw yn Ysgol Dyffryn Conwy, Llanrwst. Bob tro roedd rhywbeth fel *The Tube* yn codi ro'n i'n ffonio'r ysgol a gwneud ati mod i'n sâl gan siarad yn gryg ac yn ara deg. Y broblem fawr hefo pethau fel y *Whistle Test*, wrth gwrs, oedd mod i adre'n sâl o'r ysgol ac yn ymddangos ar BBC2!

Ro'n i'n llwyddo i wneud gigs yn Llundain drwy neidio'n syth ar y trên o Lanrwst ar ôl ysgol a gwibio i lawr i'r Greyhound neu'r

Robey neu ble bynnag, wedyn yn syth i mewn i'r fan ar ôl y gig, gyrru nôl i Fangor ac, os oeddwn yn lwcus, cael cawod a brecwast cyn mynd nôl i'r ysgol. Mi o'n i'n ddigon ifanc, ond diar mi, roedd cael dosbarth o blant swnllyd heb ddim diddordeb yn Harri'r Wythfed yn waith caled ar ôl noson heb gwsg. Doedd fy nghalon ddim yn y gwaith a, diolch byth, fu dim rhaid i mi wneud hyn am yn hir gan i'r band droi'n broffesiynol o fewn y flwyddyn.

Weithiau bydd cyn-ddisgyblion yn dod ata i heddiw a dweud "Helo Syr", sydd yn beth od a dweud y lleia. Mae'r rhan fwya ohonyn nhw'n ddigon dymunol ac i weld wedi cael rhyw fudd o'r gwersi. Dyma un o'r ychydig gamgymeriada go iawn i mi eu gwneud. Roedd ymarfer dysgu yn llenwi bwlch ond roedd y gwaith fel athro yn waith caled ac yn rhywbeth na fyddwn i rioed wedi gallu'i wneud fel gyrfa. Os oes adega lle dwi'n colli'r archaeoleg does dim ond rhyddhad o wybod na fydda i'n athro o flaen dosbarth byth eto, a does gen i fawr i'w ddweud wrth y system o arholi a'r profion. Mae yna fwy i addysg na hynna, ond welais i fawr o wahaniaeth o fewn y gyfundrefn addysg i'r hyn es i drwyddo yn yr ysgol yn Llanfair Caereinion. Yn gyd-athro â mi yn Llanrwst roedd Toni Schiavone, a buon ni'n cydweithio ar y prosiect gwrth-apartheid 'Galwad ar Holl Filwyr Buffalo Cymru' yn ystod y cyfnod yma, ond yn fuan wedyn daeth rhwyg yn ein perthynas wrth i'r Anhrefn ymbellhau o'r sîn Gymraeg.

Un peth da a ddaeth o'r *Tube* oedd fod rhaid i ni recordio cân yn arbennig ar gyfer y rhaglen ac fe awgrymodd Hefin Huws ein bod yn defnyddio Stiwdio One ger Caer. Roedd Hefin wedi bod yno hefo Llwybr Cyhoeddus, ac un peth da am Hefin bryd hynny oedd ei fod yn ein gwthio ni i godi ein safonau o hyd. Fel roedd hi'n digwydd, 1 Ionawr 1987 oedd yr unig ddyddiad cyfleus i recordio mewn pryd ar gyfer y *Tube*. Cefais drafferth cael petrol yn y bore a mwy fyth o drafferth codi'r tri aelod arall o'r Anhrefn ar ôl sesiwn y noson gynt. O'r diwedd dyma gyrraedd Stiwdio One a recordio'r gân 'Cornel'. Y cynhyrchydd ar y diwrnod oedd Ronnie Stone, cyn-aelod o China Crisis a chynhyrchydd yr Icicle Works neu'r 'Icies' fel roedd Ronnie yn eu galw. Eto, dyma gyfarfod rhywun wnaeth ddylanwadu'n fawr arnom am flynyddoedd a pherson dwi'n dal i weithio gyda fo hyd heddiw. Beth oedd yn dda am Ronnie oedd ei fod yn deall y cysyniad o gitârs yn uchel yn y *mix*.

Penderfyniad gweddol hawdd oedd parhau i recordio gyda Ronnie, y ni yn talu am y stiwdio ein hunain a Ronnie, chwarae teg, yn cnocio oriau oddi ar y *time sheet* er mwyn ein helpu. Roedd y stiwdio yn ddrud – £40 yr awr + TAW + tapiau – felly roedd Ronnie yn uffernol o dda wrth ein helpu i arbed ambell i ganpunt yma ac acw. Fe recordion ni 'Pres am Gi', neu 'Press for Angie' fel roedd Ronnie yn galw'r gân. *Harmonies* Hefin a *guitar harmonies* Dewi yn ychwanegu at bob dim ac yn rhoi sglein a chydig o elfen fasnachol i'r caneuon. Cymaint felly fel y cafodd 'Pres am Gi' ei ddewis i fod ar gasgliad oedd yn cael ei baratoi gan Upright Records – is-label o gwmni Alternative Tentacles, label Jello Biafra o'r Dead Kennedys, y grŵp *punk* o California. Roedd *scouts* Upright wedi ein gweld ar y *Whistle Test* a'r *Tube* ac wedi dod i gysylltiad. Y *scout* ddaeth i gysylltiad yn wreiddiol oedd Angus, a ddaeth i amlygrwydd yn ystod y cyfnod *acid house* fel DJ Pineapplehead. Angus fu'n gyfrifol hefyd am greu *baseball caps* yr Anhrefn.

Wrth i Bill Gilliam, cyfarwyddwr Upright, gymryd drosodd wedyn i drefnu'r cytundebau, soniais fod gynnon ni fwy o ganeuon a chytunodd ryddhau albwm gan yr Anhrefn ar label newydd roedd am ei gychwyn o'r enw Workers Playtime. Yn fwy na hynny, roedd grŵp Cymraeg wedi cael *deal* go iawn hefo cwmni recordio rhyngwladol, a hynny hefo caneuon Cymraeg. Wnaeth unrhyw un yn y sîn Gymraeg gymryd iot o sylw? Naddo, wrth gwrs!

Dros y misoedd wedyn bu'r band nôl a mlaen i Stiwdio One gan orffen yr albwm *Defaid, Skateboards a Wellies*. Cynlluniwyd y llun ar flaen y clawr gan Jill the Kipper a'r gweddill gan John Yates, cynllunydd y Dead Kennedys, ac, fel arfer, ar gefn y clawr roedd 'File Under: The Bad Boys of Welsh Rock 'n Roll'. Ar flaen y clawr roedd dafad gyda Mohican a *wellingtons* ar gefn *skateboard*. Y syniad oedd cydnabod ein bod yn *sheep shaggers* cyn i'r wasg Seisnig hyd yn oed gael cyfle i grybwyll y peth, achos roeddan nhw siŵr Dduw o wneud. Yn wir, fe aeth yr *NME* ymlaen i sôn am 'the Craggy face of Welsh Rock' yn un o'i erthyglau am yr Anhrefn. Gwnaethon ni *photoshoot* i'r *NME* o dan y Westway a dwi'n cofio ni i gyd yn anesmwyth hefo syniadau gwirion y ffotograffydd a Hefin, fel roedd o, mor barod i wrando ac ufuddhau. Os bydd rhywun yn gweld y lluniau mae Dewi, Sion a finna yn edrych yn hollol *pissed off* ynddyn nhw.

Oherwydd y gwaith roedd y band wedi ei wneud tu allan i'r sîn Gymraeg a thu allan i Gymru fe aeth yr albwm yn syth i mewn i'r tri deg uchaf yn yr *indie charts* Prydeinig ac fe wnaeth hyd yn oed gyrraedd rhif 17 yn siartiau'r cylchgrawn metal *Kerrang!* Fe brynodd pawb fu'n mynychu y Jazz Rooms eu copi o Siop y Cob ym Mangor ac fe werthwyd 5,000 o gopïau o'r albwm – cyn lleied â 500 ohonyn nhw yng Nghymru, a faint o'r 500 yna oedd yn Gymry Cymraeg? Ddim llawer dybiwn i. Wedi hynny byddai'r Anhrefn yn rhyddau eu recordiau drwy Workers Playtime ond roedd y label Recordiau Anhrefn yn parhau ar gyfer artistiaid newydd o Gymru. Fe recordion ni EP hefo'r Fflaps o Fangor o'r enw *Dilyn Dylan* a oedd, mae'n debyg, yn sôn am Dafydd Iwan. Hefyd ar yr EP roedd fersiwn Gymraeg o 'Love and Romance' gan The Slits ac fe gafodd y gân yma sylw yn llyfr Jon Savage *England's Dreaming* fel enghraifft o *punk* wedi datblygu a ffynnu mewn gwahanol ardaloedd o Brydain. Fe aeth y Fflaps â'r gerddoriaeth ymhellach i'r ymylon na hyd yn oed Datblygu a does dim rhaid dweud bod Geraint Davies a Radio Cymru wedi penderfynu peidio â chwarae eu recordiau oherwydd diffyg safon, er i ni recordio yn Stiwdio'r Foel ar 24 trac. Y canlyniad fu i Huw Prestatyn, finna a'r Fflaps drefnu gwrthdystiad o flaen y BBC ym Mangor un bore Sadwrn pan oedd *Cadw Reiat* yn fyw ar yr awyr. Fe gafodd hyn doreth o sylw yn y papurau newydd, yn enwedig gan y colofnydd Dave Jones ym Mangor yn ogystal â phapurau fel y *Daily Post* a'r *Western Mail*, ond wnaeth hyn ddim iot o wahaniaeth i gulni a styfnigrwydd Geraint Davies. Does dim rhaid dweud chwaith i John Peel wirioni gyda'r EP, ac yn fuan iawn wedyn roedd y Fflaps wedi ymuno â'r Anhrefn a Datblygu fel grwpiau Cymraeg oedd wedi recordio sesiwn i raglen John Peel. Bu tipyn o ffraeo hefo Ann Fflaps ac Alan Holmes o'r band pan sonion nhw am wneud caneuon Saesneg ar gyfer sesiwn Peel.

Doedd gen i ddim hawl o gwbl i ddweud wrthyn nhw be i neud ond gan mai drwy y label roedden nhw wedi dod i sylw Peel fe ddywedais fy mhwt beth bynnag. Fe recordiodd y Fflaps eu sesiwn yn uniaith Gymraeg!

Fe ddaeth grŵp newydd Ian Devine o Gasnewydd i gysylltiad un noson mewn gig yn TJs, a recordiwyd EP Cymraeg ar feinyl gwyn gyda'r Loveless yn ymddangos fel Heb Gariad. Ian oedd gitarydd y grŵp Ludus gyda Linder, un o ffrindiau gorau Morrissey, ac roedd Ludus yn grŵp ro'n i wedi eu gweld ym Manceinion gyda Joy Division a'r Fall yn ôl yn fy nyddiau ysgol.

Ond efallai mai'r grŵp mwyaf arloesol a phwysig i ni eu cyfarfod yn y cyfnod yma oedd Llwybr Llaethog o Flaenau Ffestiniog/ Tanygrisiau (*via* Peckham). Roedd casét wedi landio yn cynnwys y gân 'Rap Cymraeg' a llythyr gan John Griffiths yn sôn ei fod am wneud *hip hop* Cymraeg yn arddull *hip hop* Efrog Newydd. Dyma Sion a finna'n cyfarfod â John a Kevs Ford yn y Queen's, Blaenau, ac o ganlyniad daeth grŵp arall newydd i'r label. Bu John a Kevs yn byw mewn *squat* oddi ar Old Kent Road yn Peckham ac am flynyddoedd wedyn dyma oedd 'Hotel Peckham' pan fyddai'r Anhrefn yn canu yn Llundain neu Brighton. Fe recordiodd Llwybr Llaethog gân o'r enw 'Dull Di Drais' gan ddefnyddio *samples* Ffred Ffransis ar gyfer eu EP cynta ac wedyn sengl *Yo/Tour de France* yn fuan wedyn. Fe chwaraeodd Llwybr Llaethog hefo'r Anhrefn yn y Greyhound ac yn y Citadel yn St Helens a daeth cynnig iddyn nhw chwarae yn Dingwalls hefo'r Cookie Crew a'r 3 Wise Men. Heb os, yn 1987 roedd Llwybr Llaethog yn hollol *cutting edge*. Os oedd yr Anhrefn wedi cyflwyno *punk rock* Cymraeg i Loegr fe aeth Llwybr Llaethog â'r peth yn ei flaen eto. Cafwyd adolygiadau ffafriol yn y wasg Brydeinig a daeth pobl fel Richard Boon, rheolwr y Buzzcocks, yn ffan mawr o'r band gan gynnig gig Dingwalls iddyn nhw.

Yn fuan wedyn, wrth i Llwybr Llaethog recordio sesiwn i raglen John Peel, mi gwrddodd Llwybr Llaethog a finna â Mike Peters a gweddill grŵp yr Alarm a oedd hefyd yn recordio yn Maida Vale. Fe arweiniodd hyn at yr Anhrefn a Llwybr Llaethog yn cael gwahoddiad gan Mike i chwarae hefo'r Alarm yn Neuadd Dewi Sant, Caerdydd, a'r Shaw Theatre, Euston Road, Llundain. Bu Mike mewn cysylltiad ychydig cyn hynny gan ei fod am gyfieithu ei ganeuon i'r Gymraeg a rhoddodd wahoddiad i'r Anhrefn i lawr i stiwdio yn Wardour Street i wrando ar yr Alarm yn recordio. Y cynhyrchydd ar y sesiwn yn Wardour Street oedd Tony Visconti, cyn-ŵr Mary Hopkin a chynhyrchydd David Bowie a T Rex. Roedd Sion Maffia yn gwybod pwy oedd Visconti, doeddwn i ddim ac roedd Sion Sebon yn trio ei orau i beidio mwynhau caneuon yr Alarm wrth i ni wrando yn y stiwdio. Wel, fe gawson ni ysgwyd llaw hefo Tony Visconti!

Yn wreiddiol roedd Mike wedi sôn am gigs yn Nulyn a Glasgow ac roedd yr Edge o U2 am ddod draw i chwarae ar ambell i gân yn Nulyn. Waw! Roedd hyn fel bod yn *pop stars* go iawn. Yn y diwedd dim ond Caerdydd a Llundain ddigwyddodd ac fe roddwyd elw'r gigs i Gymdeithas yr Iaith. Mae'n siŵr y byddai'r Gymdeithas wedi hoffi gweld bands eraill yn cael gwahoddiad yn hytrach na'r Anhrefn ond *tough*, roeddan ni yn gyrru ymlaen yn dda hefo Mike ac yn rhannu'r un math o gefndir cerddorol. Dwi'n cofio Dave Sharp, gitarydd yr Alarm, yn benthyg bag *make-up* Nêst i gael ychydig o golur cyn mynd ar y llwyfan a chafodd Nêst rioed y bag yn ôl. Mae hi'n dal i sôn am hynny pan fyddwn yn cyfarfod â Mike neu gyn-aelodau'r Alarm. Hefyd, yn ystod y *sound check* fe dorrodd Dylan Cyrff ei *snare* a daeth Mike Peters yno'n syth gan roi benthyg *snare* o eiddo'r Alarm i ni fel y gallen ni gwblhau'r gig. Fe edrychodd Mike Peters ar ein hola yn dda y noson honno, gan gynnwys gwylio'r band o ochr y llwyfan.

Roedd Tony Barwood, rheolwr yr Icicle Works, wedi bod yn ein helpu i gael gigs yn Lerpwl o ganlyniad i eiriau da Ronnie am y band, a dechreuon ni deithio Prydain gyda'r Chain Gang o Lerpwl, grŵp arall roedd Barwood yn eu rheoli. Fe chwaraeon ni o flaen tua thri o bobl yn y Duchess of York yn Leeds ac wedyn yn y World Down Stairs o dan y Royal Court yn Lerpwl a ni'n cerdded ar y llwyfan gan gyhoeddi "It's nice to be back in Birkenhead!" Yn Lerpwl, ac wrth chwarae o flaen Sgowsars, gwell cael y jôcs i mewn gynta. Daeth y newyddiadurwr Dave Jones o'r *North Wales Chronicle* yn y fan hefo ni'r noson honno, a dechreuwyd ar saga arall o sôn am 'Dave Jones reporting' a bod rhaid i ni gyd ddweud ein hoed a'n henwau cyn ei ateb. Fe aeth Dave ymlaen i sefydlu'r *fanzine Macher* a daeth yn ffan mawr o fands Cymraeg fel U Thant a'r Crumblowers, ond am ryw reswm roedd yn casáu Ffa Coffi Pawb. Wnaeth yr un ohonon ni erioed ddeall pam. Ond wedi dweud hynny, pan ddaeth Dafydd Ieuan o'r Ffa Coffis i ddrymio hefo'r Anhrefn rai blynyddoedd wedyn dyna oedd dechrau'r diwedd ar ein cyfeillgarwch hefo 'Dave Jones reporting'.

Yr unig biti dwi'n credu hefo Tony Barwood yw na wnaeth yr Anhrefn ofyn iddo fod yn rheolwr ar y band. Hyd yma fi oedd wedi trefnu popeth, yn amlwg hefo sêl bendith gweddill y band (neu ddim ar adegau), ond dwi 'di meddwl dipyn am hyn. Roedd angen rheolwr arnon ni i symud i'r lefel nesa. Roedd angen rheolwr i roi cic yn y tin i Bill Gilliam a Workers Playtime a dechreuais sylweddoli mai'r unig bryd y bydden nhw'n gwneud rhywbeth ar ein rhan oedd pan fyddai rhywun yn galw yn eu swyddfeydd yn Collier Street, King's Cross, yn adeilad Rough Trade. Dyna sut mae cwmnïau recordio yn gweithio, wrth gwrs, ond yn ôl ym 1987 ro'n i'n dal i gredu bod cael *deal* yn ddigon ac y byddai llwyddiant yn dilyn. Ychydig iawn dwi'n ddifaru, ond dwi yn credu i ni golli cyfle hefo Barwood; efallai na fyddai pethau wedi llwyddo hefo fo, pwy a ŵyr, ond roedd Ronnie wedi gwneud y cysylltiad a ni ddaru fethu manteisio ar y cyfle i ddatblygu mwy ar y berthynas â Barwood.

Daeth cyfnod Dewi Gwyn gyda'r Anhrefn i ben yn '87. Roedd Ceri ei wraig wedi ei tharo'n wael a bu rhaid i ni gael Sion Jones (Sion Maffia) i mewn ar fyr rybudd i wneud taith oedd yn dechrau yn y Ddawns Ryng-gol yn Aber ac yn mynd ymlaen i'r Paradise Club yn Reading ac wedyn y George Robey yn Finsbury Park. Fe gafodd Sion ryw ddau ddiwrnod i ddysgu'r set cyn y gigs a dwi'n cofio ni'n sôn am y *venues* fel rhywbeth hollol arferol. Doedd Maffia ddim wedi gwneud y math yma o gigs yn Reading ac yn sicr ddim y Robey ond mi roedd y Rhyng-gol yn mynd i fod yn bractis da. Gan mai hon oedd gig gynta Sion hefo'r band ac mai chwarae o flaen mil o fyfyrwyr chwil gaib fyddan ni beth bynnag, dyma benderfynu cael tipyn o gwrw cyn y gig. Doeddwn i ddim yn yfwr mawr ar y gorau ond fe fuodd rhaid i mi wneud fy hun yn sâl cyn mynd ar y llwyfan jyst er mwyn gallu gweld yn syth. Tynal Tywyll oedd yr ail grŵp y noson honno a Dylan Cyrff fyddai'n drymio hefo ni ran amla y dyddiau hynny. Roedd Dylan yn parhau hefo'r Cyrff ac weithiau'n chwarae hefo Tynal Tywyll, ac yn sicr roedd gan Dylan fwy o *punk rock credentials* na Hefin. Dwi ddim yn credu i Sion Maffia a Hefin Huws wneud gig hefo'i gilydd fel aelodau'r Anhrefn, a bu Gush o'r grŵp Maracca hefyd yn drymio dipyn hefo ni yn y cyfnod yma.

Eto, bu mwy o gigs gyda grwpiau mawr y sîn Seisnig, gan gynnwys sawl gig hefo Chumbawamba a gigs rheolaidd hefo TV Smith gynt o'r Adverts. Hefyd, dyma ddod ar draws cwmni cyhoeddi Big City Triumph Music o Leeds a'r anfarwol Steve 'The Weave' Hawkins, cymeriad arall oedd wedi ei ddenu at yr Anhrefn drwy ein clywed ar John Peel. Roedd Steve yn allweddol o ran sicrhau ein taith gynta i'r Almaen y flwyddyn wedyn, ond am y tro roedd Steve am ddechrau cyhoeddi ein caneuon ac roedd yn cael gigs rheolaidd i'r band yn y Duchess yn Leeds. Yn ddiddorol iawn, o edrych yn ôl welson ni'r un geiniog gan Steve fel cyhoeddwr. Fe lwyddodd yr Anhrefn i drosglwyddo eu hawlfraint i Gyhoeddiadau Sain ac fe adawodd Llwybr Llaethog Big City Triumph i fynd at Westbury Music. Dwi ddim yn amau na fu'r Fflaps yn ymwneud rhyw gymaint hefo Steve hefyd. Fe fu Steve yn dda iawn hefo ni ar y teithiau tramor cynta ond fel cyhoeddwr, Duw a ŵyr, chlywson ni ddim ganddo ar ôl 1988 a does dim syniad gen i beth mae o'n wneud na lle mae o heddiw.

Gig arall ddiddorol i ni ei gwneud tua diwedd '87 oedd honno yng nghlwb nos Oliver's, Caer − clwb hoyw. Fe ddawnsiodd pawb i bob cân ac roedd y *vibe* yn *brilliant* efo Dewi Gwyn wrth ei fodd yn weindio pawb i fyny a Gush yn trio cadw ei gefn at y wal drwy'r nos. Dwi ddim yn credu bod Gush wedi gweld dim byd felly ym Mhen-y-groes! Wrth i '87 ddirwyn i ben roedd yr Anhrefn yn ystyried ymestyn gorwelion a chroesi ffiniau newydd, y tro yma i Ewrop.

Pennod 5
Wal Berlin

Un o'r *myths* gan y Cymry Cymraeg yw fod modd *bypassio* Lloegr a mynd yn syth i Ewrop; dyma'r math o beth mae pobl sydd ddim yn gwybod sut mae'r sîn roc *actually* yn gweithio yn ei ddweud. Sawl gwaith mae band sydd rioed 'di canu tu allan i Gymru a fwy na thebyg rioed wedi canu o flaen cynulleidfa ddi-Gymraeg yng Nghymru wedi cael eu clywed ar y radio yn malu cachu am fynd yn syth i America neu lle bynnag a rhywun yn gwybod yn iawn mewn gwirionedd nad ewn nhw ddim pellach na Bethesda – byth! Un o'n jôcs ni fel band oedd sôn am y grwpiau o Gymru fyddai'n 'boblogaidd yn Llydaw', sef o un Hicksville, Arizona, i'r llall. Wedi dweud hynny, fe gafodd yr Anhrefn a Catatonia deithiau llwyddiannus iawn yn Llydaw ac yn sicr roedd Rennes a Nantes yn ddinasoedd tipyn mwy na Bangor ac Abertawe, ond yr hyn fyddai'n gwneud i ni chwerthin oedd yr hen syniad gan y Cymry fod 'na ryw ramant yn perthyn i Lydaw ac Iwerddon.

Felly, i brofi'r pwynt, fe gafodd yr Anhrefn gynnig eu taith gynta yn yr Almaen am sawl rheswm. Yn gynta roedd y band wedi ymddangos ar raglenni fel *The Tube*, *Whistle Test* a *Snub TV* ar y teledu – sef C4 a BBC2; roedd y band wedi cael nifer o *airplays* ers rhyddhau 'Rhywle yn Moscow' gan John Peel ar Radio 1; erbyn hyn ni oedd y grŵp Cymraeg cynta i recordio sesiwn i John Peel; roedd gan y band *record deal* drwy Workers Playtime (Alternative Tentacles drwy Rough Trade); ac roedd yr albwm *Defaid, Skateboards a Wellies* newydd gael ei ryddhau.

Fel rhan o'r broses o hyrwyddo'r albwm roedd y band wedi bod yn gwneud gig yn y George Robey yn Finsbury Park, Llundain – *venue* roedden ni wedi canu ynddo sawl gwaith – ac roedd Bill Gilliam o'r label wedi trefnu i'r *promoter* Nick Head ddod draw i'n gweld ni. Roedd Nick yn gweithio gyda'i bartner Dirk yn Aachen i fynd â grwpiau Prydeinig drosodd i'r Almaen. Felly dyna sut cawson ni'r daith gynta yn Ewrop – drwy ganu yn Lloegr, drwy arwyddo hefo label Prydeinig a drwy'r sylw a gawson ni gan bobl fel Peel, a hynny i gyd drwy ganu yn y Gymraeg. Dim cyfaddawd a dim cân Saesneg o gwbl yn y set nac ar record – felly *eat that* pob band o Gymru ers y Super Furrys!

Un o'r *myths* arall, y tro yma gan y Saeson, yw fod y Cymry yn tueddu i droi i'r Gymraeg er mwyn siarad amdanyn nhw. Wel, mae'n rhannol wir – hynny yw, roedden ni o hyd yn siarad gyda'n gilydd fel band yn Gymraeg – ond drwy dreulio oriau / wythnosau mewn faniau yn teithio i gigs neu mewn stafelloedd newid gefn llwyfan roedden ni wedi datblygu rhyw fath o *code* fel ein bod yn gallu trafod pethau neu siarad am bobl heb iddyn nhw ddeall. Weithiau roedd hyn jyst yn codi o'r diflastod o dreulio oriau'n teithio neu'n eistedd o gwmpas, felly buan iawn y daeth Bill Gilliam i fod yn Willy Gilli – roedd Bill wedi rheoli'r Dead Kennedys a nawr yn bartner busnes hefo Jello Biafra yn y cwmni recordiau ac roedd gynnon ni barch at Bill (a fo oedd yn talu i ni recordio) felly doedd o ddim yn Willy Gilli yn ei wyneb. Yn naturiol, 'diolch byth na chafodd ei enwi'n Rhisiart' oedd y *code* am Nick Head, ac fe gafodd Dirk ei enwi ar ôl y gân gan Adam and the Ants, 'Dirk Wears White Socks', felly Dirk oedd 'y dyn yn y sanau gwyn'.

Roedd y grŵp Dub Sex o Fanceinion i deithio hefo ni fel *joint headliners* ar y daith gynta i'r Almaen, felly roedd y prif grŵp yn amrywio bob yn ail noson. Roedd recordiau'r ddau grŵp yn cael eu rhyddhau yn yr Almaen drwy EFA ac roedd y wefr o gyrraedd Köln ar gyfer y sioe gynta a gweld *fly posters* o'r ddau grŵp ar y strydoedd a'r albwms yn y siopau yn anhygoel. Roedd rhywun yn cael y teimlad fod hon yn daith go iawn, fod pobl yn gwneud eu gwaith yn iawn a'n bod yn cael ein cymryd o ddifri – fel *pop stars*, o leiaf mewn cyd-destun *punk rock*. Roedd dwy fan ar y daith – un ar gyfer pobl ac un ar gyfer offer – a buan iawn y daeth yn amlwg fod mwy o hwyl i'w gael yn y fan gyda'r offer hefo'r *tour manager* Steve the Weave o Leeds.

Roedd Dave yn gyrru'r fan i'r bobl a fo oedd yn gosod y llwyfan. Tric Dave oedd bwyta wrth yrru er mwyn peidio â cholli amser teithio achos fod yr Almaen yn wlad mor fawr. Hefyd roedd ganddo baced o *wet wipes* uwchben y *visor* a phob hyn a hyn byddai Dave yn sychu ei wyneb gyda *wet wipe* gan gadw ei droed ar y *throttle* – drwy'r amser. Fe ddaeth Dave yn handi ar y daith achos ro'n i'n tueddu i neidio o gwmpas y llwyfan gan rwygo *leads* y gitârs a'r amps felly bron yn ddyddiol roedd Dave a'i *soldering iron* yn trwsio offer cyn y *sound check* nesa – diolch amdano.

Yn ôl at Steve the Weave, achos felly oedd o'n cerdded – drwy siglo rhwng a thrwy'r dorf yn y gigs. Tric Steve oedd cerdded o gwmpas hotels neu dai pobl yn hollol hollol noeth yn y boreau – fel roedd o'n dweud, doedd dim ots ganddo ac yn ei amser sbâr roedd o'n *life model*, felly... Yn ogystal â bod yn *tour manager* roedd Steve yn edrych ar ôl y sain yn y gigs. Yn y gig gynta yn Köln, yn y Rose Club, roedd y *sound check* yn cymryd mwy o amser nag y byddai neb yn ei ddymuno, mae'n debyg gan fod pawb heb gysgu ar ôl cael *ferry* o Dover dros nos, ond doedd Sion Sebon ddim am golli cyfle i weindio Steve felly pan ddaeth hi'n dro Sion i gychwyn ymarfer sain y llais roedd o'n meimio i mewn i'r meic yn lle canu go iawn ac yn dweud wrth Steve, "There's a problem with this mike." Roedd Steve wrthi fel dyn gwyllt yn symud *faders* a botymau yn trio canfod pam nad oedd y llais i'w glywed drwy'r PA a Sion yn dal i dynnu stumiau ond heb wneud sŵn go iawn. O'r diwedd, a Steve yn methu'n lân â deall beth oedd yn bod, dyma fo'n dechrau rhedeg o gefn y llwyfan tuag at y *stage* ac fel roedd yn cyrraedd dyma Sion yn gweiddi i'r *mike,* "It's alright now, Steve, I was miming!" Roedd hynna yn un o'r pethau hefo'r Anhrefn, y funud roedd rhywun yn dangos gwendid, dyna ni, *it was merciless piss-take from then on*, ac roedd pethau'n gwaethygu gydag alcohol.

Digon anodd oedd y gig yn Köln. Dyna lle roedd cartref y wasg a'r diwydiant recordio yn yr Almaen felly roedd pawb yn *industry types* ac yn rhy cŵl i ddawnsio, ond fe gafwyd un digwyddiad cofiadwy. Yn ystod y gig roedd Dylan (Cyrff) wedi gofyn am fwy o sain yn ei fonitor a rywsut roedd Steve wedi rhoi gormod o lefel nes bod Dylan bron wedi cael ei fyddaru. Yn ei wylltineb cododd Dylan o gefn y dryms, cerddodd oddi ar y llwyfan a thrwy'r dorf a thaflodd ei *drumsticks* i wyneb Steve yng nghefn y neuadd. Fe aeth y dorf yn ddistaw fel y bedd a dwi ddim yn meddwl bod Steve yn siŵr beth i'w wneud, ond roedd y tri arall ohonon ni'n dal ar y llwyfan yn chwerthin cymaint nes ein bod ar ein gliniau. Wedyn fe ddaeth Dylan yn ôl i'r llwyfan a chario ymlaen hefo'r gig fel petai dim wedi digwydd.

Roedd Dub Sex yn cyflwyno eu hunain o'r llwyfan bob nos fel "Dwb Sex from Manchestyyy..." ac roeddem ni yn "Anhrefn aus Wales". Roedd gan yr Anhrefn bolisi o ddefnyddio iaith pa bynnag wlad roedden ni'n ymweld â hi – doedd Dub Sex ddim yn deall hynny.

Yr ail noson ar y daith oedd Berlin, ac roedd Steve wedi penderfynu mai hon fyddai 'dinas' yr Anhrefn felly ni oedd i hedleinio'r ail noson ar y daith. Os oedd y Rose Club yn llond *poseurs* roedd yr ail noson yn y KOB Klub yn llond o *punk rockers* hefo Mohicans gwyrdd. *Squat* anarchaidd dafliad carreg o wal Berlin oedd y KOB, a oedd yn cael ei redeg ar ffurf gydweithredol, ac roedd ein *contact* ni yno, Amin, a oedd i'w weld yn un o'r ffigurau blaenllaw, newydd ddychwelyd o Cuba, medda fo, lle bu'n gweld sut roedd y chwyldro yn gyrru ymlaen! Dros y blynyddoedd daeth Amin yn gymaint o ffrind i ni â threfnwyr yng Nghaerdydd neu Lanrwst ond doedd dim a allai fod wedi ein paratoi am y gwallgofrwydd yn Berlin!

Yn dilyn fy ymweliad â Berlin flwyddyn ynghynt ro'n i am rannu rhai o'r profiadau hefo gweddill y band, felly y syniad oedd, yn syth ar ôl y *sound check*, y byddwn i'n mynd â'r band i weld y wal, wedyn stopio yn y Nollendorfplatz am ddrinc cyn mynd yn ôl i'r gig. *Typical* Rhys Mwyn, roedd y pellter i'r wal yn dipyn mwy nag yr o'n i'n ei gofio ac felly wedyn y pellter i Café Sign ond ro'n i'n benderfynol o fynd yn ôl i'r clwb lle clywson ni Datblygu. Erbyn i ni gael *beer* yn y Sign roedd yn bryd rhedeg yn ôl am y KOB – roedden ni i fod ar y llwyfan mewn llai na hanner awr.

Wrth i ni gerdded y canllath ola am y KOB roedden ni'n gallu gweld bod y stryd yn orlawn o bobl ac roedd Amin ar y stryd yn chwifio ei freichiau. Roedd yn edrych braidd fel *cockatoo* hefo trwyn mawr a gwallt gwyrdd – "Where the fuck have you been...?" Roedd mwy o bobl tu allan i'r clwb nag a fedrai fynd i mewn ac yn ei rhwystredigaeth roedd y dorf wedi malu ffenestri'r clwb mewn ymgais i gael gweld i mewn. Roedd Amin mewn panic ac roedd problem arall – sut i'n cael ni i mewn i'r clwb ac ar y llwyfan. Yr unig beth fedrwn i feddwl oedd "fuckin great!!" Yn y diwedd y penderfyniad oedd mynd i mewn drws nesa, trwy dŷ rhywun a thros y wal gefn er mwyn cael mynediad i gefn y llwyfan achos doedd dim modd mynd heibio'r dorf i brif fynedfa y clwb.

Gefn y llwyfan roedd hogyn o Fangor yn ein disgwyl ond naeth neb siarad hefo fo achos doedd neb yn disgwyl gweld rhywun o Gymru a doedd dim amser i siarad ta beth, jyst tiwnio'r gitârs a syth ar y llwyfan. O'n blaen, môr o *punk rockers* o'r clwb reit drwodd i'r stryd, wedi eu pacio i mewn fel sardîns – gallwn fod wedi cerdded ar eu pennau heb ddisgyn i'r llawr, mor dynn oedd y *squash*. O bosib mai dyma un o'r gigs gorau erioed. Dwi'n gwybod i mi fethu cysgu'r noson honno; fe es yn ôl allan am dro gyda Rat, *roadie* Dub Sex, a cherdded strydoedd Berlin a phawb yn meddwl o ddifri am ailgartrefu – gadael Cymru a dod i fyw i Berlin.

Aeth y daith yn ei blaen drwy Willemshaven ac Aachen cyn troi am y de i lawr i Mannheim. Byddwn yn cofio am y gig yn Mannheim am y bwyd, sef caws ar dost traddodiadol Almaenig. Erbyn hyn roedd y gystadleuaeth hefo Dub Sex ar dân ac roedd pwysau i wneud i rywbeth ddigwydd bob nos – ein strategaeth ni oedd blastio Dub Sex oddi ar y llwyfan un ai drwy chwarae mor dda fel ei bod yn anodd i'n dilyn neu drwy berfformio mor gryf fel bod pawb yn anghofio am y grŵp cynta os mai ni fyddai'n canu ola. Rywsut neu'i gilydd, yn ein hymdrech i berfformio yn gig Manheim llwyddais i daro cwrw Sion drosodd ar y llwyfan ac yntau yn rhoi cic i mi am wneud. Finnau yn taro'n ôl drwy boeri ato ac wedyn yntau yn ymateb gyda dwrn. Cyn bo hir roedd y ddau ohonon ni'n paffio ar y llwyfan fel roedd rhai o'r dorf yn dal i gyrraedd y clwb – "Quick, quick! There's a band fighting on stage!" Y funud nesa dyma botel gwrw yn cael ei thaflu at y llwyfan ac o fewn eiliad roedd Sion a finnau yn wynebu'r dorf – "Whoever threw that bottle come up here now!" Fel Musketeers, roedd yn iawn i ni baffio yn erbyn ein gilydd ond fiw i neb arall ymosod ar yr Anhrefn.

Y noson yna yn y stafell newid dyma Steve yn dod i mewn a dweud bod ganddo newyddion da i ni. Cyn iddo orffen ei frawddeg roedden ni i gyd wedi penderfynu, beth bynnag fyddai Steve yn ei ddweud, y byddai pawb yn mynd yn hollol *mental* ac yn neidio ar ben y byrddau. Felly wrth i Steve egluro bod yr ymateb wedi bod mor dda yn Berlin eu bod eisiau ein cael ni'n ôl i gefnogi'r UK Subs o fewn y mis, dringodd pawb ar ben bwrdd neu gadair a gweiddi a neidio, cyn neidio ar ben Steve. Roedd o werth o jyst i weld y dryswch llwyr ar ei wyneb – "Sorry, Steve, what did you say?" Bob tro bydden ni'n gorfod mynd mewn lifft mewn gwesty, y funud y byddai'r lifft yn symud byddai pawb yn disgyn ar y llawr; roedd y tric hwnnw'n mynd yn fwy a mwy doniol wrth ei ailadrodd a gweld Steve yn gwingo "Oh no, not again – you mad Welsh bastards!"

Ymlaen o Mannheim i Stuttgart, gyda Steve yn sylwebu yn y fan, "In 1944 we bombed the shit outta this town." Yr unig beth dwi'n ei gofio am Stuttgart yw fod y llwyfan yng nghanol y stafell gyda seti a chynulleidfa arnyn nhw y tu cefn i'r band yn ogystal â llawr dawnsio o flaen y llwyfan – *bizarre* o gig. Sonthofen oedd y pella i ni deithio i'r de, reit i lawr wrth y mynyddoedd yn Bavaria gyda'u copaon gwyn. Roedd hon fwy fel gig yng Nghymru mewn pentre bach mewn ardal fynyddig – fe ddaeth pobl o rywle ac roedd yn braf gweld bod pawb yn y gynulleidfa yn nabod ei gilydd, mor wahanol i gig mewn dinas fawr.

Noson wedyn yn Saarbrücken, ger y ffin gyda Ffrainc, roedd Patrick y trefnydd lleol yn ffan mawr o Dub Sex felly doedd ganddo fawr o amser i'r Anhrefn – *fine! get the beers in.* Bore wedyn roedd yr offer yn dal yn y clwb a Patrick yn methu dod o hyd i'r goriadau – *knobhead.* Oriau'n ddiweddarach roedden ni nôl yn y fan ar y ffordd i Wuppertaal ar gyfer y gig ola. Roedd Dirk wedi dod draw i weld sut roedd y daith yn mynd a phawb yn teimlo bod angen rhoi sioe dda i gadw'r dyn yn y sanau gwyn yn hapus. Ie, reit! Wel, am ryw reswm, roedd y dyn yn y sanau gwyn wedi penderfynu gorlwytho'r ystafell newid gyda ffrwythau – orenau, afalau a bananas – a ninnau fel anarchwyr yn credu bod angen rhannu'r rhain gyda'r gynulleidfa. Dwi erioed wedi chwarae gig o'r blaen a threulio'r holl amser yn dodjio orenau oedd yn cael eu pledu at y llwyfan. Doedd y ffaith ein bod yn taflu'r orenau yn ôl ddim yn gwella'r sefyllfa, mae'n siŵr, a dwi'n cofio gweld y dyn yn y sanau gwyn yn ysgwyd ei ben ar ochr y llwyfan. Unwaith eto, ac i orffen y daith, roedden ni wedi troi'r gig yn ddigwyddiad i'w gofio.

Erbyn y daith nesa roedd gynnon ni asiant newydd yn yr Almaen. Roedd Thomas Siegerstetter (Ziggy fel y cafodd ei fedyddio gynnon ni) wedi ein gweld yn Sonthofen ac am i ni arwyddo gyda'i asiant, Move-A-Head Musik. Dros y blynyddoedd wedyn trefnodd Ziggy deithiau yn Ewrop ar gyfer U Thant, y Fflaps a'r Cyrff a daeth yn un o'n ffrindiau gorau ni.

Pan o'n i yn y fan gyda Steve bu'r ddau ohonon ni'n sôn am drefnu gigs ac am y busnes. Roedd Steve, wrth gwrs, wrthi'n trefnu yn ardal Leeds ac ychydig ynghynt ro'n i wedi cychwyn trefnu gigs yn yr Albert yng Nghaernarfon. Roedd hyn wedi cael ei ysbrydoli gan Joey Ramone o'r grŵp The Ramones oedd yn trefnu gigs i grwpiau newydd ifanc yn Efrog Newydd a finna'n teimlo y dyliwn i wneud rhywbeth tebyg a rhoi rhywbeth yn ôl i Gaernarfon. Geraint Løvgreen agorodd y noson gynta ac fe alwais y noson yn 'Clwb Gwerin Caernarfon' er mwyn trio cyfleu naws fwy acwstig ac anffurfiol y noson. Yn ddiddorol iawn, roedd cymaint o sôn am drefnu gigs Cymraeg ro'n i'n gweld yr Albert fel cyfle i gigs Cymraeg ddigwydd yn naturiol ar un o strydoedd cefn Caernarfon; roedd unrhyw un a fyddai'n taro i mewn yn clywed cerddoriaeth Gymraeg, ond doedd hon ddim yn noson Gymraeg wedi ei 'threfnu'. Roedd hyn yn rhoi cerddoriaeth Gymraeg ar yr un lefel â cherddoriaeth Wyddelig – rhywbeth oedd yn digwydd yn naturiol yn y *bars* a'r *pubs*. Fe gymerodd hi tua blwyddyn i'r nosweithiau Iau afael go iawn ond yn raddol daeth mwy a mwy o bobl allan i'r Albert i fwynhau'r amrywiaeth cerddorol ac fe gafwyd grwpiau o'r Unol Daleithiau a Chanada yn rhannu'r llwyfan gyda'r hen a'r newydd o'r SRG.

Un stori ddoniol am yr Albert, ac un y mae Nêst o hyd yn fy atgoffa amdani, yw un o gigs cynta Sobin a'r Smaeliaid. Gan fod Sion Maffia hefyd yn yr Anhrefn, doedd dim yn anghyffredin i'r Maffia fenthyg fan yr Anhrefn i wneud ambell i gig, gyda Sion neu finnau yn gyrru ran amla. Noson felly oedd hi yng Nglan Gwna ger Caernarfon, gyda Maffia yn canu a finna'n eu cludo yno ac yn ôl. Doeddwn i ddim wedi aros i'r gig ond fe es yn ôl toc ar ôl hanner nos i nôl yr hogia a phwy oedd yn eistedd ar y bwrdd gyda Maffia ond Bryn Fôn. "Rhys Mwyn y cont!" meddai Bryn Fôn. "Dwi isho canu yn dy noson di yn yr Albert." Ac felly y bu hi, un o gigs cynta Sobin a'r Smaeliaid. Dwi ddim yn gwybod ai hon oedd y gynta un ond galla i gofio yn iawn ei bod yn ddyddiau cynnar iawn ar Sobin. Ond dyna'r peth am yr Albert, fe ganodd pawb yno; dim ffrils, dim *bullshit* a dim mwy na £60 am y gig.

Ar achlysur arall fe wnaeth Meic Stevens ei *party trick* arferol o beidio â chanu achos nad oedd neb yn gwrando ac ar ddiwedd y noson fe arhosodd Stevens a rhyw ddwsin yn yr Albert am *lock in*. Cododd Stevens ei gitâr a chanodd heb fynd drwy'r PA; wnaeth neb feiddio anadlu. Heb os, dyma un o'r profiadau mwya syfrdanol a swreal i mi rioed ei gael yn yr Albert. Meistr wrth ei grefft y noson honno, a hynny am un o'r gloch y bore. Yn ddoniol iawn, wrth ddiolch iddo ar ddiwedd y noson ac ysgwyd ei law ro'n i'n gweld bod Stevens yn tynnu stumiau – roedd wedi torri ei arddwrn ychydig wythnosau ynghynt a doedd ysgwyd ei law ddim y peth i'w wneud.

Drwy ein cysylltiad hefo Niall McQuirk, asiant yn Nulyn, ro'n i hefyd wedi llwyddo i roi llwyfan i grwpiau o America oedd yn croesi drosodd i wneud gigs yn Nulyn. Y *deal* oedd fod y bands yn croesi o Gaergybi ar y *ferry* am dri o'r gloch y bore felly ro'n i'n rhoi gig iddyn nhw yn yr Albert ac wedyn tipyn o fwyd yn y tŷ cyn eu gyrru am Gaergybi erbyn tua dau y bore. I grwpiau o Efrog Newydd neu

San Francisco roedd gig yn yr Albert yn brofiad, ond wedyn roedd rhai dilynwyr hyd yn oed yng Nghaernarfon yn gyfarwydd hefo grwpiau fel Quicksand ac yn methu coelio eu bod yn ymddangos yng Nghaernarfon!

Ymhlith yr artistiaid fu'n troedio llwyfan ystafell gefn yr Albert bu: Catraeth, Eirin Peryglus, y Fflaps, Ffa Coffi Pawb, Meic Stevens, Pry Clustiog, Pererin, Geraint Løvgreen, Steve Eaves, Cedwyn Aled, Ifor ap Glyn, y Ficar, U Thant, Huw Pritchard, Byd Afiach, Dyfed Edwards, Jess, Tynal Tywyll, Heb Gariad, Plant Bach Ofnus, y Crumblowers, Gwrthod yr Afal, Neil Rosser, Gwrtheyrn, yr Anhrefn, Sobin a'r Smaeliaid, y Cyrff, Dilyn y Dall, H3, y Cynghorwyr, Neu Unrhyw Declyn Arall, Jecsyn Ffeif, Boff Frank Bough, Amddiffyn, Bob Delyn, Datblygu, Canol Caled, Cofion Raljex, Traddodiad Ofnus, Mwg, Llwybr Llaethog, Celt, Nid Madagascar, Cerrig Melys, Defaid, Twm Cetyn, Bar Hwyr, Hefin Huws, DFA, yr Addewid, y Gofodwyr Piws, Caffi Vadassi, Pyw Dall, Jylopis, Soriant, DMs, 4Q, Cut Tunes, y Nyah Fearties, TV Smith, EV, Keatons, Quicksand, Econochrist, One Style MDV, Juice, Headcleaner, Negu Gorriak a Sons of Ishmael ac mae gen i ryw atgof fod Dafydd Iwan wedi gwneud gig hefyd.

Fel gyda phob dim, daeth nosweithiau'r Albert i ben oherwydd ffrae am arian. Roedd yna drafferthion gyda'r taliadau i'r bandiau gan yr Albert a chefais lond bol o ddelio hefo hynny. Dros y cyfnod, dau grŵp yn unig fuodd yn *awkward* am y pres − Arfon Wyn a Celt − a dadlau am £10 neu beth bynnag. Cofiaf Martin Beattie o Celt yn trio dwyn y *microphones* un noson a finnau yn sefyll rhyngtho fo a'r drws − "Ti ddim yn gadael fan hyn hefo fy meics i, *mateboy*." Nosweithiau da, ambell i noson dda iawn ac ambell i noson anhygoel. Dwi'n falch i ni allu dad-drefnu gigs Cymraeg a gwneud y peth yn llawer mwy naturiol. Diolch i bawb chwaraeodd yno mor ddiffwdan a chydag agwedd mor iach.

Roedd ein perthynas gyda'r Maffia yn un od. Ar y naill law roedd Maffia yn perthyn i'r hen sîn ac ro'n innau'n ddigon parod i'w slagio nhw mewn cyfweliadau, ac eto roedd Sion Jones yn fêt ac yn y band hefo ni. Fe ddechreuodd Alan Edwards (Al Maffia) deithio hefo ni i gigs yn ystod y cyfnod yma. Al oedd allweddellydd Maffia, ond yn wahanol i'r Pesda Kids arferol roedd gan Al olwg ychydig yn fwy eang ar fywyd. Roedd yn ffitio i mewn yn dda hefo ni ac, fel roedden ni'n ei ddweud ar y pryd, roedd Al yn *sussed*. Doedd dim amheuaeth fod Al ar fin ymuno â'r Anhrefn ar y *keys* cyn iddo golli ei fywyd mewn damwain gyda Maffia yn Llydaw. Ar y noson i ni glywed am ei farwolaeth roedd yr Anhrefn yn canu yn y Vic, Llanrwst, hefo Ffa Coffi Pawb, U Thant ac Eirin Peryglus. Roedd Huw Gwyn wedi torri'r newyddion i ni o flaen Myddfai wrth i ni lwytho'r fan. A dweud y gwir, doedd Huw ddim yn siŵr faint o'r hogiau oedd wedi eu brifo ond roedd yn gwybod bod Al wedi ei ladd. Pan gyrhaeddais y Vic fedrwn i ddim siarad hefo Gorwel Owen nac U Thant ac fe gymerodd amser i rywun allu egluro beth oedd wedi digwydd. Doedd fawr o brofiad gen i o egluro marwolaeth wrth bobl neu ffrindiau. Yr unig brofiad o farwolaeth oedd gen i oedd colli Mam, wrth gwrs, a hunanladdiad Mike Horran, un o ddilynwyr cynta yr Anhrefn ac un o gyfoedion Sion Sebon. Dwi'n cofio i ni roi popeth i mewn i'r cyngerdd y noson honno a bod yr ystafell yn orlawn a phawb ar ben byrddau a chadeiriau yn ceisio gweld y llwyfan.

Bu Al hefo ni ar daith o Brydain hefo TV Smith ac am ryw reswm roedd Graeme Feast o'r grŵp Dorcas wedi dod ar y daith hefyd fel trydydd gitarydd. Roedd Graeme wedi bod yn sefyll i mewn dros Sion Maffia pan oedd Maffia hefo gigs ac mae'n debyg ein bod wedi ei chael hi'n anodd peidio â rhoi cynnig i Graeme ddod ar y daith. Roedd yna gig yn Brighton lle doedd dim digon o le ar y llwyfan a'r tair gitâr yn ormod heb os, ond roedd hwyl i'w gael hefo Graeme. Roedd yn un am y merched ac yn 'coastie' oedd yn byw ger Bae Colwyn. Byddai Graeme yn hongian allan o ffenestr y fan wrth i ni gyrraedd dinasoedd ac yn gweiddi allan "Hello girls!" Doedd gan Al fawr o fynedd gyda Graeme ac roedd ei duedd i ddwyn y lle gorau i gysgu yn weindio Al yn ofnadwy. Eto, fe gawsom lot o hwyl. Roedd Al yn un o'r artistiaid hynny roedd Dave Jones y newyddiadurwr wedi eu mwydro ac felly Al 24 Bethesda oeddan ni'n galw Al.

Daeth yn amlwg ar ôl marwolaeth Al nad oedd gan ei deulu yr

Cyn y bocs sebon, y fasged ddillad…
Rhys Mwyn, 4 Heol Bowys, Maesglas,
Llanfair Caereinion, 1964.
Llun: Ieuan Thomas

Rhys Mwyn a Sion Sebon, 1964. *Llun: Ieuan Thomas*

Mam, Rhys, Dad a Sion.
Traeth Dinas Dinlle,
1965.
Llun: Ieuan Thomas

Rhys Mwyn a Sion
Sebon, 1966.
Llun: Ieuan Thomas

Sion Sebon, Irfon Inc a Rhys Mwyn
– Llanfair Caereinion, 1968. Irfon
oedd yn yr Anhrefn gwreiddiol hefo
Sion a Steve Adams.
Llun: Ieuan Thomas

Sion Sebon, Rhys Mwyn, Dic Ben a Mark Whitley. Wrth y pwll nofio yn Ysgol Uwchradd Llanfair Caereinion, y diwrnod cyn mynd i Stiwdio'r Foel i recordio'r sengl *Dim Heddwch/Priodas Hapus*, Tachwedd 1983.

Sion Sebon, Rhys Mwyn, Dewi Gwyn a Hefin Huws. Oriel Wrecsam yn perfformio yn sioe yr artist Paul Davies, 1986. *Llun: Peter Telfer*

Y Cyrff: Barry Cawley, Paul Jones, Dylan Hughes a Mark Roberts, Aberystwyth, 30 Awst 1986. *Llun: Peter Telfer*

Elfyn Presli: Geth a Dic Ben yn gig 'Galwad ar Holl Filwyr Buffalo Cymru' yn y Marine, Aberystwyth, 30 Awst 1986. *Llun: Peter Telfer*

Rhys Mwyn, Sion Jones, Sion Sebon a 'Gush'.
Cefn llwyfan yn Barrels, Bangor, 1987. *Llun: North Wales Chronicle*

Sion Jones a Rhys Mwyn, 1988. *Llun: Peter Telfer*

Rhys Mwyn, Sion Jones, Dylan Hughes a Sion Sebon wrth wal Berlin,
Medi 1988. *Llun: Huw Prestatyn*

Dylan Hughes, Sion Jones, Sion Sebon a Rhys Mwyn, 11 Awst 1989.

ïon Sebon ar ben stac, Canolfan Aberconwy, 11 Awst 1989. *Llun: Peter Telfer*

Llun gafodd ei ddefnyddio ar glawr casét Cayo Evans o'r FWA, *Eryr Gwyn Eryri*.
Llun: Cayo Evans

Gorllewin Belffast yn ffilmio fideo 'Crafwr', 15 Mawrth 1989. *Llun: Jim Maginn*

Llundain, 1990. *Llun: John Griffiths*

One Style MDV. *Llun: Mat Runacre*

Dafydd Ieuan, Sion Sebon a Rhys Mwyn. Gwesty'r Victoria, Porthaethwy

Yr Anhrefn yn Peckham. Sion Jones, Sion Sebon, Rhys Mwyn a Gwyn Jones yn ystod recordio *Rhedeg i Paris* hefo Dave Goodman, 1990. *Llun: John Griffiths*

Tsiecoslofacia, 1990. *Llun: Peter Telfer*

Lansio *Rhedeg i Paris*, yr Wyddfa. Ar y chwith, Gruff Rhys; ar y dde, Dafydd Ieuan; yn y blaen, Mickey Punk; 9 Mehefin 1990. *Llun: Rhian Eleri (Sain)*

One Style a'r Anhrefn, gig Cymdeithas yr Iaith, Canolfan Hamdden Tredegar adeg yr Eisteddfod Genedlaethol, 10 Awst, 1990. *Lluniau: Peter Telfer*

Yr Anrhefn yn yr un gig.

Tredegar, 10 Awst, 1990. *Lluniau: Peter Telfer*

Isod: Rhys Mwyn, Sion Jones a Gwyn Jones yn yr un gig.

Gwyn Jones ar y llawr, Tsiecoslofacia, Medi 1990. *Llun: Peter Telfer*

Sion Sebon a Rhys Mwyn wedi eu peintio gan Catrin Williams, Bratislava, 25 Medi 1990. *Llun: Peter Telfer*

arian i hedfan ei gorff yn ôl i Gymru felly y peth naturiol i'w wneud oedd trefnu *benefit gig*. Eto, fe ddangosodd hyn y sîn Gymraeg ar ei gorau. O fewn noson ro'n i wedi cael pob grŵp Cymraeg i gytuno i ddod i fyny i Neuadd JP ym Mangor i ganu AM DDIM er mwyn codi arian i deulu Al. Y grwpiau ymddangosodd ar y noson oedd yr Anhrefn, Gwrtheyrn, Eirin Peryglus, y Cynghorwyr, Wenfflam, Amddiffyn, Eryr Wen, Ffa Coffi Pawb, Jarman, Byd Afiach, Ail Symudiad, Martyn Geraint, Rhiannon Tomos, Dilyn y Dall, Lois a'r Rocyrs, U Thant, y Crumblowers, Dorcás, Bwchadanas, y Cyrff, Orsedd, Jess, Chiz a Meic Stevens.

Yr Anhrefn gychwynnodd y noson, gan ddod ymlaen ar y llwyfan tua 6 p.m. o flaen neuadd wag, ond o fewn ychydig fariau roedd pobl wedi deall ein bod wedi cychwyn a chyn diwedd y gân gynta roedd JP yn orlawn. Triais gyflwyno'r set i Al, a Sion Sebon yn ysgwyd ei ben rhag ofn i mi ddechrau crio neu rywbeth. Eto, roedd Feast ar y gitâr ac am ryw reswm doedd Sion Maffia ddim ar y llwyfan hefo ni y noson honno.

Fe chwaraeodd Chiz gwpl o ganeuon a chael ei heclo. Bu'n rhaid i ni ddarbwyllo'r heclars fod hon yn noson i Al a bod Chiz wedi dod yr holl ffordd o Gaerdydd am ddim i gefnogi'r noson. Mae gen i barch at Chiz hyd heddiw am wneud yr ymdrech. Roedd pawb arall mewn band ond fe aeth o ar y llwyfan jyst hefo piano a gwneud y busnes. Methwyd â chael Stevens allan o'r Glôb y noson honno felly yr Anhrefn wnaeth gloi'r noson hefyd ar ôl i Les Morrisson ein rhybuddio nad oedd Stevens yn mynd i gyrraedd mewn pryd. Mae Stevens wedi cael llawer o barch gan y sîn Gymraeg ac ar adegau mae wedi cael *get away* hefo llawer gormod. Y noson honno fe adawodd Stevens bawb i lawr, ac eto does gen i ddim cof o gwbl fod unrhyw un yn y gynulleidfa wedi gofyn amdano chwaith!

Roedd cadw aelodaeth yr Anhrefn yn job a hanner. Roedden ni'n teithio cymaint ac yn gofyn cymaint o ran ymroddiad ond bu Dylan Cyrff gyda ni yn rheolaidd yn ystod y ddwy flynedd nesa. Ar un achlysur bu Dafydd Ieuan o'r grŵp Ffa Coffi Pawb hefo ni yn drymio yn y Boardwalk, Manceinion. Y broblem fwya ar y noson oedd cael Dafydd i ddrymio'n ddigon cyflym, ond er nad oeddem yn ymwybodol o'r ffaith y noson honno byddai Dafydd yn ailymuno â'r grŵp ym 1993 ac yn aros hefo ni wedyn drwy Hen Wlad Fy Mamau nes iddo arwyddo cytundeb gyda'r Super Furrys. Sion Maffia ar y gitâr a Dylan Cyrff ar y drymiau oedd y *lineup* mwyaf sefydlog a dyma'r aelodaeth aeth ar daith hefo Joe Strummer gynt o'r Clash yn haf '88. Roedd y mudiad Class War wedi trefnu taith 'Rock Against the Rich' hefo grŵp newydd Strummer, The Latino Rockabilly War. Hefyd ar y daith roedd y grŵp *reggae* One Style MDV ac wedyn y drefn oedd fod grwpiau lleol hefyd yn canu bob nos ar y daith.

Drwy gyhoeddiad yn yr *NME* y clywson ni ein bod i ymddangos ar y daith, ac wedi i ni ddod o hyd i rif Matt Runacre, y trefnydd, fe ddywedodd "I was hoping you'd call." Yn wreiddiol roedd yr Anhrefn i ganu yn Confettis, Derby, hefo Strummer yn ogystal ag ym Merthyr a Bangor. Fel gyda'r 'Anarchy Tour' yn '77, roedd un noson ar ôl y llall yn cael ei gwahardd gan yr heddlu neu'r cynghorau ac felly y bu hi hefo Bangor a Derby. Fe lwyddon ni i ganu hefo Strummer yn Coasters, Caeredin, ac fe gawson ni fynd i Newcastle ar y *guest list* a chysgu ar y *tour bus* ond am ryw reswm chawson ni ddim gig yn Newcastle gan Matt. Bu bron i ni â rhedeg dros Strummer wrth gyrraedd Caeredin a ninnau'n *reversio*'r fan tuag at gefn y llwyfan a Strummer ar ei ffordd allan o'r *tour bus*. Fe gawson ni ganu wedyn yn y Bierkeller, Bryste, hefo Strummer a chael sgwrs hefo'r dyn ei hun gefn llwyfan gan egluro ein bod yn canu ar Ynys Manaw y diwrnod wedyn a Strummer yn camddeall a meddwl ein bod ni'n canu hefo'r grŵp Cymreig enwog o'r 70au, Man. Bob nos byddai Strummer yn diolch i ni o'r llwyfan a'n galw ni yn rhywbeth tebyg i Amffrefn. Cawson ni ddefnyddio ei *backline* a chysgu ar y bws ac roedd Matt hyd yn oed yn fodlon iawn i ni sleifio i mewn i'r hotels a chael ychydig o frecwast.

Cofiaf ffonio adre yn ystod un o'r *sound checks* er mwyn i Nêst gael clywed 'Spanish Bombs' dros y ffôn, ac mae'n rhaid i mi ddweud bod Strummer yn gwthio'r band ac yn llythrennol yn eu llusgo hefo fo drwy'r chwys a'r poer. Dyma rai o'r perfformiadau byw gorau i mi eu gweld ar lwyfan. Joe Strummer – *total* parch.

Pan oedden ni allan ar Ynys Manaw daeth galwad ffôn gan Nêst yn dweud bod y *Western Mail* wedi rhedeg stori fod elw gigs yr Anhrefn yn mynd i Feibion Glyndŵr, a sylweddolais yn syth fod Ian Bone o Class War wedi bod wrthi yn eu palu nhw fel arfer. "Does gan Meibion Glyndŵr ddim *bank account*, sut *fuck* maen nhw'n meddwl 'da ni'n rhoi y pres i Meibion Glyndŵr?" OK, roedd y peth yn ddoniol, a ninna'n ddigon pell i ffwrdd ar Ynys Manaw i chwerthin am y peth, ond ddim am hir. Daeth y newyddion fod gig Strummer yn JP Bangor wedi ei gwahardd a hefyd fod yr heddlu wedi ymweld â chlwb TJs yng Nghasnewydd i'w rhybuddio nad oedd yr Anhrefn i gael llwyfan yno. Dydi John TJs rioed wedi maddau i mi am hyn, a hyd yn oed flynyddoedd wedyn pan o'n i yn TJs hefo Catatonia neu bwy bynnag byddai John yno i fy atgoffa, "You're the one who got me into trouble with the cops."

Roedd yr Eisteddfod Genedlaethol i ymweld â Chasnewydd yn Awst '88 ac fel rhan o'r daith 'Rock Against the Rich' ro'n i wedi trefnu noson 'Rock Against the Eisteddfod' yn TJs gyda'r Anhrefn, Ffa Coffi Pawb, Heb Gariad a'r grŵp *punk* lleol Cowboy Killers. Dyma'r noson yn ôl y *Western Mail* lle roedd elw'r noson yn mynd i Feibion Glyndŵr a dyna pryd aeth yr heddlu lawr i weld John. Huw Prestatyn oedd wedi cynllunio'r posteri ar gyfer y noson, gyda llun o gôr meibion yn hytrach na lluniau'r bands.

Ro'n i hefyd wedi cael dadl gyhoeddus gyda Chymdeithas yr Iaith gan fynegi pryder eu bod yn mynd 'i mewn' i Gasnewydd i drefnu gigs Steddfod heb unrhyw gysylltiad â grwpiau a threfnwyr lleol. Cafwyd cynnig i'r Anhrefn rannu llwyfan gyda Maffia Mr Huws gan Walis Wyn George ac wedyn fe glywsom fod Ffred Ffransis wedi dechrau hysbysebu'r noson er bod y dyddiad dan sylw yn amhosib i ni gan ein bod yn canu yn y Canterbury Arms, Brixton, felly dyma ni'n taro ar y syniad yma o drefnu noson ein hunain a pheidio chwarae i'r Gymdeithas. Yn amlwg, chafodd y gig yn TJs ddim ei chynnal, ac yma mae'n debyg y mae gwraidd yr anghytundeb gyda Toni Schiavone sydd yn bodoli hyd heddiw. Er bod Schiavone a'r criw wedi chwarae rhan mor allweddol hefo gig y Fountain, Bodelwyddan, ychydig flynyddoedd ynghynt, dwi ddim yn credu i ni wneud fawr o gigs, os o gwbl, i'r Gymdeithas ar ôl hynny. Gyda'r holl sylw anffodus gyda Class War roedd yn ymddangos bron na fyddai'n bosib canu yng Nghymru eto. Cyn belled ag ro'n i yn y cwestiwn, roedd ein dyfodol fel grŵp ar y Cyfandir, ac fe wnaethon ni ddychwelyd am ddwy daith arall i'r Almaen cyn diwedd y flwyddyn.

Daeth Thomas Siegerstetter o Dachau ger Munich i mewn fel ein hasiant newydd yn yr Almaen, ac roedd Thomas yn dod o hyd i ddigon o gigs ac yn wir yn talu yn well na'r hyn gawson ni drwy Steve the Weave a Dirk felly roedd petha yn edrych yn dda iawn ar gyfer y dyfodol. Ym mis Medi chwaraeon ni o flaen 1,500 yn Berlin, y dorf fwya i ni yno hyd hynny, ac mi werthwyd bob tocyn yn y KOB eto wrth inni ailymweld â'r clwb dros yr haf.

Fe recordiodd yr Anhrefn fersiwn Gymraeg o'r gân 'Staring at the Rude Boys' gan The Ruts ar gyfer label Released Emotions o Lundain ac roedd Vince, oedd yn rhedeg y label, wedi dechrau trefnu gigs i ni yn Llundain mewn *venues* fel yr LMS yn Hendon. Roedd yn amser meddwl hefyd am yr ail record hir ar gyfer Workers Playtime. Bill Gilliam gafodd y syniad o fynd â ni at Mad Professor y cynhyrchydd *dub* i drio arbrofi a chreu rhywbeth newydd. Mewn egwyddor roedd hyn yn syniad da ond yn ymarferol roedd yn hunllef. Doedd y Mad Professor ddim yn y stiwdio hefo ni o ddydd i ddydd ac roedd y gwaith ar y peiriannau yn cael ei wneud gan De Mondo, sef *assistant* y Mad Prof. Doedd fawr o waith paratoi wedi ei wneud cyn hynny ac roedd gormod o'r mwg drwg yn y stiwdio, ac yn sydyn iawn roedd hanner yr albwm yn *dub reggae* llipa. Wrth gwrs, roedd Sion Maffia wrth ei fodd, ond doedd neb wedi meddwl go iawn sut roedden ni am gyfuno *punk* a *reggae* – dyna oedd ei angen, nid trio chwarae *reggae*. Fe fu'n rhaid i ni ailrecordio hanner yr albwm yn Stiwdio One gyda Ronnie Stone ac fe lwyddwyd i achub ambell i drac pan ddaeth Neil Frazer i mewn ar y diwrnod ola a gwneud ychydig o *dub mixes*. Yn wir, fe ymddangosodd un o'r *mixes* yma, *dub mix* o 'Bach Dy Ben', ar gasgliad 'dawns' ar CD ochr yn ochr â grwpiau fel Depeche Mode a Black Roots. Bu bron i mi adael y band yn y cyfnod yma lawr yn Ariwa Sound Studios yn Crystal Palace. Dim ond sgwrs hir gyda Bill Gilliam berswadiodd fi i ddychwelyd i'r stiwdio i orffen y sesiwn.

Ar adeg arall bu'r band yn Trallwyn Hall ger Pwllheli gyda Kevs Ford o Llwybr Llaethog yn cynhyrchu, jyst i drio cael rhywbeth mwy amrwd ac agosach at sŵn y band yn fyw, ond chafodd y *demos* yna erioed eu rhyddhau. Yr unig record arall i mi fod wrthi yn ei recordio yn '88 oedd 'Popeth ar y Record wedi cael ei Ddwyn' gan Llwybr Llaethog, lle samplwyd hen ganeuon Cymraeg, ac fe berswadiodd John Llwybr Llaethog fi i rapio drwy *megaphone* ar y record. Oherwydd arferiad pobl Blaenau i ddweud 'gedru' am 'gallu' roedd John druan wedi ennill y ffugenw 'Gedru' neu 'John Gedru' a dyna sut mae John yn cael ei adnabod hyd heddiw. Eto roedd Llwybr Llaethog ar y blaen hefo eu *samplers* cyntefig a tra oedd MARRS yn rhif un yn y siartiau gyda 'Pump Up the Volume' roedd Llwybr Llaethog wedi creu y record *sampled* gyntaf yn y Gymraeg.

Yn ystod '88 roedd John Robb o'r grŵp The Membranes a gohebydd i'r cylchgrawn *Sounds* wedi dod draw i Fangor i ysgrifennu stori am y sîn Gymraeg a chafwyd erthygl dros dair tudalen ganol y cylchgrawn. Erbyn hyn ro'n i wedi deall bod angen i ni greu delweddau Cymreig o amgylch yr hyn roedden ni'n ei wneud. Roedd rhaid pwysleisio'r elfennau diwylliannol a hanesyddol a dyma ddechrau defnyddio Castell Dolbadarn fel safle ar gyfer tynnu lluniau a gwneud cyfweliadau.

Dros y blynyddoedd fe es â chymaint o newyddiadurwyr a chwmnïau teledu i Gastell Dolbadarn gan ddefnyddio'r un llith, "This is a Welsh castle ... not a castle of oppression but a castle of resistance." Fe dynnwyd lluniau o'r Anhrefn yno droeon a bu ffotograffydd o'r *NME* i fyny yno flynyddoedd yn ddiweddarach i wneud *shoot* hefo Hen Wlad Fy Mamau. Ar un achlysur daeth rhaglen *Reportage* BBC2 draw i wneud sgwrs hefo'r Anhrefn a'r ohebwraig oedd Magenta DeVine. Wrth i ni gerdded tuag at y castell dyma Magenta yn troi ata i a gofyn "How can you live somewhere so cold?" Magenta yn ei du a'i *shades* du yn trio ei gorau i osgoi'r cachu defaid a finnau jyst yn chwerthin. Hi oedd person PR y grŵp Sigue Sigue Sputnik yng nghanol yr 80au ond bellach roedd yn wyneb cyfarwydd ar BBC2 ar gyfresi yr ifanc, Janet Street-Porter.

Fe ryddhawyd *Bwrw Cwrw,* ail record hir yr Anhrefn ar label Workers Playtime, yn ystod '89. Hon oedd y record ola i ni ei recordio gyda Bill Gilliam. Doedd hi ddim yn record gref o'i chymharu â gwerthiant o dros 5,000 gyda *Defaid, Skateboards a Wellies.* Mae'n rhaid bod Bill wedi bod yn siomedig gyda gwerthiant y record. Er hyn fe ffilmiwyd fideos ar gyfer 'Be Nesa 89' gan Meic Jones yng Nghaernarfon ac ar gyfer 'Crafwr' yn Belfast ac fe ddangoswyd y ddau ar SKY TV a Super Channel yn ogystal ag ambell i glip ar BBC2.

Fe ddaeth Meic Jones i gysylltiad gyda diddordeb mewn ffilmio fideo i'r band. Roedd Meic yn un o wynebau'r Albert a chan ei fod yn sôn am fideos drwy'r amser cafodd yr enw 'Spielberg' gan y *locals* yno. Felly, i'r Anhrefn, Mike Spielberg oedd o, a ffilmiwyd ni mewn atig yng Nghaernarfon ac ar stad ddiwydiannol Griffiths Crossing ger y Fenai ar gyfer y gân 'Be Nesa'. Hwn, mae'n debyg, oedd y fideo annibynnol cynta yn y Gymraeg – hynny yw, fideo na chomisiynwyd gan gwmni teledu. Yn ystod taith yr Anhrefn yn Iwerddon perswadiwyd cwmni Criw Byw i ffilmio fideo o'r gân 'Crafwr' o amgylch Belfast. Ffilmiwyd yn yr ardaloedd gweriniaethol ac unoliaethol yn ogystal ag yng nghanol y ddinas, ond cafwyd yr hwyl gorau yn y *ghettos* gweriniaethol lle roedd plant y stryd yn awyddus i ymuno yn yr hwyl, a defnyddiwyd clips o un hogyn ifanc yn chwarae'r drymiau hefo ni.

Drwy John Robb o'r Membranes ro'n i wedi gwneud cysylltiad â'r trefnydd Niall McQuirk o Ddulyn a daeth Niall drosodd i ogledd Cymru i gyfarfod â'r band. Wrth gwrs, fe aethon ni â Niall i lawr i'r Albert ac esbonio pwy oedd pwy, ac yn llythrennol roedd pob yn ail berson yn yr Albert hefyd yn aelod o fand. Wedyn, wrth gerdded lawr stryd fawr Bangor dyma Niall yn dweud "We'll probably see Aled Jones next!" ac, wrth gwrs, fe ddigwyddodd hynny. Er mawr syndod i Niall, roedd Sion Sebon yn nabod Aled yn iawn gan eu bod yn gyd-aelodau o glwb tennis Bangor ac wedi chwarae sawl gêm gyda'i gilydd. Ond dyna yw Cymru, pawb yn adnabod pawb a phob yn ail berson mewn band. Ro'n i hefyd wedi dod i adnabod y cerflunydd o Derry, Locky Morris, a oedd wedi bod ar ymweliad â Chymru drwy wahoddiad Steve Eaves, felly roedd ein *contacts* yn yr Iwerddon yn tyfu a Niall a Locky yn awyddus i'n cael ni draw. Drwy Steve Eaves, gwnes gysylltiad arall, y tro yma gyda Martin O'Muilleoir o Sinn Féin. Yn ôl Martin fo oedd ein hasiant yng Ngogledd Iwerddon a fo oedd yn edrych ar ein hôl. Mi wnaethon ni aros yn ei dŷ a chysgu'r nos tu cefn i'r bariau dur mawr dros y ffenestri a'r drysau. Trefnodd Martin gigs i ni, nid yn unig ym Mhrifysgol Queen's a Choleg Whiterock yng ngorllewin Belfast ond hefyd ym Mhrifysgol Ulster a Coleraine lle roedd mwyafrif y myfyrwyr yn unoliaethwyr, fel ein bod yn gweld y ddwy ochr yn ôl fo. Yn y cadarnleoedd unoliaethol roedden ni'n cael croeso "Welcome to British Ulster" ond doedd hi ddim yn hawdd rhoi gwên yn ôl ac roedd hi'n ddoeth osgoi pob dadl.

Lle roedd Martin yn dda hefo ni oedd pan oedd yr *hard-liners* a'r hen fois IRA yn galw ni'n "Brits" roedd o yno i ddweud "They're my boys." Rhyfedd sut mae'r Gwyddelod yn gallu bod mor anwybodus am sefyllfa Cymru, ond i'r *hard-liners* roedd pawb dros y môr yn "Brits". Bu sawl gig yn Derry lle roedd y *security* dan ofal cyn-garcharorion H-Blocks ac mae'n rhaid eu bod wedi meddwl ein bod yn rhyw fath o *puffs playing nancy-boy music*. Dim gwên, fawr ddim amynedd, *yeahhh right!*

Wrth i ni groesi'r ffin i'r gogledd ger Newry dyma gael ein harchwilio gan Filwyr Cymreig wrth y *checkpoint*. "Where you going then boys?" "You don't want to go up there, it's dangerous!" "Where are you staying?" Unwaith eto, dweud cyn lleied â phosib a bod yn gwrtais achubodd y dydd, a thrwodd â ni ac ymlaen am y Falls Road.

Wrth i ni gyrraedd Belfast a holi'r ffordd i'r Falls Road dyma ddau hogyn ifanc yn neidio ar gefn y fan gan addo dangos y ffordd i ni ac yn llythrennol yn hongian o ddrws cefn y fan. Ar y Falls Road ei hun dyma ofyn am y man cyfarfod hefo Martin, gan ofyn i dad un o'r rheini gafodd eu lladd gan yr SAS yn Gibraltar. Lle bach iawn oedd Belfast.

Fe chwaraeon ni ym Mhrifysgol Queen's ar y nos Lun a dwi'n

cofio codi'r bore wedyn i ffilmio'r fideo ac edrych o dan y fan cyn agor y drws a chychwyn yr *ignition*. *Yep*, roedden ni mewn *war zone* ond roedd yn gyffrous ac yn ysbrydoledig. Fe ganodd y band hefyd yng Ngholeg Whiterock ac mewn ysgol gynradd Wyddeleg gan fynd â'r neges at bobl ifanc oedd yn dysgu'r Wyddeleg yn Belfast. Fe deithion ni hefyd reit draw i'r gorllewin gan ganu yn Gweedore, cartre'r grŵp Clannad, ac wedyn yn y Glen Bay Hotel yn Glencolmcille, reit ar arfordir yr Iwerydd. Erbyn i ni gyrraedd y ffordd gul am Glencolmcille roedd hi'n bwrw eira a ninna'n cychwyn chwerthin yn y fan – ydan ni'n mynd i gyrraedd? Ar y noson, gyda'r tywydd ar ei fwya uffernol, dim ond tri oedd yn y gynulleidfa: y barman, un alcoholig llon ac un ferch oedd wedi dod yno i weld yr Anhrefn. Felly *the show must go on* ac fe gafodd y ferch yr un sioe ag y byddai 300 o bobl yn ei chael, er i ni dorri y set nawr ac yn y man i fynd i'r bar neu am bisiad. Dwi'n credu i ni chwarae am dros ddwy awr y noson honno o flaen y gynulleidfa leia i ni erioed ei chael.

Y noson gynt yn Gweedore roedden ni wedi canu mewn disgo *young farmers*, oedd yn brofiad yn ei hun, gyda phawb yn siarad Gwyddeleg. Ro'n i wedi blino cymaint yn Gweedore fel yr es i gysgu yn sefyll i fyny yn erbyn wal yn y disgo. Erbyn i ni gyrraedd ein gwlâu roedd Niall a'i ffrindiau wedi ymuno â ni yn yr ystafell yn y gwesty a chlywodd y perchennog si fod gormod yn yr ystafell a dechrau curo ar y drws. Goleuadau allan! Deifiodd Niall a rhyw dri arall i mewn i *wardrobe* gan drio cuddio wrth i ni agor y drws yn gilagored i'r rheolwr. "How many in this room?" "Just the four of us in the band," medda fi fel roedd y *wardrobe* yn ysgwyd wrth i Niall *and co* fethu peidio â chwerthin. Roedd eu dwylo i'w gweld ta beth yn trio cau'r drws felly doedd dim modd twyllo'r perchennog ac fe dreuliodd y Gwyddelod weddill y noson yn fan yr Anhrefn. Y bore wedyn cafwyd cryn drafferth cychwyn y fan oherwydd gwynt tamp o'r Iwerydd a ffarweliwyd â Niall am y tro wrth iddo fo a'r criw fynd yn ôl i Ddulyn. Roedd gynnon ni gig pnawn yn Letterkenny cyn mynd draw i Glencolmcille.

Mi fuon ni yn ôl i Letterkenny, neu 'Leddrkenny' i'r Gwyddelod, sawl gwaith dros y blynyddoedd, bob tro i wneud gigs ar bnawn Sul, a phob tro roedd y *kids* yn gwisgo du – DMs du, *bomber jackets* du a *commando caps* du. Dyna oedd y 'Leddrkenny' *uniform* dybiwn i.

Ar ddechrau '89 fe wnaethon ni ein gigs cynta yn y Swistir gan dreulio'r rhan fwyaf o Chwefror a Mawrth yn yr Almaen. Wedyn, yn Ebrill trefnwyd taith i'r Alban. Y tro yma roedden ni i deithio gyda'r Nyah Fearties o Lugton ger Kilmarnock. Rŵan, roedd y Fearties yn hollol wallgo ac roedden nhw wedi cael cryn sylw ar raglen *The Tube* a hyd yn oed wedi cael cynnig cytundeb i'w rheoli gan 'Big Frank', rheolwr The Pogues, ond rywsut neu'i gilydd roedd y Fearties yn methu cydymffurfio neu yn methu gwerthu allan a phob tro yn ei heglu hi nôl i Lugton. Fel y dywedodd Stephen Feartie, "Aaach, we told Frank to piss off." Ei frawd Davey oedd y Feartie llawn amser arall, gydag Alan ar y bas, a heb os dyma grŵp oedd yn agos iawn o ran agwedd a syniadaeth i'r hyn oedd gan yr Anhrefn. Fe wnaeth y ddau grŵp gymaint gyda'i gilydd dros y blynyddoedd nesa ac roedd y cyfeillgarwch a'r ddealltwriaeth rhyngthon ni cystal os nad gwell nag y bu cyfeillgarwch tebyg gyda grwpiau Cymraeg. Hwn oedd y dimensiwn nesa, sef grwpiau yn canu mewn ieithoedd lleiafrifol yn achos y Fearties Gaeleg yr Alban. Yn ôl yr arfer roedd y Fearties yn gwisgo *kilts* ac yn tynnu eu tronsia cyn mynd ar y llwyfan; eto yn ôl Stephen, "I'm not wearing this English shite on stage."

Ar y daith mi wnaethon ni ymweld ag Ayr, Glasgow, Caeredin a Perth gan ailgyfarfod â Richard, un o drefnwyr y daith 'Rock Against the Rich', oedd yn byw yn Perth, a fo drefnodd y gig yn Biancos hefo'r bands Blam Blam YC, The Wendys, y Nyah Fearties a'r Anhrefn. Dyna'r pella i ni fod i'r gogledd ar y pryd ac roedd yr ymateb yn Perth yn wych. Roedd yr Alban yn teimlo fel 'gwlad arall' ac roedd y gigs a'r PA o safon uchel.

Fe dreuliwyd y rhan fwyaf o '89 i ffwrdd o adre, ar y ffordd, ac fel 'na roeddan ni hapusa. Ym mis Mai teithiwyd i'r Iseldiroedd a Gwlad Belg gyda'r trefnwyr Dik a Gys, a oedd wedi dod i gysylltiad drwy grwpiau fel Blyth Power a Thatcher on Acid, grwpiau o'r sîn anarchaidd / hawliau anifeiliaid oedd wedi rhannu'r llwyfan â'r Anhrefn droeon. Gan fod Dik yn ysgwyd ei ben wrth siarad, fo oedd 'Wobbly Dik', ac roedd gan Gys yr arferiad o'n galw ni'n "little Welsh cunts" a chan ei fod mor dal cafodd y ffugenw 'Big Dutch Cunt'.

Doedd yr Iseldiroedd ddim mor gyffrous â'r Almaen – doedd yr ymateb ddim mor wyllt ac roedd y gynulleidfa yn tueddu i edrych a gwrando yn hytrach na dawnsio – ond roedd yn braf iawn gallu ymweld â gwledydd gwahanol. Erbyn hyn roedden ni *on a mission* ac wrth deithio o amgylch Ewrop gyda map ar ein gliniau byddai'r band yn breuddwydio am groesi mwy fyth o ffiniau. Dros weddill y flwyddyn fe aethon ni yn ôl i Ynys Manaw a'r Iwerddon a'r Almaen a'r Iseldiroedd am deithiau eraill ac fe es i a Gorwel Roberts (Bob Delyn) a Dafydd Rhys (Bethesda) draw i'r gynhadledd Berlin Independence Days i drio creu mwy o gysylltiadau i grwpiau Cymraeg yn Ewrop.

Hefyd, rhwng yr holl deithio, ro'n i wedi teithio draw i Lydaw i ymweld â'r grŵp roc Llydewig EV gan dreulio ychydig o ddyddiau gyda Gweltaz Adeux y canwr yn Nantes cyn mynd lawr i Wlad y Basg i gyfarfod Ouhika Records a oedd yn awyddus i drwyddedu cynnyrch yr Anhrefn. Dyma gyfnod gwirioneddol Ewropeaidd i ni fel band, pan oedden ni'n gwneud mwy o gigs tu allan i Gymru nag a wnaethon ni adre; chwaraeon ni ddim mwy na hanner dwsin o weithiau yng Nghymru yn ystod '89! Wrth edrych ar y dyddiadur am y flwyddyn roedd rhywun wedi sgriblo dros y dudalen 'The Fuck Tour' am yr holl deithio'r flwyddyn honno, ac o dan hynny rhywun arall wedi ychwanegu 'The Fuck Tour Continues…'

Pennod 6
Rhedeg i Paris

Yn dilyn yr ymweliad â Llydaw ro'n i wedi trefnu taith o amgylch Cymru i'r grŵp EV ar ddiwedd '89. Cefais fy nghyflwyno i'r band gan ŵr o'r enw Davyth Fear o Gernyw, a oedd wedi symud i Gymru i fynd i'r Brifysgol ym Mangor, a thra oedd yno mi ddysgodd Gymraeg. Davyth Fear gafodd y syniad o greu'r albwm *Keltia Roc*, sef casgliad o grwpiau'n canu yn yr ieithoedd Celtaidd, a chan fod EV yn adnabyddus ac wedi gwneud gigs yn Llydaw gyda Maffia, digon naturiol oedd eu gwahodd i fod ar y casgliad. Arferai EV wisgo mewn gwyn, a chan fod dau frawd o'r Ffindir hefyd yn y band, Harri a Jarri, roedd hanner eu set yn Ffinneg. Ar lwyfan roeddynt rywle rhwng Duran Duran a'r Sex Pistols, cyfuniad od iawn, ond felly roedd hi yn Ewrop – roedd elfennau *euro pop* a *new romantics* yn gryf ar y Cyfandir. O ran sioe roedd EV yn egnïol iawn, yn enwedig Jarri, ac yntau'n dod drosodd fel hanner Simon Le Bon a hanner Sid Vicious.

Davyth Fear hefyd aeth at gwmni recordiau Sain i weld a fyddai ganddyn nhw ddiddordeb yn y prosiect ac, unwaith eto, wrth i Davyth Fear sôn am rannu'r elw rhwng y grwpiau daeth llythyr arall gan Dafydd Iwan yn gofyn "Be ffwc ydi elw?" Ond wrth i mi a Davyth fynd nôl a mlaen at Sain i drafod y prosiect gyda Dafydd Iwan, dyma ddechrau'r sgyrsiau rhwng DI a finnau am i'r Anhrefn recordio hefo Crai – label newydd roedd Sain am ei gychwyn ar gyfer yr 'ifanc'. Dros yr wythnosau nesa ro'n i nôl a mlaen o Sain ac yn parhau i sgwrsio hefo Dafydd Iwan, a chan fod y *deal* hefo Workers Playtime wedi dod i ben roedd yn gwneud synnwyr cael label newydd ar gyfer yr Anhrefn. Hefyd, ro'n i'n hoff iawn o'r syniad o gael bod ar label Cymraeg a hyd yn oed yn gallu recordio yng Nghymru yn hytrach na gwneud pob dim yn Llundain. Yr unig beth i'w wneud wedyn oedd perswadio'r band bod hynny'n syniad da.

Erbyn diwedd '89 roedd Dylan Hughes (Dylan Cyrff) wedi cael digon ar ddrymio'n llawn amser hefo ni ac felly rhoddwyd gwahoddiad i Gwyn Maffia ymuno. Mewn ffordd roedd hyn yn gwneud synnwyr gan fod Sion Jones, ei frawd, yn y band yn barod, felly o hynny ymlaen byddai dwy set o frodyr yn yr Anhrefn. Er mwyn cael y band yn ôl yn 'ffit' mi drefnwyd taith yng Nghymru i gynnwys tua 30 gig o fewn mis, gan gynnwys nifer o ysgolion yn ystod y dydd. Yn ystod un wythnos mi chwaraeon ni ym mhob ysgol yng Nghaernarfon. Roedd y daith i orffen yn y Powerhaus yn Llundain ar 1 Mawrth, felly roedd yn bwysig o ran y gig honno ein bod wedi ymarfer ac wedi chwarae'n fyw hefo Gwyn.

Fe ddechreuodd y Powerhaus fel estyniad o'r hyn roeddem wedi ei wneud mewn *venues* fel y Greyhound yn y gorffennol − pa well lle na Llundain i ddathlu Gŵyl Ddewi? Mi wnaeth Huw Prestatyn gynllunio'r posteri yn cynnwys merch mewn gwisg Gymreig a'r noson yn cael ei galw'n 'Token St David's Day Event' ac roedd sawl elfen o hiwmor yn perthyn i'r trefniadau. Yn gyntaf, roedd hyn yn weindio'r Cymry Cymraeg i fyny, ond drwy ddefnyddio'r geiriau 'token Welsh gig' roeddem hefyd yn cymryd y *piss* o'r wasg gerddoriaeth Seisnig. Ar y noson roedd Steve Lamacq o'r *NME* wedi dod draw a dywedodd wrtha i na fyddai'r noson yn cael ei hadolygu yn y papur. "I don't care, we don't want to be in the *NME*," meddwn i, "just enjoy the gig!"

Roedd Criw Byw hefyd yno i recordio'r noson, er i ni gael ychydig o drafferth cael caniatâd i ffilmio. Y diwrnod cynt fe ffonion nhw fi i ddweud nad oedden nhw am ddod. Bu'n rhaid i mi ffonio Vince Power o'r Mean Fiddler a gwneud yn siŵr fod Criw Byw yn cael caniatâd achos roedd y ffioedd darlledu yn bwysig i ni o ran gallu llwyfannu'r grwpiau U Thant, Crumblowers, Fflaps a Brith Gof gyda ni ar y noson. Felly wrth i ni gyd-ganu ym Mhrifysgol Coventry y noson gynt ro'n i ar y ffôn hefo Vince Power yn dweud "no filming, we pull the gig". O fewn munudau roedd Power wedi sortio popeth gan gynnwys caniatâd i *trucks* Criw Byw barcio ar Islington High Street.

Yn rhyfedd iawn, y diwrnod wedyn fe fûm i'n adrodd yr hanes wrth y Fflaps mewn caffi dros y ffordd i'r Powerhaus a finnau'n fanno'n bloeddio "Criw Byw, they're fucking wankers" heb sylweddoli eu bod nhw'n sefyll yn y ciw bwyd yn union tu cefn i mi. Wel dyna ni, fe ddigwyddodd yr holl beth yn y diwedd.

Daeth y cyflwynydd teledu Gaz Top draw i gyflwyno'r grwpiau ar y llwyfan gan gyflwyno'r Anhrefn fel "the best rock 'n roll band to come out of Wales". Unwaith eto roedd y *venue* yn orlawn ac o flaen y llwyfan, yn heclo drwy'r noson, roedd Rhys Ifans. Hefyd yn y gynulleidfa y noson honno roedd yr hen gariad, Karen, a hithau bellach yn byw yn Llundain, ac fe nes ei chyflwyno i Nêst. Dwi'n credu iddyn nhw fod yn ddigon cwrtais wrth ei gilydd ond nes i ddim aros o gwmpas i wrando ar y sgwrs.

Eto, roedden ni wedi profi ein bod yn gallu llenwi *venue* yn Llundain ac roedd digon o hwyl ymhlith y bandiau, gyda Rhys Pys a gweddill U Thant a'r Crumblowers yn *chantio* ar ffurf cân ffwti "Mwynie is our Leader" wrth i mi drio cael trefn ar bawb a phopeth. A dweud y gwir roedd U Thant a phawb yn gwneud i mi chwerthin cymaint fedrwn i ddim gwneud fawr mwy nag eistedd i lawr a thrio peidio cymryd sylw ohonyn nhw.

Camgymeriad mawr i mi ei wneud pan ymunodd Gwyn ar y drymiau oedd bod yn hollol Stalinaidd a deud bod angen i ni symud yn ein blaenau fel band a chynnwys caneuon hollol newydd yn y set. Felly wnaethon ni ddim cynnwys dim byd o'r albyms *Defaid* na *Bwrw Cwrw* yn y set a dim o gyfnod y casgliadau *Cam o'r Tywyllwch* a *Gadael yr Ugeinfed Ganrif*. Mewn un ffordd roedd hyn yn beth da, gan iddo wthio Sion Sebon a finnau i sgwennu stwff newydd, ac o safbwynt y gynulleidfa bydden nhw'n clywed stwff newydd o hyd, ond ar y llaw arall roedd yn biti colli caneuon fel 'Crafwr' neu 'Rhywle yn Moscow' o'r set. O edrych yn ôl, ro'n i'n anghywir – oes, mae angen sgwennu caneuon newydd, ond mae yna le i gadw'r hen *hits* yn y set hefyd. Efallai fy mod i isho pwsho'r peth tu hwnt i *punk rock* a bod yn fand cyfoes trwy'r amser na fyddai byth yn edrych yn ôl. Dydi caneuon fel 'Rhywle yn Moscow' ddim wedi cael eu perfformio ers hynny.

Ar yr ochr bositif fe sgwennais eiriau 'Rhedeg i Paris', a oedd yn sôn am gael ysbrydoliaeth mewn digwyddiadau fel terfysgoedd y myfyrwyr ym Mharis ym 1968 ac wedyn defnyddio hynny i greu diwylliant newydd yng Nghymru. Hon oedd y gân lle ro'n i'n cydnabod dylanwad pobl fel Jamie Reid a Malcolm McLaren ar bopeth ro'n i wedi ei wneud. Mi luniodd Sion Sebon riffs fel arfer ac am ryw reswm fe darodd y gân ddeuddeg gyda'r Cymry Cymraeg. Roedd pawb yn canu 'Mona Lisa' a chawson ni ail wynt yng Nghymru am weddill y flwyddyn.

Fe arwyddwyd cytundeb recordio gyda label Crai, a thrwy Vince o label Released Emotions yn Llundain llwyddwyd i gael Dave Goodman, cyn-gynhyrchydd y Sex Pistols, i gynhyrchu'r sengl *Rhedeg i Paris*. Bu cryn waith darbwyllo Goodman i weithio hefo ni – dwi ddim yn meddwl ei fod yn dallt y 'peth Cymraeg – ond roedd Vince yn *hustler* ac yn *wide boy* ac yn ddigon tebyg i Goodman, felly yn y diwedd cytunwyd y bydden ni'n mynd i stiwdio Dave yn Llundain gyda Sain yn talu'r costau.

Y penwythnos cyn i ni fynd at Goodman roedd gyda ni gigs yn Rennes a Nantes a daeth John Gedru a Jêc o'r Jecsyn Ffeif hefo ni am dro. Dwi rioed wedi gweld dau'n dadlau a weindio'i gilydd cymaint – roedd Gedru wedi meddwi ar y cwch, felly pan gyrhaeddon ni Ffrainc yn y bore roedd John yn siarad Ffrangeg *full throttle* ac yn gweiddi "vive la révolution".

Yn Salle de la Cité yn Rennes roedd y boi *monitor mix* hefo *mini bar* ar ochr y llwyfan felly aeth Gedru a Jêc yn syth ato i wneud ffrindiau hefo fo, gan adael i ni osod yr offer a chael *sound check,* neu *checkout* fel oedd o gan yr Anhrefn. Er i ni dreulio cymaint o amser yn *slagio* Llydaw fel Hicksville, Arizona, roedd y gig yn *brilliant* a bu rhaid i mi newid ychydig ar fy nhiwn, o leiaf am y dinasoedd Rennes a Nantes.

Yn stiwdios Goodman recordiwyd fersiwn o 'Rhedeg i Paris', 'Y Ffordd Ymlaen' a 'Llygaid wrth Lygaid' a hynny i gyd am £300. Dwi rioed wedi gweld Dafydd Iwan mor hapus. Pauline Murray o'r grŵp Penetration o Newcastle oedd wedi sgwennu geiriau 'Llygaid' ar ôl i mi sôn fy mod isho sgwennu cân am Gymro a Saesnes yn mynd allan hefo'i gilydd.

Ar gyfer y clawr ro'n i isho rhywbeth eitha Jamie Reidaidd felly gofynnais i'r artist Catrin Williams wneud rhywbeth tebyg i waith Reid ar ein cyfer. Yn y bôn, rhwng Goodman, Pauline Murray a'r delweddau ar y clawr, ro'n ni'n gwneud hwyl am yr holl gysylltiad *punk* ond mewn ffordd eitha artistig, yr hyn a elwir yn *plagiarism* yn Saesneg. Er mwyn cwblhau'r prosiect fe gefais afael ar riff ffôn yr awdur Jon Savage drwy TV Smith a gofyn i Jon wedyn am gysylltiad ffôn ar gyfer Jamie Reid. Sut mae egluro hyn i gyd, Duw a ŵyr, ond pan ffoniais Jamie a dweud ein bod wedi 'dwyn' ei syniadau fe ofynnodd am gopi o'r sengl ac o fewn deuddydd roedd Jamie yn ôl ar y ffôn: "I loved the single by the way – we should meet up."

Teithiais lawr i Shoreditch i stiwdios Assorted Images, cwmni a oedd wedi ei sefydlu gan Malcolm Garrett, cynllunydd y Buzzcocks. Roedd gan Jamie stiwdio yno ac o fewn eiliadau dyma Jamie yn gofyn "Can you sort out an exhibition for me in Wales?" O'r eiliad gyntaf roedd yna ddealltwriaeth a chyfeillgarwch – *like-minded souls*. Roedd Jamie newydd ddychwelyd o Tokyo lle bu'n arddangos ei waith diweddara dan yr enw 'The Celtic Surveyor' a dyma oedd yr arddangosfa oedd i ddod i Oriel Pendeitsh yng Nghaernarfon. Yn ôl Jamie roedd yn dderwydd – do'n i ddim, wrth gwrs, nac erioed wedi meddwl am y peth – ond wrth i ni sgwrsio roedd yn amlwg ein bod yn rhannu'r un meddylfryd a syniadaeth. Fel yr hen jôc, 'I'm a druid but didn't know it.'

Shit man, ro'n i'n eistedd yn fan hyn gydag un o'r Sex Pistols yn trafod derwyddiaeth a'r Celtiaid. Fel roedd hi'n digwydd bod, roedd teulu Jamie yn hanu o'r Alban a sefydlodd ei hen ewythr George Watson MacGregor-Reid y 'Druid Order' ym Mhrydain. Felly dyna ni, ro'n i nawr yn *collaborator* gyda Jamie Reid. Trefnodd Jamie dacsi i mi draw i dŷ Jon Savage yn Elgin Avenue, Maida Vale, ac o fewn yr awr ro'n i yn eistedd yno yn gwrando arno'n dweud iddo ddarllen am yr Anhrefn yn y wasg gerddorol. Jon a Jamie oedd fy arwyr, y nhw oedd wedi ysbrydoli cymaint ar fy ngwaith creadigol, ond o hyn ymlaen y nhw fyddai fy ffrindiau gorau. Daeth Jon i fyny i 'ngweld i yng Nghymru yn fuan wedyn a threulion ni bnawn pleserus ym Meddgelert. Wedi hynny byddai Jon â'i fryd ar symud i fyw i Gymru.

Trefnais sawl arddangosfa ar gyfer Jamie, y gynta yn Oriel Pendeitsh, Caernarfon, lle llwyddwyd i ddenu criw yr Albert i mewn i oriel gelf, mwy na thebyg am y tro cynta yn eu bywydau. Trefnwyd arddangosfa arall o'r enw 'Llechi' ar y cyd â'r Amgueddfa Lechi yn Llanberis ac arddangoswyd y gwaith yma hefyd yn Amgueddfa Bangor. Uchafbwynt yr arddangosfa yma, heblaw am y gweithdai gyda disgyblion ysgolion lleol, oedd i ni adeiladu bwrdd anferth o lechan gydag arlunwaith Jamie arno. Hyd heddiw rydyn ni'n dal i drio dod o hyd i gartref parhaol a theilwng i'r bwrdd.

Fel rhan o'r arddangosfa 'Llechi' ro'n i wedi rhoi gwahoddiad i Catrin Williams gydweithio â ni ond rhywsut, yn y fargen, roedd Jamie'n anfodlon â'r trefniadau a bu'n rhaid i mi ddweud wrth Catrin na fyddai modd iddi gymryd rhan wedi'r cwbl. Doedd dweud wrthi ddim yn beth hawdd a hyd heddiw dwi'n gwybod yn fy nghalon i mi wneud cam mawr â Catrin, ond mae trio delio gyda Jamie yn gallu bod yn ofnadwy o anodd ac yn y bôn ei brosiect o oedd hwn – fi efalle oedd wedi sôn wrth ormod o artistiaid am gydweithio. Fe yrrodd Gruff Rhys gynllun i ni adeiladu *fountain* o lechi a'r syniad oedd bod criw Wwzz, Cian a Meilyr, yn mynd i helpu i greu'r gwaith ar ran Gruff a oedd, ar y pryd, yn y coleg yn Barcelona. Ond gan ein bod yn rhy brysur yn delio hefo gwaith Jamie a chan nad oedd Cian a Meilyr wedi ymddangos, methais â chreu gwaith Gruff. Cofiaf ar y noson agoriadol fod Ioan Bowen Rees, tad Gruff, wedi bod yn flin iawn hefo fi am i mi fethu â'i greu. Ella i mi drio gwneud gormod a bod yn rhy frwdfrydig wrth rannu syniadau, ond o safbwynt Jamie bu'r holl beth yn llwyddiant a phenderfynwyd mynd â'r sioe drosodd i Derry ar wahoddiad Locky Morris.

Heb os, yr wythnos yn Derry yw un o'r wythnosau gorau i ni ei chael erioed. Daeth y Nyah Fearties drosodd o'r Alban, daeth Sion Sebon a Dafydd Ieuan drosodd ar gyfer gigs yr Anhrefn a daeth Joe Larmour hefo ni i helpu Jamie osod yr arddangosfa. Yn hwyrach yn yr wythnos ymunodd Frank Clarke a'i *entourage* o *bondage lesbians* â'r parti – brawd Margi Clarke a chyfarwyddwr y ffilmiau *Letter to Brezhnev* a *Blonde Fist*. Dyma'r unig dro i mi gael sws ar fy ngwefusau gan rywun hoyw. Rhoddodd Frank sws *smack on* i mi – do'n i ddim am ei wrthod ac eto fedra i ddim dweud mod i wedi hoffi'r profiad. Aaahhh! Dyna sut mae merched yn teimlo pan 'di'r dynion heb gael *shave*! Ar y noson ola, gyda'r Anhrefn a'r Fearties yn perfformio, daeth Joe i'r llwyfan a chyhoeddi "anyone got any drugs?" – dim y peth doetha i'w wneud yng nghanol y criw o *ex*-IRAs oedd yn stiwardio. Yn ystod y noson treuliais amser gyda John O'Neill o'r Undertones yn sgwrsio am y busnes cerddoriaeth a fo yn gofyn yr holl gwestiynau i mi ar ran y grŵp newydd, Rare, roedd o wedi ei gychwyn hefo Locky, gyda Mary, cariad Locky, yn canu.

Drwy ei berthynas â'r actores Margi Clarke o'r ffilm *Letter to Brezhnev* symudodd Jamie i fyw i Lerpwl gan unwaith eto gryfhau'r cysylltiadau rhyngon ni. Taniwyd ein dychymyg am y cysylltiadau hanesyddol rhwng Cymru a Lerpwl ac o hyn ymlaen byddai Jamie'n dod o hyd i ryw Sgowsar neu'i gilydd i fod yn rhan o'r antur. Oherwydd ein hiwmor, mae'n siŵr, daeth yr Anhrefn yn rhan o'r sîn yn Lerpwl gan ymuno â'r ymgyrch yn erbyn treth y pen a gâi ei drefnu gan Ronnie Flood, oedd yn cadw *greasy caff* yn y dociau. Cyn-fyfyriwr i Jamie oedd y newyddiadurwr Steve Kingston, a dechreuodd sgwennu am yr Anhrefn ym mhapurau gogledd Lloegr. Partneriaid hoyw oedd Mark a Simon, a Mark oedd yn ffilmio popeth i Jamie, felly daeth Mark *on board* i ffilmio fideos i grwpiau fel EV. Myfyriwr arall i Jamie oedd Joe Larmour Jones, a ddaeth hefo ni i Derry, neu Joe McCoy fel yr oedd yn galw ei hun – neu, yn fwy diweddar, Brian Jones yr artist enwog. Daeth Joe ar y trên hefo ni i drefnu gigs ac, yn wir, am gyfnod bu'n gweithio fel *tour manager* i Hen Wlad Fy Mamau. Roedd gan Jamie y gallu i gael pobl i gydweithio ac i wneud i bethau ddigwydd. Roedd yn gatalydd ac yn berson a fedrai ysbrydoli pawb. Ond yn ôl Jon Savage roedd pawb yn 'Jamie *slaves*' ac mewn amser deallais beth oedd ystyr hynny. Doedd Jamie ddim yn gallu gyrru ac felly mewn byr o dro ro'n i'n ei yrru nôl a mlaen i bobman. Dwi ddim yn cwyno achos ro'n i'n cael fy ysbrydoli ac roedd gwahoddiadau di-ri i fynd i *premières* neu bartis yn rhywle neu'i gilydd yng nghwmni Pete Wylie, Ian McCulloch, Frankie Goes to Hollywood neu gast *Brookside*. Dwi

113

ddim yn berson operâu sebon ond roedd Nêst a phawb arall wrth eu boddau yn *star spotting*, a thrwy Jamie cefais gyfarfod â Suggs o Madness, Siouxsie a Budgie o'r Banshees, y brodyr Orbital ac M People.

Pan ddaeth Margi draw i Gaernarfon roedd pobl yn ei hadnabod ar y stryd oherwydd rhaglenni fel *Making Out* a *The Good Sex Guide*, a sawl gwaith pan oedden ni yn un o gaffis bach Caernarfon byddai Margi wrthi'n llofnodi *serviettes* gan roi sws *lipstick* coch hefo'i llofnod. Canodd Margi hefo'r Anhrefn un noson yn yr Albert a phawb wedi gwirioni cael seren go iawn yn eu *local*. Yn rhyfedd iawn, un o'r bobl i Margi yrru mlaen yn dda iawn hefo nhw oedd Dafydd Iwan – y ddau hyd yn oed yn fflyrtio ychydig. Un arall oedd wedi hitio hi yn iawn hefo Margi oedd Rhys Ifans, ac yn eu cwmni byddai rhywun yn gadael i Margi a Rhys gael llonydd i gael hwyl yn eu byd bach eu hunain.

Hefo Jamie, ar y llaw arall, roedd sawl hen bync rocar yn siomedig o'i weld yn edrych fel hipi ac yn methu coelio mai fo oedd cynllunydd y Pistols. Yn amlwg, yng Nghaernarfon roedd nifer o'r hen *punks* yn gwybod pwy oedd o, ac yn y cyfnod hwn daeth Cedwyn Aled yn ôl i gysylltiad rheolaidd â ni, er i Nêst dynnu ei goes yn ddidrugaredd mai dod draw i gael cyfarfod Jamie roedd o. Dwi'n siŵr fod Sion Sebon wedi casáu'r holl *arty shite* ond roedd ganddo ef a Jamie ddiddordeb mewn pêl-droed felly caen nhw drafod Leeds a Fulham er mwyn i mi gael saib rhag trafod y *situationists* neu bwnc tebyg. Y peth a fyddai'n gwylltio Jamie fwyaf oedd pobl yn gofyn iddo "Do you know Johnny Rotten?" Mi fyddwn i'n chwerthin pan fyddai pobl yn holi hyn iddo a Sion Sebon hyd yn oed yn gwneud hynny'n fwriadol er mwyn weindio'r hen Reidy.

Rhyddhawyd *Rhedeg i Paris* ar 9 Mehefin 1990 mewn cyngerdd yn y caffi ar gopa'r Wyddfa. Trefnwyd y gig gan Sue Roberts, swyddog cyhoeddusrwydd Sain, a llwyddodd hi i gadw'r gyfrinach rhag yr awdurdodau fod yr Anhrefn yn grŵp *punk* gwleidyddol, swnllyd. Trefnwyd i ni gludo'r offer ar y trên bach a gwerthwyd tocyn trên a mynediad i'r gig ar y cyd i'r cyhoedd. Cefais innau gyfle i frygowtha am *Britain's highest rave* yn yr *NME*, ac er bod nifer wedi meddwl am y syniad cyn hynny, y ni lwyddodd i sicrhau bod y peth yn digwydd.

Ar y diwrnod roedd y caffi'n orlawn o ffans a'r tywydd yn uffernol y tu allan – dwi rioed wedi gweld cymaint o bobl 'di meddwi ar ben yr Wyddfa a dwi ddim yn credu bod y caffi wedi bod mor llawn o fwg canabis erioed. Fe gerddodd y dewr i fyny'r Wyddfa – o leiaf ddwsin ohonyn nhw – ond roedd y mwyafrif wedi teithio ar y trên ac wedi bod yn yfed cans ar y ffordd i fyny.

Rhaid cyfadde mod i'n falch o weld cymaint o gefnogaeth. Ro'n i'n eitha emosiynol ac mi ddiolchais yn arbennig i'r rheini oedd wedi cerdded i'r copa ac ymhyfrydu ar y meic nad oedd neb yn uwch na ni yr holl ffordd i Warsaw! Fe wnes i sicrhau bod pawb yn cael cludiant ar y trên i lawr yr Wyddfa, tocyn neu beidio, achos yn sicr doedd fawr o neb mewn cyflwr i gerdded. I'r cerddwyr a'r dringwyr arferol mae'n rhaid ei bod yn ymddangos fel petai copa'r Wyddfa wedi cael ei *hijackio* gan bync rocars. I mi, roedd yr Wyddfa wedi cael ei ailfeddiannu, pe bai ond am bnawn, gan Gymry Cymraeg. Cafodd yr holl beth ei gofnodi gan raglen *Hel Straeon* ar S4C a gafodd ei chyfarwyddo gan Dylan Huws (Dygs) gynt o'r Ficar.

Gan fod Goodman wedi gwneud gwaith mor dda ar y sengl *Rhedeg i Paris* cafodd wahoddiad i stiwdio Sain, y tro yma i recordio'r record hir *Dial y Ddraig*, trydedd record hir yr Anhrefn. Jamie, wrth gwrs, oedd yn gyfrifol am y clawr a defnyddiodd gerdyn post ro'n i wedi ei yrru ato o'r ddraig goch, gan osod St George o dan y ddraig. Jamie gafodd y syniad o greu *Dragon's Revenge* ac eto, drwy ei gysylltiadau yn Lerpwl, cytunodd Geoff Davies o Probe Records i drwyddedu'r record gan Sain ar gyfer gweddill Prydain ac Ewrop. Yn sgil hyn i gyd daeth gwahoddiad gan John Peel i recordio sesiwn arall iddo, y drydedd i'r Anhrefn; roedden ni eisoes wedi recordio ail sesiwn yn cynnwys fersiwn Gymraeg o 'Staring at the Rude Boys' ac, yn wir, flynyddoedd yn ddiweddarach fe chwaraeodd Peel fersiwn yr Anhrefn o 'Edrych ar y Rude Boys' ar raglen o uchafbwyntiau sesiynau John Peel ar Radio 1. Y tro hwn daeth Margi am dro hefo ni, gan ganu ambell i gân, ac yn od iawn tra roedden ni yn Maida Vale roedd Alfred Molina, seren arall y ffilm *Brezhnev*, hefyd yno'n recordio mewn stiwdio arall gyda'i wraig Jill Gascoine, seren *The Gentle Touch*, a *Confessions of a Pop Performer Hanging with the Stars*; fe wnaeth hyd yn oed y cylchgrawn *Golwg* wneud stori am Margi gan sôn am 'ffrindiau enwog Rhys Mwyn'.

Ar gyfer y drydedd Peel Session fe recordion ni fersiwn o glasur Huw Jones 'Sut Fedrwch Chi Anghofio'. Dyma'r geiriau gorau i gael eu sgwennu yn y Gymraeg – erioed – *full stop*. Cân wleidyddol ond cân i wneud i rhywun grio. Dwi 'di bod yn ddigon llawdrwm ar Huw Jones am ei ddiffygion wrth y llyw yn S4C ac am y siom mewn ffordd o gofio ei fod wedi beirniadu'r cyfryngau am eu methiant yn ystod ei gyfnod yn Sain. Piti na ddatblygodd S4C well gweledigaeth gerddorol yn ystod ei deyrnasiad o, ond mae gen i barch at Huw Jones am ei ganeuon, fel 'Sut Fedrwch Chi' yn sicr, ond hefyd caneuon fel 'Paid Anghofio'. Parhaodd cefnogaeth John Peel hyd at '93 ac ar sawl achlysur chwaraeodd ganeuon oddi ar *Dial y Ddraig*, gan gynnwys agor ei sioe un noson gyda 'Rhedeg i Paris'.

Y dywediad oedd gyda ni fel band oedd '*on a mission*' – yn ddiweddarach dwi wedi clywed artistiaid fel y Super Furrys yn defnyddio'r un ymadrodd. Yr hyn mae'n ei olygu yw mai dyma yw ein bywyd, dyma dan ni'n ei neud a dyma dan ni'n ei gredu. Mae'n fwy na jyst cerddoriaeth, mae'n ffordd o fyw ac yn ffordd o feddwl. I mi mae'r holl beth yn wleidyddol. Hyd yn oed hefo caneuon serch fel 'Rhywle yn Moscow' a 'Llygaid wrth Lygaid', maen nhw'n ganeuon gwleidyddol wedi eu gwisgo mewn rhyw fath o *disguise* i ymddangos fel caneuon serch. I mi roedd pobl fel y Fearties neu Gweltaz Adeux a gweddill criw EV yn rhannu'r un math o weledigaeth. Felly hefyd gyda'r Rastas One Style a'r Basgwyr Delirium Tremens a Negu Gorriak. Yr ideoleg oedd yn ein huno, a honno'n ideoleg ryngwladol ac agored.

Digon hawdd beirniadu'r Cymry Cymraeg traddodiadol am eu culni ond erbyn hyn roedd y *so-called* SRG, y sîn roc Gymraeg, yn ymddangos yn fwyfwy cul a hunangyfiawn, yn glic neu yr hyn ro'n i'n ei alw yn *mutual appreciation society*. Dechreuodd hyn gyda'r sîn dyfodd ar ôl sefydlu Ankst a law yn llaw â *Fideo 9*. Dyrchafwyd Dave Datblygu i statws bron yn dduwiol ond methwyd yn llwyr ag edrych ar ei ôl pan lithrodd i mewn i ffantasi alcohol a chyffuriau. Dwi'n flin am hyn – roedd y sîn Gymraeg fel petai'n falch fod ganddyn nhw *fully bona fide fuck-up alcoholic* ar eu llyfrau. 'Di o ddim yn ddoniol, mae'n anghyfrifol. OK, nes i ddim byd am y peth chwaith achos ro'n i wedi ymbellhau o'r sîn erbyn hynny. Dwi'n casáu beth naeth yr SRG i Dave – os oes y ffasiwn beth ag ecsbloetio, dyna ddigwyddodd i Dave Datblygu a dwi'n casáu'r hyn wnaethpwyd yn ei enw neu drosto neu beth bynnag, ac mae'r bobl wnaeth yr ecsbloetio angen edrych o ddifri ar eu cydwybod.

Doedd dim dwywaith fod yr Anhrefn a'r SRG yn cael ysgariad yn y cyfnod hwn, yn enwedig ar ôl i'r diddordeb yn 'Paris' ddistewi. Drwy weledigaeth rhai fel Gwyn Derfel a Huw Gwyn llwyddwyd i ddenu'r Anhrefn yn ôl i'r Steddfod am y tair blynedd 1990, 1991 a 1992, ond dim ond drwy gytuno y byddai'r Anhrefn yn cynnal 'digwyddiadau diwylliannol'. Yn Nhredegar rhannodd yr Anhrefn y llwyfan gyda One Style, y Nyah Fearties a Bob Delyn, ac yn y Tivoli, Bwcle, y flwyddyn ganlynol rhannwyd y llwyfan hefo One Style eto a'r bardd croenddu o Toxteth, Levi Tafari.

Y flwyddyn ganlynol yn Aberystwyth aeth 'pawb cŵl' i weld y Beganifs gan adael hanner dwsin pitw yn gwylio'r Anhrefn. Byddai wedi bod yn well i ni chwarae mewn *pub* yn y dre o flaen *dope heads* a *bikers* na cheisio smalio bod gan y Cymry Cymraeg, neu'r 'Welshies' fel bydden ni'n eu galw yn ein gwylltineb neu'n rhwystredigaeth, unrhyw ddiddordeb ynon ni bellach. Mewn llai na dwy flynedd roedd mis mêl *Rhedeg i Paris* drosodd a does dim dwywaith ein bod wedi gwneud camgymeriad wrth dderbyn y gig yn Aber. Fe ddylien ni fod wedi trefnu 'Rock Against the Eisteddfod' arall yn rhywle fel yr Angel ar gyfer y di-Gymraeg. Dwi ddim yn beio'r Beganifs; roedden nhw'n ifanc, yn llawer mwy deniadol na ni ac yn gyffrous. Tra gallai'r Anhrefn ddenu 5,000 o bobl yn Bratislava neu Bilbao roedd yn *struggle* i gael pump o Gymry Cymraeg allan yng Nghymru. Cofiaf un gig, tua diwedd cyfnod yr Anhrefn, yn y Ship and Castle, Caernarfon, a'r unig bobl yno oedd chwaer Dafydd Ieuan a'r Beganifs. *What's the point?* Doedd 'na run, a dyna'r tro ola i ni chwarae yng Nghymru. Ar ôl Aber, fyddai'r Anhrefn byth wedyn yn troedio llwyfannau gigs yr Eisteddfod Genedlaethol; wrth edrych yn ôl ar fy nyddiaduron am ddechrau mis Awst drwy'r 90au, roedd yr wythnos yna yn wag iawn.

Dywedodd un o'r *mutual appreciation society* am gig Beganifs yn Aber, "all the beautiful people were there". Gyda dyfodiad y chwyldro *rave* neu 'reu' fel cafodd ei adnabod yng Nghymru, dan arweiniad Lugg a Potter, roedd ein hamser ni drosodd *fair and square*. Trefnwyd mega-gig 'Rhyw Ddydd' ym Mhontrhydfendigaid gan y Gymdeithas, diflannais i i ynys Bali a gwrthododd Sion Sebon hyd yn oed ystyried y peth – *end of that chapter* go iawn. Y peth od oedd fod yr Anhrefn wedi perfformio 97 gig ym 1990, a pharhaodd y teithiau hir o amgylch Ewrop drwy '91, '92 a '93.

Daeth cyfnod Gwyn Maffia i ben hefo ni yn haf '91. Oherwydd *tinnitus* yn ei glustiau roedd Sion Maffia'n barod wedi gorfod rhoi'r gorau i wneud gigs byw, felly mae'n siŵr fod hyn wedi gwneud pethau yn llai atyniadol i Gwyn aros hefo ni. Roedden ni i deithio'r Almaen – yr hen Ddwyrain – a Tsiecoslofacia ac Awstria a'r daith i bara am chwe wythnos. Doedd Gwyn ddim yn awyddus a bu'n rhaid ei berswadio gan nad oedd digon o amser i ymarfer hefo neb arall cyn y daith. Fe gafodd Tecs ei gyfaill o Fethesda ddod hefo ni ar y daith i gadw cwmpeini iddo. Roedd Tecs yn ddigon dymunol ond roedd cario *passengers* yn waith caled; doedd hi ddim yn hawdd edrych ar ôl rhywun nad oedd yn y band oherwydd y perygl o golli ffocws. Fe weithiais gyda Gwyn rai blynyddoedd wedyn hefo Siân James, ond ychydig o gyfleoedd fuodd 'na i gydweithio hefo Sion Jones ers hynny. Heddiw, mae pob un ohonom yn edrych yn ôl ar ei gyfnod yn yr Anhrefn yn ei ffordd fach ei hun a bydd Gwyn a Sion yn dal i sôn am ryw glwb neu ryw gymeriad yn yr Almaen neu Tsiecoslofacia gan hen anghofio am unrhyw anghytundeb o fewn y band.

Ar un o'r dyddiau prin lle doedden ni ddim yn canu, roedd ein hasiant yn Stuttgart, Goetz, wedi trefnu i ni fynd i'r Lorelei Festival, gŵyl *reggae* enfawr, ac ro'n i wedi trefnu cyfarfod yng nghefn llwyfan hefo'r cynhyrchydd Mickey Dread. Dread gynhyrchodd 'Bankrobber' i'r Clash ac unwaith eto y syniad oedd cyfuno cynhyrchiad *dub* Mickey

Dread hefo *guitars* uchel yr Anhrefn ar fersiwn Gymraeg o 'Bankrobber' roedden ni wedi ei recordio ar y cyd ag One Style yn stiwdios Sain.

Y *plan* oedd cymysgu hefo Mickey Dread yn Efrog Newydd ond doedd Dafydd Iwan ddim yn or-hoff o'r syniad o dalu ein costau felly gwerthwyd y syniad i Criw Byw i'n dilyn i America. Diolch byth am Geraint Jarman! Yn y diwedd ddigwyddodd y peth ddim achos roedd hi'n rhy anodd cael unrhyw synnwyr gan Mickey Dread, ond cawsom bryd o fwyd hefo fo gefn llwyfan yn Lorelei a bu Dread yn ddigon bonheddig i'n cyflwyno i Rita Marley a'r I-Threes. *Shit*, dan ni newydd ddweud helô wrth wraig Bob Marley. Gefn llwyfan y diwrnod hwnnw hefyd oedd cyn-gyfaill y Clash, Don Letts, y DJ a'r gwneuthurwr ffilmiau dogfen, ond doedd ganddo fawr o amynedd rhannu sgwrs hefo ni. Soniodd Jamie wedyn fod y *crowd* hwnnw o hyd wedi gallu bod yn snobyddlyd, hyd yn oed hefo criw y Pistols.

Ymunodd Dafydd Ieuan o Ffa Coffi Pawb hefo ni ar y drymiau, a dyma ddechrau ar bennod arall hefo'r *line-up* gorau i ni ei gael fel band. Roedd Dafydd yn rhannu'r un math o weledigaeth ac wedi treulio amser yn y coleg ym Manceinion a fo ddaru ddechrau 'gorfodi' hen *punk rocker* styfnig fel fi i wrando ar y Stone Roses a'r Happy Mondays. Bu Dafydd yn chwarae tapiau'r Mondays dros y PA mewn gigs yr Anhrefn yn yr Almaen ac roedd yn ddiddorol gweld pa mor gul oedd y *punks* i'r gerddoriaeth newydd yma. Dwi'n gwybod i mi stryglo hefo'r peth weithiau − ro'n i'n dal isho i ni fod yn well na'r Clash − ond roedd Dafydd a Sion Sebon yn berffaith iawn, roedd angen symud ymlaen, gwrando ar stwff newydd ac ailddarganfod cyfeiriad a phwrpas y band. Cafodd Jamie Reid ddylanwad hefyd wrth fy nghyflwyno i'r KLF a Transglobal Underground, ond dwi'n siŵr i mi fod yn *stuck* yn yr un meddylfryd am gyfnod mor hir nes fy mod wedi colli'r plot am gyfnod.

Cafwyd teithiau da a hir ar y Cyfandir gyda Dafydd, gan ymweld â'r Iseldiroedd, Gwlad Belg, Ffrainc, Luxembourg, yr Almaen, hen Ddwyrain yr Almaen, Tsiecoslofacia, Awstria, Swistir a Gwlad y Basg, a dwi ddim yn credu i'r band fod mor *focused* erioed o'r blaen. Ond hefyd dwi'n cofio sôn hefo Dafydd ychydig o flynyddoedd yn ôl iddo fo mewn ffordd gael y *bum deal* gan fod yr holl beth yn dod i ben yn y cyfnod hwnnw.

Os oedd Criw Byw wedi cynnig abwyd i'r Anhrefn yn achos Mickey Dread, roedd yna deimlad eu bod yn ein hanwybyddu pan wahoddwyd y cwmni i drefnu grwpiau o Gymru ar gyfer gŵyl yn Sneek yn Fryslan. Awgrymodd Criw Byw y dylai'r Beganifs a Ffa Coffi Pawb rannu llwyfan gyda EV a'r Fearties, a dim ond wedi i reolwr y clwb ddweud bod yn rhaid iddo gael yr Anhrefn yn yr ŵyl, er mwyn gwerthu tocynnau y darbwyllwyd nhw i'n cynnwys ni ar y *bill*. Dwi'n deall beth oedd Criw Byw yn trio ei wneud, sef rhoi cyfle i grwpiau newydd o Gymru deithio, ond roedd rhaid i mi chwerthin achos doedd yr *hidden agendas* Cymraeg jyst ddim yn gweithio mewn gwledydd tramor.

Ar y fferi drosodd roedd Dafydd a Dewi Emlyn wedi cael gafael ar gadair olwyn ac yn rasio lawr coridorau'r llong pan drawodd Dafydd Ieuan ei droed mewn drws wrth i Dewi wthio'n rhy wyllt. *Good start* – doedd Dafydd ddim yn mynd i allu defnyddio ei *bass drum pedal*. Fe es i gysgu yn hytrach na meddwl am y peth. Y diwrnod wedyn roedd Dafydd yn iawn ond yn beio Dewi Emlyn am ei 'ddamwain'.

Trefnwyd gigs yn Utrecht drwy Dik a Gys, naill ochr i Sneek, a chofiaf orfod dadlau hefo Criw Byw i ddarparu gwesty i'r Beganifs gan nad oedd dim wedi ei drefnu ar eu cyfer. Roedd yr Anhrefn a'r Ffa Coffis yn iawn achos roedden ni'n aros gyda Gys ond doedd neb wedi meddwl am y Beganifs. Gofynnais iddynt yn Utrecht, "Ydach chi wedi dod â *sleeping bags*?" a'r Beganifs yn edrych arna i'n syn. Es yn syth at Criw Byw – "sort it out"; dim ond *kids* oedd y Beganifs bryd hynny. Yn ôl y chwedloniaeth, dyma pryd cafodd y grŵp eu camenwi yn 'Big Leaves' gan fod y Dutch wedi methu deall eu hacenion Cymreig. Fe dreuliodd y bands weddill pnawn a nos Sul yn Utrecht mewn bar lle roedden ni wedi canu yn gynharach, ac yn ôl yr arfer roedd y bands yn cael cwrw am ddim fel rhan o'r cytundeb. Doedd y clwb ddim wedi disgwyl i'r bands yfed cymaint ac mae'n rhaid bod perchennog y clwb wedi difaru ei enaid rhoi'r gig ymlaen amser cinio gyda tua 12 awr i fynd cyn amser cau. Bob hyn a hyn byddai rhywun yn codi ac yn mynd at y bar: "Fifteen witbiers please." Eto, roedd pawb yn sâl yn chwerthin wrth sylweddoli'r sefyllfa roedden ni ynddi.

Yn ôl Gruff Rhys, roedd o'n dod hefo ni ar y teithiau fel *drum roadie*, ond yr hyn dwi'n ei gofio yw fod Gruff yn sôn am ddod hefo ni cyn belled â rhyw ddinas ac wedyn roedd yn bwriadu *hitchhikeio* ar ei ben ei hun. Fyddai hynny byth yn digwydd a byddai Gruff yn teithio hefo ni yn y fan drwy gydol y daith. Y dreifar, ran amlaf, oedd Dewi Emlyn, basydd y Ffa Coffis, ac yn cofnodi'r gigs ar fideo, gyda'i gamera, byddai Pete Telfer. Yn ystod y teithiau hyn byddai'r fan yn byrlymu gyda sgyrsiau am wleidyddiaeth, anarchiaeth, sgwats a cherddoriaeth – hynny yw, dadleuon am gerddoriaeth. Ro'n i'n gwrthod cael CD *player* yn y fan, eto'n hollol Stalinaidd, ond roedd cymaint o sŵn yn y gigs roedd yn braf cael ychydig o dawelwch yn y fan, a hefyd roedd y sgyrsiau a'r dadleuon yn help i ladd amser wrth yrru am chwe awr ar *autobahn*. Eto, yn ôl Gruff, dyna lle cafodd ei addysg wleidyddol, wrth wrando ar y band yn brygowtha â'r gwahanol *tour managers* fel Milan o Tsiecoslofacia neu Thomas o'r Almaen wrth iddyn nhw egluro gwleidyddiaeth Ewropeaidd i ni.

Un o'r cymeriadau mwya doniol, os nad y mwya gwallgo, oedd Colin o Geneva. Roedd Colin hyd yn oed wedi llwyddo i drefnu rhai o gigs cynnar y Manics yn y Swistir a daeth Colin 'The Wollin' *on board* fel ein dyn ni yn y Swistir ac i ryw raddau yn Ffrainc hefyd. Rŵan, roedd y gigs ar y cyfan yn rhai da ond roedd Colin *definitely* yn dorth oedd heb fod ym mhen draw'r ffwrn. Ar un achlysur, ym Mharis, wrth i ni gyrraedd y sgwat lle roedden ni i fod i gysgu mi ddarganfyddon ni nad oedd yno unrhyw ddodrefn o gwbl – fe benderfynodd Colin gysgu ar y llawr a thynnu'r papur wal fel 'dillad gwely' iddo fo ei hun. Does dim rhaid dweud ein bod wedi piso'n hunain yn chwerthin er gwaethed y sefyllfa roedden ni ynddi. Dro arall, eto mewn sgwat drwy drefniant Colin, roedd hi bron yn amhosib cael lle ar y llawr i gysgu gan fod cymaint o gachu ci ym mhobman. "Colin, this has to stop!" "Colin, we're going to fucking throw you out of the van on the motorway at 90 mph if you do this again."

121

Y tro ola i ni weithio hefo Colin cawson ni aros yn ei dŷ moethus ger Geneva (bastard bach) a dyna chi wrthgyferbyniad i'r sgwats! Fel sy'n arferol yn y Swistir, roedd hyd yn oed *nuclear shelter* tanddaearol ganddyn nhw fel rhan o'r tŷ. Y noson honno, wrth i bawb sgwrsio drwy'r nos, penderfynais ffendio rhywle distaw i gysgu, a phan godais yn y bore roedd Gruff Rhys yn dal i eistedd yn ei gadair yn union lle'r oedd y noson gynt ac wedi cysgu yn y fan a'r lle. Y diwrnod wedyn teithiodd y band yn ôl i Gymru mewn tair awr ar hugain *non-stop*, o Geneva i Lanrwst. Stopiais rywle yng nghanol Ffrainc i gael bwyd a'r unig un oedd yn effro oedd Gruff; roedd Sion a Dafydd yn cysgu yng nghefn y fan, felly aeth Gruff a finnau i *pizzeria* ac archebu *pizza* llysieuol. Wrth gwrs, yn Ffrainc, mae llysieuol yn golygu dim anifail cyfan ar dop eich *pizza* – dydi tameidiau o ham 'ddim yn gig' – felly bu rhaid i ni dynnu'r ham allan o'r caws cyn ei fwyta. Dwi'n credu ein bod wedi blino gormod a jyst isho mynd adre i ddechrau cwyno a gofyn am *pizza* arall.

The thing is crap, bands have always sung in Welsh in the past. You've always ignored Anhrefn and that's right because they're an absolute shite band. You're not going to listen to them, we're not going to listen to them, no one is! They're crap!

Euros Childs, *NME*, 8 Ebrill 1995

Drwy gyd-ddigwyddiad, un o'r gigs prin iawn i'r Anhrefn eu gwneud yng Nghymru hefo Dafydd Ieuan oedd un yng Nghlwb Rygbi Llanybydder, a hon oedd un o gigs cynta'r Gorkys, dipyn cyn y dyfyniad uchod, wrth gwrs. Fel arfer, yn syth ar ôl y *sound check* roedd Dafydd a Sion wedi ei heglu hi am y *pub* agosa, a'r noson honno bu rhaid i mi aros ar ôl yn y *venue* gan fod y Gorkys angen benthyg offer yr Anhrefn ac felly fi oedd hefo'r job o'u helpu nhw i blygio i mewn a gwneud yn siŵr fod yr amps a'r dryms a'r PA yn iawn iddyn nhw. Rywbryd yn ystod set y Gorkys dechreuodd y ffermwyr ymladd ac erbyn i Sion a Dafydd ddychwelyd o'r *pub* ro'n i'n sefyll o flaen y llwyfan gyda chadair yn barod i daro unrhyw un oedd am drio mynd ar y llwyfan a dinistrio'r offer. Dim ond tua tair cân lwyddodd yr Anhrefn i'w canu y noson honno; roedd y ffermwyr yn gwrthod rhoi'r gorau i'r cwffio ac o be dwi'n gofio doedd neb yno i stopio'r peth. Doedd 'na ddim *security* ac, fel arfer, *kids* ysgol brwdfrydig oedd y trefnwyr ta beth.

Drwy gysylltiadau Jamie cawsom amser stiwdio rhad yn y Strongroom yn Shoreditch a phenderfynwyd mynd â stwff roedden ni wedi bod yn gweithio arno yn stiwdio Sain i lawr i'r Strongroom i'w gymysgu. Gan ein bod yn ffrindiau da hefo Margi Clarke roedd yn ddigon naturiol iddi ofyn i ni ei helpu gyda'r gerddoriaeth ar gyfer ei sioe un ddynes yn yr Edinburgh Fringe ac felly fe recordiwyd fersiwn newydd o 'Anything Goes' Cole Porter a hefyd ailrecordiwyd cân o'r enw 'Clutter from the Gutter' roedd Jamie a Margi wedi gweithio arni hefo Alan Gill o'r Teardrop Explodes. Oherwydd ei brofiadau yn Teardrops gyda Julian Cope a Bill Drummond fel rheolwr roedd Alan wedi cael rhyw fath o *breakdown* ac roedd yn gwrthod gadael Birkenhead, ond llwyddwyd ei berswadio i ddod draw i Landwrog i stiwdio Sain ac fe weithion ni ar nifer o syniadau a ddefnyddiwyd ar gyfer y ffilm *Brezhnev*. Gan fod Margi mor awyddus i fod yn Scouse-Gymraes recordiwyd fersiwn o 'Croeso i Gymru' gan yr Anhrefn gyda Margi yn bloeddio am 'dragon's tongue' a 'Snowdon' hyn a llall.

Hefyd yn y sesiynau yn Sain roedd y band *dub/rave* Zion Train wedi dod draw i wneud ambell i *remix* a Margi yn cael enw Molara o'r grŵp yn anghywir dro ar ôl tro nes erbyn diwedd yr wythnos roedd Molara wedi bod yn Molière a hyd yn oed Marlbro fel y sigaréts. Ar ddiwedd yr wythnos roedd llwythi o bethau ar dâp ond roedd angen rhywun i ddod â threfn i'r holl beth, felly i lawr am y Strongroom â ni at Dave Pemberton – a oedd wedi gweithio gyda grwpiau fel Erasure – i gymysgu. Tra oedden ni yn y Strongroom daeth Neil McLellan, cynhyrchydd y Prodigy, i mewn i'r ystafell reoli a chynigiodd yn y fan a'r lle i wneud *dance remix* o 'Clutter' i ni. Felly, yn syth ar ôl i Dave gwblhau *mixes rock 'n roll* o 'Clutter' a 'Croeso', dyma Neil yn dechrau samplo a chreu *loops* newydd a dan effaith ambell i gemegyn, dwi'n cymryd, dyma droi'r Anhrefn yn grŵp *rave* o fewn tua pedair awr.

Erbyn 4 y bore roedd *mix* Neil yn barod a dreifiais i a Sion yn syth yn ôl i Fangor.

Defnyddiwyd y 'Clutter' *remix* dros y PA fel cân cyn i'r Anhrefn ddod ar y llwyfan ac yn y blynyddoedd i ddod fe ddefnyddiwyd y gân yn set fyw Hen Wlad Fy Mamau. Bydda i o hyd yn sôn mai dyma oedd y bont i ni ei chroesi rhwng yr Anhrefn a Hen Wlad. Os oedd Dafydd Ieuan a Sion Sebon wedi dangos bod cerddoriaeth arall mewn bod, yna y *remix* o 'Clutter' alluogodd yr Anhrefn i weld y ffordd i gamu o'r tywyllwch.

Yn eu fflat yn Colum Road, Caerdydd, roedd Dafydd Ieuan a Rhys Ifans wedi bod wrthi'n creu cerddoriaeth *techno* ar y cyd â Guto Price o U Thant a Huw Bumff o'r Gwefrau, a phan ddaeth gwahoddiad arall i'r Anhrefn deithio yn Llydaw penderfynwyd y byddai Guto a Gruff Rhys yn dod hefo ni ac y bydden ni'n gwneud set o ganeuon newydd yn cyfuno *punk* a *techno*. I bob pwrpas roedd lot o'r caneuon yn jams ar lwyfan ond fe ddatblygodd ffurf i rai o'r jams ac ar ôl wythnos yn Llydaw roedden ni'n hen lawiau ar y 'sŵn newydd'. Fe gafwyd problem mewn ambell i *venue* lle roedd y trefnwyr neu'r ffans yn mynnu clywed set draddodiadol gan yr Anhrefn, ac er mwyn cael ein talu bu'n rhaid i ni ufuddhau ar sawl achlysur, ond fe gafwyd taith lwyddiannus. Daethom adre gyda phres yn ein pocedi a dwi'n cofio gallu talu Gruff a Guto fel 'aelodau o'r Anhrefn' wrth i ni gyrraedd yn ôl i Gaerdydd. Cyfeirio at y daith hon y bydd Gruff wrth sôn mewn cyfweliadau Super Furrys amdano'n dychryn 'Celtic freaks' gyda cherddoriaeth *techno*. Yma roedd yr hadyn a ddaeth yn Super Furry Animals a'r teithiau dramor yma gyda'r Anhrefn oedd eu prentisiaeth mewn gwleidyddiaeth Ewropeaidd, y broses o drefnu teithiau, y profiad o gynulleidfaoedd rhyngwladol a'r holl *buzz* o fod ar daith, ar y ffordd ac yn rhydd.

Cyn belled ag roedd yr Anhrefn yn bod, roedden ni'n sicr hanner ffordd dros y bont, ond roedd gigs i'w cwblhau yn Frankfurt a Stuttgart. Dyma fyddai'r ddwy gig ola i'r Anhrefn eu perfformio, ar 11 a 12 Tachwedd 1994. Gefn llwyfan yn Stuttgart ro'n i bron â chrio – eglurais wrth Dafydd na fedrwn gario ymlaen fel hyn. Y noson gynt yn Frankfurt roedden ni wedi chwarae mewn neuadd o flaen tua 500 o *punks* i gyd hefo Mohicans glas, i gyd yr un fath, i gyd mewn *uniform* a heb i'r un ohonyn nhw fod ddim callach beth roedden ni'n ei ddweud, nid am ein bod yn canu yn Gymraeg ond am y ffaith syml mai *this was the bastard offspring of punk rock*. Unwaith eto ro'n i yn gofyn yr un hen gwestiwn: "What's the point?"

Soniais wrth Dafydd efallai y byddwn yn rhoi gorau i gerddoriaeth ac yn mynd i arddio neu rywbeth. Roedd Jamie wedi bod yn sôn am sefydlu *commune* rywle yng ngogledd Cymru ac roedd troi yn hipi yn dechrau apelio ata i. Duw a ŵyr beth oedd Sion yn ei feddwl; efallai ei fod yn deall ei bod hi'n amser symud ymlaen ac efallai ei fod yn fwy parod na fi i wneud hynny. Dwi'n credu i ni gytuno mynd yn syth i'r stiwdio ar ôl Stuttgart i weithio ar stwff newydd, felly er nad oedd hi'n fater o roi'r gorau i'r gitârs, fyddwn i ddim yn chwarae *punk rock* ar lwyfan byth eto chwaith. Does gen i fawr o gof trafod hyn hefo Sion ond mae'n rhaid ein bod wedi deall ein gilydd. Roedd y *remix* hefo Neil McLellan wedi tanio dychymyg y ddau ohonon ni, felly mater o symud ymlaen oedd hi.

Cofiaf fynd drwy'r set am y tro ola; yn sicr galla i gofio chwarae gyda angerdd o feddwl "fydda i byth yn chwarae'r gân yma eto" a fedrwn i ddim mynd trwy 'Rhedeg i Paris' heb feddwl "good song – you bastards". Eto yn Stuttgart roedd hi'n *bastard offspring of punk rock*, prin ei bod hi'n werth dweud dim o'r llwyfan, a dyna ddiwedd yr Anhrefn. Sylweddolodd 'na ddiawl o neb yng Nghymru fod y peth drosodd – doedd 'na ddim newyddiadurwyr craff ac yn sicr doedd 'na ddim 'ffans' ar ôl. Dwi'n cofio ambell un yn dweud bod yna barch mawr at yr Anhrefn a finnau'n gorfod ateb "Yeah? Well respect don't pay the bills", ac yn anffodus roedd hynny'n boenus o wir.

Am flwyddyn gyfan bu Dafydd, Sion a finnau mwy neu lai yn byw yn stiwdio Sain yn potran a photsian, yn cyfansoddi, yn arbrofi, yn dadlau am synau a chyfeiriad a bîts. Dyma'r tro cynta ers dros ddeng mlynedd i ni beidio gwneud o leiaf ddwy gig yr wythnos. Roedd drysau'r stiwdio dan glo a ni tu mewn. Yr unig un arall oedd yn gwybod beth oedd yn digwydd oedd y cynhyrchydd Ronnie Stone.

Be sy'n od, dwi ddim yn credu i ni fod mor hapus mewn stiwdio erioed. Doedd yna ddim pwysau o gwbl ac yn yr achos yma cawson ni benrhyddid anhygoel gan Dafydd Iwan.

Y tro yma, y *reference points* oedd Massive Attack, KLF, Sinéad O'Connor, *dub reggae*, Fun-da-mental a Transglobal Underground. Roedden ni'n gwrando ar yr holl stwff yma er mwyn deall y bîts a'r synau newydd; doedd 'na ddim CD *punk rock* yn agos i'r stiwdio. Roedd yr Anhrefn drosodd, croeso i Hen Wlad Fy Mamau. Tra bu'r tri ohonon ni yn y stiwdio roedd prosiect mawr arall yn cymryd gweddill fy amser − Catatonia.

Pennod 7
For Tinkerbell

Ers i'r Anhrefn arwyddo gyda Crai ym 1990 ro'n i wedi bod yn ôl a mlaen i stiwdio Sain i wneud yn siŵr fod pethau'n digwydd hefo'r band, a chefais rwydd hynt gan Dafydd Iwan i ddefnyddio swyddfeydd Sain i hyrwyddo recordiau a CDs yr Anhrefn. Yn aml iawn, ar ddiwedd pnawn, byddai'r ddau ohonon ni'n sgwrsio ac awgrymodd Dafydd y gallwn helpu i hyrwyddo artistiaid Sain a Crai mewn gwledydd tramor, gan ein bod yn teithio mor aml, a hefyd awgrymwyd y gallwn helpu hyrwyddo rhai o artistiaid Crai yn gyffredinol. Felly yn '93 dyma gytuno y byddwn yn gwneud beth y medrwn ei wneud i helpu'r artistiaid a pharhaodd y drefn yma am bron i ddeng mlynedd.

Doedd y cyflog ddim yn arbennig o uchel ond do'n i ddim yn cwyno achos roedd hyn yn ychwanegol at yr holl bethau eraill ro'n i yn eu gwneud yn barod. Dwi ddim yn amau yn y diwedd i mi roi llawer iawn o fy amser i Sain ar draul pethau eraill ac ar adegau hyd yn oed dod â phrosiectau i mewn i Sain, ac yn sicr dros y blynyddoedd fe ochrais hefo Sain yn aml iawn yn hytrach na chyda'r artistiaid. Dwi'n tueddu i roi cant y cant i mewn i bethau ac o edrych yn ôl mi fyddwn yn dweud i mi gadw ochr Sain gymaint ag y medrwn.

Yn ddiweddarach daeth mwy a mwy o bwysau arna i i ymuno â staff Sain yn llawn amser gydag ambell i *comment* am Rhys Mwyn Enterprises yn dod gan gyfarwyddwyr y cwmni, ond *freelancer* oeddwn i a *freelancer* fues i tan y diwedd. Dwi'n siŵr y byddai nifer o bobl yn gweld mynd i weithio gyda Crai / Sain fel rhyw fath o *sell-out* ond chefais i ddim problem o gwbl hefo'r peth o ran fy nghydwybod ac er i ni gael ambell i ddadl neu ffrae dwi hefyd wedi gallu gyrru ymlaen yn iawn hefo Dafydd Iwan dros y blynyddoedd. Mae'n eitha anhygoel pa mor hir y bues i'n gweithio i gwmni Sain.

Dwi ddim yn credu yn y blynyddoedd cynnar i ni rioed benderfynu ar ddisgrifiad fy swydd yn iawn, a'r polisi go iawn oedd *get on with it* gan wneud yn siŵr fod DI yn gwybod beth oedd yn digwydd a mod i'n cael OK ganddo cyn gwario pres Sain. O edrych ar yr hyn oedd gan Sain yn eu catalog, yr artistiaid amlyca y gallai rhywun eu hallforio a gwneud rhywbeth hefo nhw y tu hwnt i'r byd bach Cymraeg – ac yn sicr yr artistiaid gorau o ran safon a hygrededd – oedd Siân James a Bob Delyn, a chawsom gryn lwyddiant gyda Siân yn yr Iseldiroedd, Sbaen a Japan. Doedd y clod am hynny ddim i mi i gyd – roedd cysylltiadau â'r Iseldiroedd drwyddo i ond fe ddaeth diddordeb yn Sbaen ar sail cryfder cerddoriaeth werin Geltaidd Siân ac felly hefyd gyda chwmni JVC yn Japan. Oherwydd y potensial hwn cymerais fwy o ofal o yrfa Siân o fewn Sain gan fynd â hi i wyliau fel WOMAD yn Reading, gwyliau yn Llundain a chyngerdd acwstig bythgofiadwy yn y Globe Theatre, eto drwy WOMAD.

Duw a ŵyr sut mae disgrifio fy mherthynas â Bob Delyn. Roedd Gorwel Roberts yn un o ffans cynta yr Anhrefn a chredaf fod Twm Morys yn un o'r *visionaries*, i fyny yna hefo Dr William Price, Gwilym Cowlyd, Ed Thomas a Gruff Rhys. Mae'n siŵr y byddai'r band yn teimlo na wnes i ddigon i'w hyrwyddo ond ro'n i'n credu eu bod wedi llwyddo i greu grŵp gwerin cyfoes gwirioneddol Gymreig ac fe ymdrechais yn galed i sicrhau cytundeb recordio iddyn nhw yn America gyda chwmni Blue Rose. Roedd Tom Hewson, cyfarwyddwr Blue Rose, wedi gwirioni cymaint hefo Bob Delyn fe ddechreuodd sôn am sefydlu Crai US, ond am wahanol resymau ddaru hyn rioed ddigwydd. Fe lwyddais i gael llwyfan i Bob Delyn yng ngŵyl Celtic Connections yn Glasgow ac ambell gig yn Llundain drwy'r un *contacts* â Siân James a chafwyd cefnogaeth frwd i'r ddau artist gan Simon Jones, gohebydd i'r cylchgrawn *Folk Roots*.

Efallai nad oedd y ddau artist hefo'r *drive* neu nad oeddent yn fodlon ymddiried digon, achos dwi'n gwybod eu bod wedi gweld bai ar Sain a finnau dros y blynyddoedd, ond wedyn dim ond drwy greu partneriaeth gref a chreu tîm mae modd i'r pethau yma weithio. Heb allu ymddiried yn llwyr mae'n fyd rhy anodd i lwyddo ynddo ac er i mi fod, ac yn dal i fod, yn hoff iawn ohonyn nhw fel unigolion doedd y *rapport* ddim yna go iawn. Ro'n i o hyd yn eithau *loyal* i Sain yn hyn o beth ac mae delio hefo artistiaid yn gallu bod yn waith caled ar adegau. O bosib, o edrych yn ôl, fe ochrais ormod hefo Sain a phan ddaeth fy mherthynas â Sain i ben doedd dim diolch o gwbwl am y *loyalty* yna. Balans ydi'r peth ar y gorau ond yn sicr dyma ddau artist Cymreig allai fod wedi gwneud llawer mwy ar y llwyfan rhyngwladol petai'r berthynas wedi bod yn well rhwng pawb.

Fel arall, roedd Dafydd Iwan wedi bod yn arwyddo artistiaid i label Crai, ond gydag artistiaid fel y Cynghorwyr, Gwrtheyrn a Cedwyn Aled doedd fawr o obaith gwneud dim hefo nhw. Grwpiau rhan-amser, *pub rock* oedd y rhain felly doedd dim y medrwn i ei wneud i'w helpu ac mewn ffordd dyma wraidd un o'r camgymeriadau mwya gyda Crai. Roedd Dafydd Iwan yn awyddus i mi helpu ond ddim mor fodlon rhoi'r label yn fy ngofal yn llwyr, felly doedd dim *music policy* gydag unrhyw gysondeb i fod drwy gydol fy nghyfnod yn Sain. Am bob grŵp gyda photensial y byddwn yn ei ddarganfod, byddai Dafydd yn dod o hyd i Jecsyn Ffeif neu Neil Rosser, grwpiau bach mewn *pub* na fedrwn i wneud unrhyw beth i'w helpu. Yr unig obaith, hyd y gwelwn i, oedd mynd allan a chwilio am grwpiau a thrio creu gwell delwedd i'r label gan obeithio yn y cyfamser na fyddai DI yn darganfod rhyw Bash Street Kids arall fyddai'n gwerthu deg CD ar hugain!

Rŵan, roedd y peth 'pop' 'ma wedi bod yng nghefn fy meddwl ers dyddiau *Cam o'r Tywyllwch* ac, yn wir, bu ymdrech i recordio grŵp o'r enw Ti Na Na ar ffurf feinyl 12" o gwmpas '85 os dwi'n cofio yn iawn. Roedd Greg Haver, cynhyrchydd y Manics, yn drymio iddyn nhw, dwy ferch yn canu, a dwi'n meddwl bod chwaer Brychan Llyr o Jess hefyd yn y band. Dwi ddim yn cofio'n iawn, a ddigwyddodd y peth ddim, ond roedd y syniad yn iawn, sef cael record Gymraeg fyddai'n cyfateb i'r holl beth oedd yn cael ei adlewyrchu yn *The Face* neu *ID*.

Yr unig grŵp Cymraeg diweddar oedd wedi cael unrhyw elfen bop oedd y Gwefrau a recordiodd gwpl o bethau hefo Ankst – a *hats off time* i Ankst yn fan hyn am ddarganfod rhywun oedd heb fod ar label yr Anhrefn gynt! Hefyd, roedd Beca Gwefrau yn *total package* o *looks* a *style*, wrth gwrs, ac o'r hyn ro'n i'n ddeall roedd y Gwefrau wedi dod i ben, felly un syniad oedd cynnig *solo deal* i Beca. Roedd gen i syniad o wneud *dance remix* o'r gân 'Pry'r Fflam' gan Janet Rees, cân oedd ddigon cyson â *vibe* 60au y Gwefrau, ac roedd Ronnie Stone *on board* i wneud y cynhyrchu. Fe ffoniais Beca i gyflwyno'r syniad a threfnu ei chyfarfod yng Nghaerdydd. Mae'n beth rhyfedd ond dwi o hyd wedi bod yn eitha nerfus wrth ffonio merched prydferth, felly roedd yn rhaid paratoi'n feddyliol cyn gwneud yr alwad ffôn a chadw'n cŵl, ond o safbwynt creu sêr yn null Warhol / McLaren *it's gotta be done.* Chwarae teg, roedd Beca'n ddymunol iawn ac yn ymddangos yn ddigon parod i arbrofi.

Yn anffodus, ar yr union ddiwrnod ro'n i'n cyfarfod Beca trefnais gyfarfod gyda Meirion Davies yn S4C a deallais fod Meirion hefyd hefo'i olwg ar Beca i gyflwyno. Ddywedais i ddim wrth Meirion am fy syniadau am recordio hefo hi ond, *shit,* ro'n i'n gwybod yn syth, y funud mae rhywun yn mynd i mewn i'r byd teledu mae'n anodd bod yn llwyddiannus yn y byd pop hefyd. Pwy all weld bai ar Meirion – roedd yno yn S4C i ddarganfod talent newydd ac roedd yn llygad ei le wrth wahodd Beca i gyflwyno.

Eto, ddaru'r holl brosiect ddim dod at ei gilydd a dwi'n dal i deimlo'n euog am hyn pan fydda i'n gweld Beca. *One of those things*; mae rhywun yn cael cymaint o syniadau, ond yng Nghymru dydi pethau ddim mor hawdd i'w gwireddu os nad yw rhywun mewn band *rock 'n roll* traddodiadol. Yn sicr, fe gollwyd cyfle i greu rhywbeth yn fan hyn ond o leiaf ro'n i'n meddwl yn y ffordd iawn. Roedd angen *glamour* ar y sîn Gymraeg.

"Cheek-bones to dai for." Gwelais fideo 'Gyda Gwên' ar *Fideo 9* a heb os dyna un o'r pethau gorau dwi rioed 'di eu gweld yn y Gymraeg. Roedd y *glamour factor* reit yna yn amlwg, *problem solved.* "Dwi isho bod yn rhan o hyn, ond mae Mark Cyrff hefo Ankst, felly mae'n rhaid bod Catatonia hefo nhw hefyd."

Yn y dyddiau hynny roedd swyddfeydd Ankst ym Mhen-y-groes

ger Caernarfon a chan fy mod yn gwneud y gwaith hyrwyddo i Crai ro'n i yn ymweld ag Ankst yn rheolaidd i drafod *release schedules* ac i wneud yn siŵr nad oedd *clashes* difrifol yn digwydd. Credwch neu beidio, ro'n i'n credu mewn cydweithio a chan fod perthynas dda gen i gyda grwpiau fel Ffa Coffi Pawb roedd yn ddigon naturiol taro i mewn i swyddfeydd Ankst nawr ac yn y man i weld beth oedd yn digwydd. Felly fe soniais am Catatonia, fy mod wedi eu gweld ar *Fideo 9*, a gofyn beth oedd eu cynlluniau hefo'r band. Doedd 'na ddim cynlluniau yn ôl Ankst felly ro'n i'n rhydd i wneud yr alwad ffôn nesa. Doedd fawr o gysylltiad wedi bod rhyngddo i a Mark o'r Cyrff ers diwedd yr 80au ond ro'n i'n gwybod ei fod wedi symud i Gaerdydd felly edrychais drwy'r hen ddyddiaduron a ffonio ei fam yn Llanrwst er mwyn gadael neges i Mark fy ffonio.

O fewn ychydig ddyddiau roedd Mark ar y ffôn ac ar ôl i mi orffen canmol y fideo a Catatonia i'r cymylau dyma Mark yn gofyn "Felly be ti'n ddweud, Rhys?" *Usual story*, dwi isho gweithio hefo'r band, gwell i ni drefnu cyfarfod. Fe ddigwyddodd y cyfarfod ar yr un diwrnod â'r cyfarfodydd hefo Meirion a Beca – 2 Mawrth 1993. Rŵan, dwi'n gwybod bod Mark yn anghytuno hefo fi yn fan hyn am rai o'r ffeithiau, yn enwedig y *spaghetti on toast*, ond mae'r rhan fwyaf o'r stori yn wir.

Fe ffoniais dŷ Mark a Cerys gan siarad yn Saesneg hefo rhywun atebodd y ffôn: "Is Mark there?" "Rhys sydd yna, ie? Gareth, Gareth Potter sydd yma." Wwwps, roedd Potter yn rhannu tŷ hefo Mark a Cerys yn Gold Street, Adamsdown, ond ar y *stage* yma yn y gêm ro'n i am i bopeth fod yn *top secret* – do'n i ddim isho Potter na gweddill y byd wybod ein bod yn trafod unrhyw beth. Ro'n i'n gwybod yn iawn fod potensial enfawr i Catatonia ond y byddwn angen amser i gael trefn ar bethau ac i'r grŵp gael datblygu.

Roedd yn braf ailgyfarfod â Mark, ac er bod cryn amser ers i mi ei weld doedd dim o'r cyfeillgarwch wedi ei golli. Do'n i rioed wedi cyfarfod â Cerys o'r blaen ac ro'n i'n gwybod iddi holi rhai o'i ffrindia "Sut fath o foi ydi Rhys Mwyn?"

Er mwyn cadw pethau'n *top secret* awgrymais fynd i gaffi cyfagos yn Splott – roedd hi'n amser cinio ta beth, ond hefyd do'n i ddim isho Potter ar yr *hot line* i Ankst Central, Pen-y-groes. Wrth gerdded i lawr y stryd gyda Cerys y naill ochr i mi a Mark yr ochr arall cefais un o'r teimladau gwefreiddiol hynny. Dyma gang newydd, dyma olygfa allan o'r ffilm *Magnificent Seven, cool as fuck... We're gonna start a revolution.* Do'n i ddim wedi bod mor sicr am grŵp newydd ers y dyddiau cynnar yna yn Stwidio'r Foel hefo Datblygu, Tynal Tywyll a'r Cyrff.

Yn llyfr David Owens, *Cerys, Catatonia and the Rise of Welsh Pop,* caf fy nyfynnu yn dweud i mi brynu *spaghetti on toast* i Mark a Cerys yn y caffi. Dyna'r stori dwi wedi ei dweud ac am ei dweud. OK Mark, ella mai paned o de gafodd pawb – y gwir ydi, dwi ddim yn cofio go iawn, ond nabod fi, mae'n rhaid mod i 'di cael rhywbeth ar dost. Un peth sy'n sicr, fe ddigwyddodd y cyfarfod a chytunwyd y byddwn i'n gweithio gyda'r band am 20% a bod yr ymholiadau i gyd i fynd drwy gwmni o'r enw Mai '68 ro'n i wedi ei sefydlu ar gyfer rheoli artistiaid.

Cafodd Mai '68 ei sefydlu ym 1988 fel cwmni ar wahân i fy ngweithgareddau gyda'r Anhrefn ar gyfer trefnu, rheoli a hyrwyddo. Daeth yr enw, wrth gwrs, o ganlyniad i wrthdystiadau myfyrwyr ym Mharis ym 1968 ac, fel arfer, cynlluniwyd logo ar sail un o bosteri'r cyfnod Information Libre gan Huw Prestatyn. Fe barhaodd y cwmni tan ganol y 90au pan benderfynais nad oedd fawr o bwrpas cadw'r enw gan fod cymaint o'r gwaith yn mynd drwy Crai ac y byddai'n gwneud mwy o synnwyr defnyddio'r enw Rhys Mwyn. Doedd fawr o neb yn gwybod beth na phwy oedd Mai '68, jyst enw cyfleus i drio cadw gwahanol weithgareddau ar wahân oedd o i mi.

Arferai Catatonia ymarfer a gwneud ychydig o gigs *low-key* yn y Yellow Kangaroo, tafarn fach oddi ar Newport Road yn Splott, ac un o'r pethau cynta wnes i hefo'r band oedd awgrymu peidio â chwarae mwy o gigs yng Nghaerdydd. Os am greu *mystique* roedd yn rhaid i ni feddwl am ffyrdd eraill o weithio ac fel ro'n i wedi dysgu gan McLaren, *don't play, don't give the game away*, felly dyma fynd â Catatonia draw i'r Almaen i wneud cwpl o gigs.

Ar 14 Mai 1993 fe berfformiodd Catatonia yng nghlwb y Saalbau yn Losheim cyn teithio i Bonn y diwrnod wedyn i berfformio mewn gŵyl awyr agored o flaen dros 5,000 o bobl. Eto, roedd y gigs hyn drwy *contacts* yr Anhrefn felly doedd dim trafferth dod o hyd i gigs i Catatonia. Mater o amser oedd hi nes byddai pobl yn sylweddoli potensial y band felly ro'n i angen cael profiad iddyn nhw i ffwrdd o'r clic yng Nghymru ac yn bell i ffwrdd oddi wrth unrhyw un o'r cyfryngau. Yn fuan wedyn trefnais daith i Lydaw iddyn nhw a dyma'r tro cynta i'r band fod ar daith yn para am bythefnos gyda gigs bob dydd; eto yn chwarae mewn clybiau, bars a gwyliau awyr agored.

Ar y *ferry* drosodd i'r Almaen fe heglodd y band am y bar, ond roedd Cerys awydd bwyd felly es i fyny i'r *restaurant* hefo hi ac fe sgwrsion ni am y band, am y gigs oedd i ddod yn yr Almaen ac am y cynlluniau ar gyfer y dyfodol. O'r hyn dwi'n ei gofio roedd yna gyfeillgarwch ac roedd Cerys yn amlwg yn gwrando ac yn ymddiried. Dyna un o'r atgofion gorau sydd gen i o weithio hefo'r band, lle ro'n i'n teimlo bod yna *bond* rhyngddon ni, ac felly dylia hi fod. Mae'n rhaid i mi gyfadde, yn y dyddiau cynnar hyn roedd Cerys yn ofnadwy o ofalus mod i'n cael fy nghyfran o'r arian. Fel arfer byddwn i'n edrych ar ôl yr arian tan y bydden ni yn ôl yn Gold Street ac wedyn byddai Cerys yn talu fy nghanran i mi. Does gen i ddim cof o Mark erioed yn bod yn *awkward* nac yn tynnu'n groes nac yn cwestiynu fy awgrymiadau ond fel y daeth mwy o lwyddiant a sylw i'r band roedd fy mherthynas gyda Cerys a rhai o aelodau eraill y band yn gallu amrywio o'r da i'r tanllyd a hynny rhwng un alwad ffôn a'r llall.

Yn y dechrau dim ond Mark a Cerys oedd yn y band. Ar y *demos* roedd Guto Pryce a Frog U Thant wedi chwarae'r bas a'r dryms ond ar gyfer yr Almaen fe awgrymais fod Dafydd Ieuan yn chwarae'r dryms ac roedd yn weddol naturiol i Mark sôn am Paul Cyrff i chwarae'r bas. Yn amlwg, roedd angen cael 'band' er mwyn chwarae'n fyw ond ro'n i o hyd wedi licio'r syniad o gadw Mark a Cerys fel y *front persons* a dim ond y nhw fyddai yn y lluniau neu yn gwneud cyfweliadau. Gyda dyfodiad Paul i'r band ac, yn ddiweddarach, Clancy Pegg ar y *keys* fe newidiodd pethau i raddau ac fe drodd Catatonia yn debycach i'r *typical indie band*, ac er bod Cerys o hyd wedi dweud ei bod eisiau bod yn 'pop' ro'n i'n sicr yn anghytuno gyda'r newid ym mhwyslais y ddelwedd.

Heb yn wybod i'r band ro'n i wedi bod yn gyrru datganiadau allan i'r wasg gyda dyfyniadau fel 'If Nico had been born in Wales…' a hefyd ddyfyniad gan yr arlunydd pop Richard Hamilton: 'Popular, transient, expendable, mass-produced, young, witty, sexy, gimmicky, glamorous, big business.' Nes i rioed ddangos y datganiadau i'r band achos roedd rhywun siŵr Dduw o ddweud nad oedd yn hoffi'r dyfyniadau, ac roedd angen cyfleu Catatonia'n syml ac yn effeithiol i'r wasg. Rhaid cofio mai *demos* yn unig oedd gan y band ar y pryd, doedd dim CD wedi ei rhyddhau. Y *plan* oedd mod i am yrru'r *demos* allan i gwmnïau recordio a thrio cael cytundeb recordio i'r band cyn gynted â phosib. Roedd gen i nifer o gysylltiadau gyda labeli annibynnol felly dyma ddechrau ar y gwaith a ffonio Jon Savage: "Have you got a contact for Heavenly?" Gyrrais ddemo at John Robb, gohebydd i'r cylchgrawn *Sounds*, ac fe roddodd John fi mewn cysylltiad gyda label Too Pure. Ers i mi gyfrannu erthygl i'r cylchgrawn *Catalogue* ar y sîn ym Mryste roedd gen i gysylltiad hefo Sarah Records. A dweud y gwir, ro'n i jyst yn gyrru'r *demos* allan i bawb oedd yn fy llyfr cyfeiriadau i weld beth fyddai'r ymateb.

Drwy Mark a Cerys daeth Iestyn George o'r *NME* i gysylltiad, a thrwy Iestyn daeth Huw Williams, gynt o'r Pooh Sticks, hefyd i gysylltiad. Am y flwyddyn nesa byddwn ar y ffôn yn ddyddiol gyda Iestyn a Huw yn adrodd y diweddara am Catatonia ac yn trafod syniadau. Y fi oedd yn 'rheoli', ond drwy Iestyn a Huw daeth y grŵp i sylw eu cysylltiadau nhw yn y diwydiant cerddorol – Iestyn fel golygydd newyddion yr *NME* a Huw fel cyn-aelod o grŵp cymharol lwyddiannus oedd wedi recordio sawl LP gyda Warners. Does dim dwywaith fod Huw a Iestyn yn adnabod y *key players* ac, yn ddiddorol iawn hefo Catatonia, y rheini ddangosodd ddiddordeb reit yn y dechrau aeth ymlaen i weithio gyda'r band yn y diwedd – er, wrth reswm, fel y daeth Catatonia i amlygrwydd roedd pawb isho bod yn rhan o'r peth. Dwi'n cofio cyfri ar un adeg fod dros 90 o labeli recordio, cwmnïau cyhoeddi a rheolwyr wedi fy ffonio i ynglŷn â Catatonia.

Dwi ddim yn amau bod y band yn credu y gallai Iestyn George, gyda'i gysylltiadau yn yr *NME*, fod o gymorth mawr iddyn nhw ac, yn wir, ar un achlysur fe soniodd y band wrth Iestyn am gymryd drosodd fel rheolwr. Dywedodd Iestyn wrtha i mai newyddiadurwr oedd o, nid rheolwr, a'i fod wedi dychryn wrth gael y fath gynnig. Doedd dim dwywaith y byddwn i'n gorfod taclo'r band am y peth, a chyn un o'r gigs yn y Falcoln yn Camden Town fe gefais eiriau go bendant hefo nhw. Dywedais wrthyn nhw os nad oedden nhw eisiau i mi barhau fel rheolwr, yr unig beth oedd angen iddyn nhw neud oedd dweud hynny, ond yn y cyfamser roedd angen un person i gydlynu pob dim a fi oedd y person hwnnw nes iddyn nhw benodi rhywun arall. Dwi ddim yn amau bod Catatonia wedi sôn wrth Huw a'i bartner Natasha Hale am weithio hefo'r band hefyd, ond dwi rioed wedi gofyn yn iawn i Huw am y peth. Un o'r *catch-phrases* gan y band yn ystod cyfarfodydd busnes oedd "we were thinking" – bob tro y byddai hynny'n cael ei ddweud byddwn yn gwybod, "Oh oh! Dyma drwbl!"

Pan o'n i yn y gogledd roedd yn arferiad cyfarfod yn swyddfeydd Sain / Crai neu, yn amlach na pheidio, yng nghaffi'r Fat Cat ym Mangor, ac arweiniodd hyn at fygythiad cyfreithiol rai blynyddoedd wedyn. Ar ôl gigs byddai'n arferol i ni gyfarfod y diwrnod wedyn yn y Fat Cat i gael cyfarfod busnes ac, yn amlwg, byddai rhai'n cael bwyd neu baned ac eraill yn cael *drink* a byddai'r *bill* yn cael ei dalu gen i. Ar ôl i Catatonia arwyddo gyda chwmni recordio Warners a'r rheolwyr MRM daeth sawl llythyr gan eu cyfreithwyr Harbottle & Lewis yn awgrymu fy mod wedi cynnal cyfarfodydd gyda'r band mewn tŷ tafarn gan eu darbwyllo i arwyddo cytundebau nad oedden nhw yn eu deall.

Yn ystod y chwe mis cynta gyda Catatonia doedd yr holl ymdrechion i sicrhau cytundeb recordio iddyn nhw heb ddwyn ffrwyth, felly yn y diwedd fe awgrymodd Mark eu bod yn recordio rhywbeth gyda Crai. Roedd y cynnig wedi bod yno ers y dechrau, wrth gwrs, ond roedd y band yn anelu yn uwch a dim ond yn eu rhwystredigaeth y newidiodd pethau. O leia roedd Mark yn ddigon call i sylweddoli eu bod angen *release*, ac ar ôl rhyddhau yr EP *For Tinkerbell* fe newidiodd pethau dros nos i'r band.

Fe recordiwyd yr EP yn stiwdio Sain gyda'r grŵp eu hunain yn cynhyrchu. Paul gymerodd ofal am y rhan fwya o'r cynhyrchu ac er i mi sôn wrth y band fod angen fersiwn Gymraeg o bob cân, yn ogystal â fersiynau Saesneg, dwi ddim yn credu eu bod erioed wedi bwriadu cymryd sylw o'r peth. Ro'n i wedi bod yn Leeuwarden yn yr Iseldiroedd hefo Siân James y penwythnos gychwynnon nhw recordio a phan gyrhaeddais yn ôl i'r stiwdio doedd dim sôn am fersiwn Gymraeg o 'For Tinkerbell'. Doedd y peth ddim wedi ei drafod yn iawn ond o leia roedd 'Gyda Gwên' a 'Dimbrân' ar y CD ac felly roedd digon yna i mi allu gweithio hefo'r cyfryngau Cymraeg, a ddywedodd Dafydd Iwan ddim mwy am y peth chwaith, felly fe aeth y CD allan hefo tair cân Saesneg a dwy gân Gymraeg, gan ddechrau'r newid mawr yn y sîn Gymraeg. I fod yn onest dwi'n credu ei fod wedi bod yn werth o jyst i gael caneuon Cymraeg gan Catatonia, ond hefyd does dim dwywaith, fel label Cymreig, fod gan Crai yr artistiaid gorau iddyn nhw eu cael hyd hynny, ac enillwyd cymaint o hygrededd i'r label yn sgil Catatonia.

Yn ôl fy arfer, ar ôl i'r CD gael ei rhyddhau ro'n i wedi bod wrthi'n gwneud fy ngwaith pan ffoniodd Mark Radcliffe i ddweud y byddai'n chwarae 'For Tinkerbell' ar ei sioe ar Radio 1. Cefais gyfle i ffonio'r band cyn y darllediad y noson honno. Eto, fel yn achos clywed 'Rhywle yn Moscow' ar John Peel, ro'n i'n gwybod mai dyma oedd ei angen, sef bod pobl yn clywed y gerddoriaeth! O fewn ychydig ddyddiau roedd Iestyn George ar y ffôn – roedd y gohebydd Steven Wells wedi dewis *For Tinkerbell* fel record yr wythnos yn yr *NME* ac unwaith eto cefais gyfle i ddweud wrth y band cyn iddyn nhw fynd ar y llwyfan mewn gig ym Mhrifysgol Bangor. O hyn allan byddai 99% o'r galwadau ffôn y byddwn yn eu derbyn yn ymwneud â Catatonia ac felly y bu hi am y flwyddyn nesa yn dilyn rhyddhau'r EP.

O hyn ymlaen byddai Catatonia yn chwarae *venues* yn Llundain, Bryste a Birmingham yn ogystal â llefydd fel TJs yng Nghasnewydd, ochr yn ochr â gigs yng Nghymru, a byddai'r *scouts* A&R o'r cwmnïau recordio yn dod i bob yn ail gig. Eto, roedd y mwyafrif o'r rhain yn *contacts* i Huw, Iestyn a Paul Buck, cyn-asiant y Pooh Sticks, a lwyddodd i ddenu'r band ar ei lyfrau fel asiant ar gyfer gigs byw. Iestyn roddodd yr alwad i MRM, y cwmni rheoli. Cefais alwadau ffôn hyd yn oed adre gan bobl fel Charlie Pinder o Sony Publishing ac at Charlie yr aeth y band yn y diwedd. Doedd dim dwywaith i'r un gân yna, 'For Tinkerbell', a chefnogaeth Mark Radcliffe agor y drysau i Catatonia. Ac eto roedd cysylltiadau'r Anhrefn yn dod yn hynod o ddefnyddiol achos er bod yr holl bobl hyn yn dechrau dangos diddordeb, ychydig iawn o gymorth oedd ar gael. Roedden nhw'n licio'r band ond roedd y gwaith caled o gael y gigs a chydlynu'r holl weithgareddau'n dal yn rhan o 'nghyfrifoldeb i i'r band.

Trefnais gigs i Catatonia yn y Samuel Beckett yn Stoke Newington a'r Splash yn y Water Rats yn King's Cross a chafwyd ambell i gig yn y Falcoln drwy Paul Buck. Yn ddiddorol iawn, roedd criw Ankst wedi dod i'r gig yn y Splash Club, a finnau wedi dod yno hefo Jamie Reid, ac er i mi drio bod yn gyfeillgar a chodi sgwrs ches i na Jamie fawr o sylw ganddyn nhw. Y noson honno roedd Simon Parker o Elektra yno drwy wahoddiad gen i i weld y band ac ro'n i a Jamie'n trio ein gorau i greu argraff dda arno. Wrth i mi nôl diod o'r bar i Jamie a Simon sylweddolais fod y band ar fin cychwyn ar y llwyfan felly rhuthrais yn ôl i mewn i'r ystafell lle roedd y llwyfan gan gario'r diodydd ar *tray*.

Gan ei bod yn dywyll yn yr ystafell nes i ddim sylweddoli bod y llwyfan ar gyfer y PA *mixer* yng nghefn y neuadd yn sticio allan a thrawais gornel y llwyfan hefo fy nghoesau gan gwympo ar fy mol i ganol y dorf. O leia nes i ddim colli'r *drinks*, ond dwi'n cofio Jamie yn edrych i lawr arna i a holi "What on earth are you doing down there?" Wnaeth Parker ddim cymryd arno sylwi mod i wedi disgyn a nath yr un person arall ofyn o'n i'n iawn. *London bastards!* Hyd y dydd heddiw mae Jamie'n dal i dynnu 'nghoes i am y peth ac yn fy herio mai dyna pam na chafodd Catatonia gytundeb hefo Elektra. Yn fuan iawn wedyn sylweddolais fod Ankst wedi trefnu gigs gyda Datblygu yn y Samuel Beckett a chyda'r Super Furrys yn y Splash Club. Roedd rhywbeth am Ankst, bydden nhw o hyd yn dilyn, a 'spies Ankst' fuo ni'n eu galw nhw am beth amser wedyn.

Erbyn i ni recordio'r ail CD, *Hooked*, ar Crai gyda'r cynhyrchydd

Ken Nelson, a ddaeth i amlygrwydd yn ddiweddarach fel cynhyrchydd Coldplay, roedd MRM wedi dechrau gwneud symudiadau i arwyddo'r band. Sylweddolais nad oedd unrhyw fwriad ganddyn nhw i gydweithio pan wrthododd Martin Patton dro ar ôl tro gytuno ar ddyddiad rhyddhau y CD nes yn y diwedd bu rhaid i mi jyst symud ymlaen hefo'r peth heb sêl ei fendith. Hefyd, wrth gwrs, roedd Dafydd Ieuan yn dal yn ffrind agos i mi a thrwy Dafydd cefais wybod nad oeddwn i'n rhan o'r *equation* cyn belled ag roedd MRM yn bod.

Ers tro bellach roedd fy mherthynas gyda'r band wedi dirywio. Yn amlwg roedden nhw'n gwybod eu bod nhw'n symud ymlaen at bethau gwell ac ar adegau roedden nhw siŵr o fod ofn cael eu clymu i lawr gan Crai, ond dwi yn gwybod i mi bob amser drio rhoi'r cyngor gorau iddyn nhw ac yn y diwedd roedd yn amhosib hyd yn oed cael Cerys i lofnodi'r cytundebau angenrheidiol ar gyfer y CD *Hooked*. O fy safbwynt fy hun ro'n i wedi cytuno i beidio â bod yn 'rheolwr' ar y grŵp ar ôl iddyn nhw orffen recordio hefo Crai gan mod i hefyd yn gweithio i Crai ac y byddai hynny wedi bod yn *conflict of interest*. Ond dwi hefyd yn cofio esbonio wrth y band na fyddai hynny'n gwneud unrhyw wahaniaeth i'r gwasanaeth fyddai'r band yn ei gael gen i.

Yn sicr, fyddai Cerys a'r band rioed wedi ymddiried yno' i fel rheolwr parhaol arnyn nhw ac efallai wir nad o'n i'n barod i wneud hynny chwaith gan mod i'n dal wrthi fel cerddor ac yn gwneud gwaith i Crai. Heddiw, wrth edrych yn ôl, dwi'n gwybod y byddwn i wedi gallu gwneud y gwaith a thyfu hefo band fel Catatonia, ond ar y pryd dwi'n credu ein bod i gyd yn gwybod bod y peth am ddod i ben yn hwyr neu'n hwyrach. Os oedd y band wedi 'defnyddio' Crai, ro'n innau hefyd wedi dod allan o'r holl beth hefo profiad a chysylltiadau sydd wedi 'ngalluogi i barhau yn y busnes hyd heddiw. Yr unig gamgymeriad busnes i mi ei wneud o safbwynt Crai oedd peidio cael rhyw ganran gan Sain am fy ngwaith hefo Catatonia, achos ar ddiwedd y dydd *it's a thankless task* ac mae o'n dod yn ôl i'r un peth ag y dywedais wrth i'r Anhrefn ddod i ben: *respect don't pay the bills*. Busnes ydi o go iawn a dwi o hyd wedi bod yn gwneud pethau am mod i'n credu ynddyn nhw yn hytrach nag am y pres. Pan ailryddhawyd caneuon Catatonia ar CD yn dilyn eu llwyddiant welais i'r un geiniog a byddai rhywun gyda gwell pen busnes na fi wedi sicrhau ei fod ar *percentage deal* o ryw fath yn achos band fel Catatonia.

Cyn i mi ffarwelio'n llwyr â Catatonia ro'n i wedi sicrhau taith o gwmpas Prydain iddyn nhw gyda'r grŵp Salad a dwi o hyd wedi sôn mai'r gig ola i mi ei threfnu i'r band oedd yr un yn y Citadel yn St Helens ar y daith honno. Galla i gofio dymuno'n dda i Cerys yn y Citadel a jocio mod i eisiau ambell *guest list* ganddyn nhw yn y dyfodol, ond ychydig ddyddiau wedyn ro'n i yn y Cnapan hefo nhw a dwi'n cofio hynny yn iawn achos fe wrthododd trefnwyr yr ŵyl fynediad i'r maes i Cerys achos nad oedd *pass* ganddi. Roedd y *passes* gen i a bu'n rhaid i mi redeg o gefn llwyfan a rhoi uffern o *bollocking* i un o'r trefnwyr cyn llwyddo i gael Cerys i mewn i'w gig hi ei hun. Eto, doedd y cysylltiad ddim wedi ei dorri'n llwyr achos yn fuan wedyn daeth galwad ffôn gan Cerys yn dweud bod MRM yn bwriadu cael gwared ar Clancy a bod yn rhaid i Cerys wneud y gwaith cas o ddweud wrth Clancy. Rhoddais y cyngor gorau fedrwn i i Cerys cyn derbyn galwad arall wedyn gan Clancy mewn dagrau yn dweud beth oedd newydd ddigwydd. Mewn ffordd, dyma oedd yn digwydd o fewn y byd hwn; *we were all winners and losers, we were all casualties!* Cyn belled ag ro'n i yn bod roedd yr holl beth drosodd.

Do'n i ddim wedi 'mharatoi am yr hyn oedd i ddilyn. Daeth Martin Patton yn ôl i gysylltiad isho cael gafael ar *master tapes* Catatonia, a'r funud y soniais y byddai'n rhaid trafod arian dyma fo'n rhoi'r ffôn i lawr a siaradais i ddim hefo fo byth wedyn. O hynny ymlaen roedd pob gohebiaeth yn dod drwy Harbottle & Lewis a dyma pryd ddechreuodd y *shit* yma am "Rhys Mwyn used to take them down to the pub". *Bollocks!* Does dim dwywaith i mi gael fy mrifo gan hyn i gyd. Ro'n i wedi ymroi'n llwyr i'r band ac wedyn roedd rhywun o fewn y band yn adrodd hanesion am y cyfarfodydd hynny yn y Fat Cat neu lle bynnag wrth MRM, a Harbottle & Lewis yn cymryd mantais lwyr o hynny! Hyd heddiw dwi'n sicr nad oeddwn yn haeddu'r *shit* yna, ac fe arweiniodd at gyfnod o rai blynyddoedd lle nes i ddim siarad na chael unrhyw gysylltiad hefo'r band. Gan nad o'n i'n rhan o'r peth doedd dim rheswm i mi gadw cysylltiad hefo nhw ta beth, ond gwnes i'n sicr nad o'n i'n dod ar eu traws yng Nghaerdydd nac mewn unrhyw le arall.

Hyd yn oed yn ystod fy nghyfnod gyda Catatonia ro'n i'n cadw hyd braich. Byddwn yn eu cyfarfod yn y Fat Cat a chael cyfarfod busnes yno ond do'n i byth yn mynd allan yn gymdeithasol hefo nhw neu am ddrinc. Ar un achlysur pan oedd Catatonia yn y fan tu allan i 'nghartref dwi'n cofio Cerys yn dod i mewn i'r tŷ i gael gweld y gegin, ond fel arall ro'n i o hyd yn trio cadw pethau ar lefel fusnes. Dwi ddim yn gwybod a oedd y band yn ymwybodol o'r hyn roedd MRM a'r cyfreithwyr yn ei wneud ond chefais i rioed CD na *guest list* ganddyn nhw ar ôl y gig yna yn y Citadel.

Yn achos Catatonia roedd yr holl beth drosodd, felly roedd yn well gen i gadw'n glir, ond yn achos Emyr o gwmni Ankst fe aeth pethau un cam ymhellach. Roedd Emyr wedi ffilmio fideo i Catatonia ac er nad o'n i wedi gofyn am y fideo ar gyfer Crai cytunais i roi cwpl o gannoedd iddo am ei waith. Pan ddaeth yr anfoneb roedd am swm o £500 a gwrthododd Dafydd Iwan roi'r arian i Emyr. A dweud y gwir roedd yn un o'r fideos *hand-held*, *wobbly*, *out of focus*, *arty* mae Emyr yn arbenigo ynddyn nhw a dwi'n cofio casáu'r peth pan ddangosodd Mark a Cerys yr *edits* i mi. Fel soniais i, roedd angen i Catatonia fod yn *glam*, ddim yn rhyw *indie shite*, a dwi'n credu bod hanes wedi profi mod i'n gywir yn hyn o beth. Fe wylltiodd Emyr gan roi'r ffôn i lawr arna i wedi iddo ddweud mai dyna'r tro ola y bydda fo'n gwneud unrhyw beth am ddim yn y sîn Gymraeg. Y pwynt oedd, doedd neb wedi gofyn am y fideo ar ran Crai ac eto ro'n i yn fodlon rhoi £200 iddo fel ewyllys da. Emyr oedd y *fatwa* cynta i mi ei gael. Bu cyfnod hir o beidio siarad na bod yn yr un ystafell ag Emyr – roedd *fatwa* yn golygu dim byd o gwbl i'w wneud â'r person. Yn y diwedd daeth y *fatwa* ar Emyr i ben achos *I couldn't be arsed* i gario mlaen hefo'r peth. Does gen i ddim drwgdeimlad o gwbl tuag at Emyr a heddiw da ni'n gallu gyrru ymlaen yn iawn, er nad ydw i'n ei weld fawr amlach na phan roedd y *fatwa* mewn bodolaeth.

Yr ail *fatwa* i mi ei gael oedd hefo Geraint Løvgreen a'r band am ryw ffrae ddigon dibwys ynglŷn ag offer. Roedd Løvgreen yn ddigon o ddyn i ymddiheuro beth amser wedyn ac fe godwyd y *fatwa* arno, ond yn od iawn dwi ddim yn siŵr a ydi Iwan Llwyd wedi siarad hefo mi ers y digwyddiad. Os 'di Iwan yn darllen y geiria hyn, *fatwa's off mate*, ond fydd o ddim yn gwneud gwahaniaeth i mi achos dwi byth yn gweld Iwan chwaith. Yn rhyfedd hefo'r *fatwas*, mae Jamie Reid, Jon Savage, Sion Sebon a'r teulu a phawb agos, gan gynnwys lot o'r bands, yn eu cefnogi ac mae'n gwneud i mi chwerthin – mae'n un ffordd o weld pwy 'di dy ffrindiau di, mae'n debyg.

Y trydydd *fatwa* yw'r un diweddara a rywsut dwi ddim yn gweld hwn byth yn cael ei godi; hwn yw'r *fatwa* hefo Toni Schiavone. Dwi ddim yn siŵr iawn be 'di 'i broblem o. Dwi'n gwybod mod i wedi dadlau a sgwennu am rai agweddau ar Gymdeithas yr Iaith a bod ffraeo wedi bod rhwng yr Anhrefn a'r Gymdeithas ar adegau, ond dwi'n sicr bod y pwyntiau a godais wedi bod yn rhai â sail iddyn nhw ac yn ddadleuon y dylid eu trafod. Dangosodd Schiavone'n ddiweddar nad oedd unrhyw ddiddordeb ganddo drafod na chyfamodi; yn wir, roedd y fath atgasedd yn ei wyneb fel ei bod yn amlwg na fyddai hi byth yn bosib cynnal sgwrs eto. Mae'n od o feddwl bod ei gefnogaeth yn nyddiau cynnar yr Anhrefn wedi bod yn bwysig i ni, ond rywbryd yn ystod fy nghyfnod gyda Catatonia daeth pob cysylltiad hefo Schiavone i ben. Ro'n i wedi amau rhywbeth, ac yn ôl Schiavone mae hyn yn ymwneud ag Eisteddfod Casnewydd. I fod yn onest *I don't give a shit*, ond mae'n wir dweud mod i wedi beirniadu'r Gymdeithas yn ystod Steddfod Casnewydd am godi gormod am docynnau mynediad i'r gigs ac am beidio ymdrechu i gysylltu â'r gymdeithas leol. Fe soniodd Schiavone rywbeth am yr Anhrefn yn gwrthod chwarae i'r Gymdeithas ac yn mynd i ŵyl yn Llydaw, ond eto *I don't give a shit*, mae 'nghydwybod i'n glir. Weithiau mae'n rhaid derbyn na fydd fawr o Gymraeg rhyngo i a rhai pobl eto – *big deal!*

Fuodd 'na ddim *fatwa per se* hefo Catatonia, nes i jyst cadw'n glir, ond mae 'na lawer o grwpiau ac artistiaid dwi'n hollol sicr na fydda i'n gweithio hefo nhw byth eto. Mae bywyd yn rhy fyr i ddelio hefo *arseholes* a'r funud mae rhywun yn croesi'r llinell dwi'n ddigon parod a hapus i ddweud wrthyn nhw – dyna ni, byth eto! Mae'n gorfod bod felly o safbwynt busnes, ta beth, a dwi o hyd wedi teimlo pan fo rhywun yn dangos diffyg parch, wel, eu penderfyniad nhw ydi o, neu oedd o, ond yn sicr does gen i ddim amser i'w wastraffu gyda *nonsense* felly.

Er i Catatonia gymryd y rhan fwya o'n amser i rhwng 1993 a 1994 fe ges gyfle hefyd i weithio gyda Mike Peters o'r Alarm ar ei brosiectau Cymraeg. Roedd y cysylltiad hefo Mike yn mynd yn ôl i'r cyfnod ar ddiwedd yr 80au pan ddechreuodd ganu yn Gymraeg a gwneud gigs i'r Gymdeithas, ond rŵan fe arwyddodd gytundeb hefo Crai i recordio dwy sengl a record hir a hynny yn Gymraeg a Saesneg.

Unwaith eto, roedd digon o bethau doniol yn digwydd. Un noson, tua hanner nos, roedd Jon Savage, Jamie Reid a finnau wedi bod am dro i Ddinas Dinlle ac wedi penderfynu galw heibio Sain ar y ffordd yn ôl i weld Mike yn y stiwdio. Roedd Mike Peters mor falch o gyfarfod Jon a Jamie, tra bod Jon a Jamie, fel maen nhw, mwy neu lai yn ei anwybyddu, a bydd Jon yn dal i sôn am hynny heddiw ac yn dal i ofyn oedd o wedi bod yn anghwrtais gyda Mike. Doedd fawr o sgwrsio rhwng Catatonia a Jamie chwaith, er iddyn nhw gyfarfod droeon, sydd yn od achos mi fyddwn wedi disgwyl iddyn nhw gymryd mwy o sylw o Jamie o ystyried pwy oedd o. Ond felly mae hi hefo bands – weithiau mae ganddyn nhw eu criw, eu gang, a fydd ganddyn nhw fawr o amser i bobl y tu allan i'r criw yna. Dwi'n gwybod i Jamie deimlo na chafodd fawr o sylw gan Catatonia ac eto, dros y blynyddoedd, mae o wedi bod mor gefnogol i grwpiau fel y Super Furrys a Catatonia. Yn wir, ar sawl achlysur mi gwrddodd Jamie â'r Super Furrys yn Derry ac yn y Strongroom Studios a Jamie yn ffonio i ddweud "I've just seen Daffyd" neu beth bynnag oedd yr hanes, a bob amser yn eu canmol. Dyna un peth am Jamie, mae'n hynod ffyddlon.

Y peth gorau yn hyn i gyd yw i Catatonia a Mike Peters roi label Crai ar y map ac fe olygodd fod gen i grwpiau da gyda hygrededd i weithio gyda nhw. O ran y diwydiant Prydeinig cefais gyfle i wneud cysylltiadau ac i ennill tipyn o barch ac mae'r cysylltiadau a'r parch wedi parhau hyd heddiw. Roedd hefyd yn golygu mod i'n rhy brysur i fedru rhoi llawer o amser i'r grwpiau roedd Dafydd Iwan yn eu hyrwyddo.

Drwy Mike Peters cefais gyfarfod â Gary Rhodes y *chef*, oedd yn teithio o amgylch Prydain yn gwneud rhaglen ar fwydydd lleol, a daeth Rhodes draw i Sain i recordio sgwrs hefo Mike. A dweud y gwir, ar y pryd doedd gen i ddim syniad pwy oedd Rhodes ond roedd y ddau yn rhannu un peth pwysig iawn, sef y ffaith eu bod yn gefnogwyr Man U! Tua'r un pryd cefais alwad ffôn gan Dave Sharp, gitarydd yr Alarm, a oedd yn awyddus i wneud dipyn o gigs yng ngogledd Cymru. Nes i ddim sôn gormod am y peth wrth Mike achos do'n i ddim yn rhy siŵr sut oedd eu perthynas wedi i Mike ddod â'r Alarm i ben. Erbyn hyn roedd Sharp yn byw yn America a'i wraig yn ei reoli. Dwi'n cofio gofyn iddyn nhw sut fath o gigs oeddan nhw yn ei ddisgwyl a Sharp yn dweud eu bod isho chwarae mewn bars heb PA. OK, roedd hynna'n ddigon hawdd, ond ar ôl gwneud Brixton Academy hefo'r Alarm ro'n i wedi disgwyl i Sharp o leia drafod *fees* a PA.

Yn y diwedd trefnais dair gig iddo fo yn Barrels, Bangor; y Black Boy, Caernarfon; a'r Ship and Castle, Caernarfon. Arhosodd Dave a'i wraig a'r band hefo ni yn y tŷ ac mae'n rhaid i mi ddweud bod Sharp yn *brilliant*, *very* Woody Guthrie, ac mewn rhai ffyrdd yn well na Mike Peters, yn fwy *rootsy* a llai o freichiau yn yr awyr *stadium rock*. Fe chwaraeodd ar bnawn Sadwrn yn y gornel yn y Black Boy heb PA gyda dwy gitâr a *double bass*. *Yep, good gig*, heb os.

Un peth arall doniol yn y cyfnod hwnnw oedd fy ymdrechion i gael *support slots* i Catatonia hefo Mike Peters, ac er i mi drafod y peth efo Paul Buck, asiant Catatonia, a gredai fod hyn yn syniad da, gwrthod wnaeth Catatonia a dwi'n cofio trio rhoi rhyw fath o eglurhad neu esgus i Mike a fo yn dweud "I'll probably be supporting them before long." Doedd Mike ddim yn *stupid*, mi oedd o'n gwybod yn iawn mai'r band oedd ddim isho gorfod ei gefnogi. Mae Mike bob amser wedi bod yn trio creu cyfleoedd i grwpiau o Gymru, ond wedyn i grŵp fel Catatonia a chanddyn nhw gymaint o ffydd, cymaint o hyder a chymaint o dalent, dwi hefyd yn deall yn iawn pam nad oedden nhw'n gorfod gwneud y gigs hyn – mater o amser oedd o iddyn nhw. Dwi 'di llwyddo cadw cyfeillgarwch hefo Mike a Julie ei wraig hyd heddiw a bydda i'n eu gweld nhw gefn llwyfan yn rhywle rhyw unwaith y flwyddyn a chael sgwrs. Eto, drwy gadw cysylltiadau y daeth y grŵp nesa llwyddiannus, Big Leaves, at Crai. Caent eu rheoli gan Huw Williams a Natasha Hale, felly unwaith eto roedd cysylltiadau Catatonia yn dwyn ffrwyth.

Pennod 8
Hen Wlad Fy Mamau

Ers i ni wneud y *remix* o 'Clutter' hefo'r Anhrefn gyda Neil McLellan yn cynhyrchu, a hefyd gyda dylanwad *techno* Dafydd Ieuan a gweddill y darpar Super Furrys, roedd yn weddol amlwg ein bod am feddwl am ffyrdd o symud y peth ymlaen y tu hwnt i *punk rock*. Roedd yr Almaen hefyd wedi profi bod *punk* wedi troi yn rhyw fath o gancr oedd yn bwyta ei hun ond fe gymerodd dipyn o amser i ni sylweddoli hynny. Os o'n i wedi dweud mai Stuttgart oedd y gig ola, doedd neb wedi *actually* dweud bod yr Anhrefn drosodd, felly fe ddechreuwyd ar gyfnod hynod greadigol heb feddwl am y canlyniadau nac am enw i'r prosiect; unwaith eto roedd hi'n fater o *get on with it*. Ar ôl yr Anhrefn roedd angen i ni ailfeddwl, ail-greu neu hyd yn oed greu o'r newydd ac ailddiffinio pob dim. Dyma'r cyfnod mwya creadigol i mi ei gael yn fy ngyrfa o ran creu a hel syniadau, a hefyd yr oedd yn braf nad oedd unrhyw reolau wrth ddechrau'r prosiect newydd. Doedd neb hyd yn oed yn gwybod bod yr Anhrefn drosodd a bod cynlluniau newydd ar droed felly roedd gynnon ni ryddid a llonydd i benderfynu yn ein hamser ein hunain heb unrhyw ddisgwyliadau na *deadlines*.

Yn ystod ein cyfnod hefo Bill Gilliam yn Workers Playtime ro'n i wedi cael fy nghyflwyno i Bill Drummond o'r grŵp KLF a oedd bellach wedi cael sawl *hit* hefo caneuon fel 'What Time is Love', 'Justified and Ancient' hefo Tammy Wynette a 'Doctorin the Tardis', ac yn ôl Bill Gilliam roedd gan Drummond barch mawr at yr Anhrefn. Roedd Jamie hefyd yn ffrindiau hefo Drummond a Jimmy Cauty a'r syniad cynta gefais i oedd recordio EP gyda grwpiau 'Celtaidd' yn ailddehongli'r anthemau cenedlaethol. Gyda'r KLF ar y CD byddai hyn yn sicrhau bod y caneuon yn cyrraedd y siartiau Prydeinig ac felly nid yn unig yn sicrhau bod cân Gymraeg yn y *Top 40* ond hefyd ganeuon Cernyweg a Manaweg. Fe ffoniais Drummond a Cauty ond methais â'u darbwyllo; roedd y ddau ar fin mynd i mewn i'r byd celf ac roedd eu cyfnod yn y byd pop yn dod i ben. Ar gyfer y gân Gymraeg ro'n i wedi sôn wrth Gôr Eifionydd am ganu geiriau newydd i'r anthem genedlaethol, sef 'Hen Wlad Fy Mamau', gyda'r geiriau wedi eu hailsgwennu gan Nêst a finnau o safbwynt y ferch. *Plan* arall oedd cael Côr Eifionydd i ganu cyfieithiad Cymraeg o 'Pretty Vacant' gan y Pistols. I ddweud y gwir ro'n i jyst isho cael côr Cymraeg i orfod canu 'va-cunt' yn Gymraeg am hwyl y peth ac roedd Vince o Released Emotions hefyd yn paratoi casgliad o grwpiau yn canu caneuon y Pistols felly byddai cyfle wedi bod i ryddhau'r gân ar CD Vince.

Ar ôl i'r KLFs wrthod cymryd rhan yn y prosiect, collais ddiddordeb a nes i ddim trafferthu ailgysylltu hefo Côr Eifionydd na chwblhau cyfieithu 'Pretty Vacant'. Dwi'n credu mod i ar ryw fath o Malcolm McLaren *mission* i brofi bod yr Anhrefn yn fwy na grŵp ac yn gallu gweithredu drwy gyfrwng côr. *Total bollocks*, wrth gwrs, ond o leia roedd pethau'n symud. Roedd Sion a Dafydd yn ddigon hapus yn y stiwdio a Jamie a finnau'n gallu tanio'r dychymyg a meddwl am ddelweddau.

Ffactor arall pwysig yn nyddiau cynnar sefydlu prosiect Hen Wlad Fy Mamau oedd cael gwahoddiad i baratoi cerddoriaeth ar gyfer y ffilm *Rhag Pob Brad* gan Rhys Powys. Yn ogystal â'r gerddoriaeth agoriadol a'r gerddoriaeth i gloi'r ffilm roedd angen cerddoriaeth ar gyfer golygfeydd penodol a hefyd ar gyfer grŵp dychmygol Byddin y Ddraig a fyddai'n ymddangos yn y ffilm. Unwaith eto, be wnaeth hyn oedd gorfodi i ni greu a chyfansoddi mewn ffyrdd gwahanol. Fe gysylltais â'n hen ddrymiwr, Dylan Cyrff, ac fe dreulion ni noson mewn stiwdio ym Mangor yn casglu bîts *hip hop* ar gyfer eu samplo. Ffoniais Steve Allan Jones, allweddellydd yr Alarm, gan ofyn iddo am help gyda rhai o'r golygfeydd a daeth Steve â'r gantores Kandina Jane hefo fo i'r stiwdio i ganu ychydig o leisiau cefndir. Ronnie Stone, fel arfer, oedd yn cynhyrchu a threuliwyd penwythnos yn stiwdio Sain yn gweithio ar ganeuon mwy *hip hop*, gyda dylanwadau *hip hop* grwpiau fel Public Enemy a NWA. Eto, roedden ni'n trio cadw i ffwrdd oddi wrth *punk* a chreu rhywbeth mwy dinesig / *urban* yn Gymraeg.

Yn y diwedd doedd Rhys Powys ddim mor hoff o'r stwff *hip hop* felly fe aethon ni i mewn i Famous Studios yng Nghaerdydd gyda'r cynhyrchydd Tony Etoria i recordio ychydig mwy o ganeuon mwy *punk rock* y tro yma gyda fi yn sgwennu'r geiriau y noson gynt yn y gwesty a Sion Sebon, wrth gwrs, yn creu'r riffs. Yr ail her oedd fod hyn ar gyfer grŵp dychmygol gyda'r actor Jâms Thomas yn canu'r prif lais, felly roedd hyn eto yn rhywbeth gwahanol iawn i ni. Doedd o ddim yn hawdd i Jâms orfod cerdded i mewn i'r stiwdio a recordio hefo ni fel 'na ond roedd pawb yn hoff ohono ac fe aeth pethau yn OK ar y diwrnod. Y prif gymeriadau eraill yn y ffilm oedd Dafydd Hywel a Rhys Ifans ac un peth dwi'n ei gofio yn glir pan oeddem yn ffilmio'r *pub scenes* ac i fod yfed cwrw dyfrllyd oedd fod pawb yn *sneakio* yn ôl i'r bar pan doedd Rhys Powys ddim yn edrych ac yn cael cwrw go iawn yn eu gwydrau achos roedd y ffilmio'n digwydd mewn *pub* go iawn yn y dociau yng Nghaerdydd. Gan fod ffilmio yn broses boenus o ara deg ac ailadroddllyd roedd pawb yn *pissed* yn gorfod actio bod yn *pissed*. Tu allan i'r dafarn roedd Rhys Ifans yn gorfod ffilmio golygfa lle roedd yn dreifio car er nad oedd yn gallu dreifio go iawn ac eto dwi'n cofio Dafydd Ieuan, Sion Sebon, Jâms a finnau yn piso chwerthin wrth weld Rhys yn gwneud *kangaroo starts* a Rhys Powys yn ei rwystredigaeth yn gweiddi arnon ni i fod yn ddistaw.

Yn y ffilm yma hefyd y cefais fy *acting début* – y tro cynta a *definitely* y tro ola. Roedd yn rhaid i mi rwystro dau o'r cymeriadau rhag ymladd ond gan nad oeddwn yn aelod o Equity do'n i ddim yn cael dweud dim, felly roedd yr olygfa yn hollol *shite*, a hyd heddiw dwi'n chwerthin wrth weld yr olygfa yma ar y teledu. Dwi ddim yn actor, dwi'n reit fodlon cyfadde hynny. Y pwynt oedd i Sion a Dafydd wrthod yn *point blank* actio felly dim ond fi oedd ar ôl i'w berswadio i wneud yr olygfa. O leia dwi'n gallu dweud wrth bobl "Yeah, I've acted with Rhys Ifans", ond byth eto; dydi actio ddim yn rhywbeth sydd yn dod yn naturiol i bawb.

Yn rhyfedd iawn, y diwrnod yr oeddem yn Sain yn dechrau

gweithio ar y stwff *hip hop* ar gyfer y ffilm oedd y diwrnod pan saethodd Kurt Cobain, Nirvana, ei hun felly mae'n aros yn y cof fel un o'r dyddiau hynny. Dwi'n cofio prynu copïau o bapurau newydd pan farwodd Sid Vicious a dyma Ronnie Stone yn dweud wrthon ni yn stiwdio Sain "Have you heard about Kurt Cobain?" Er i Rhys Powys wrthod y rhan fwya o'r stwff *hip hop* roedd y profiad o weithio hefo bîts a *samplers* wedi bod yn un da ac ychydig yn ddiweddarach fe aethon ni'n ôl i'r stiwdio gan ailedrych ar rai o'r syniadau a chyfansoddi cân o'r enw 'Brad' oedd yn defnyddio llawer o *samples* o'r ffilm *Rhag Pob Brad*, gan gynnwys llinell George Thomas: "The Nationalists of Wales have created a monster they cannot control!"

Fel y dywedais yn gynharach, y diwrnod ar ôl i ni ddychwelyd o Stuttgart o gig olaf yr Anhrefn fe aethon ni'n syth i mewn i stiwdio Sain gan aros yno am weddill '94 a thrwy'r rhan fwyaf o '95. Roedd Dafydd yn ôl ac ymlaen yn gwneud gigs hefo Catatonia ac wrthi yn datblygu'r Super Furrys. Yn ddiddorol iawn, pan gafodd gytundeb hefo Warners ar gyfer Catatonia wnaeth Dafydd ddim ei arwyddo gan ei fod yn gwybod bod pethau gwell i ddod o'i safbwynt o gyda'r grŵp yr oedd yn rhan ohono'n greadigol, a hefyd grŵp oedd yn cynnwys ei ffrindiau, Gruff, Guto a Bumff, ac, yn ddiweddarach, ei frawd Cian. Am weddill '94 bu Dafydd hefo ni yn y stiwdio yn creu synau electronig ar hen *keyboards* a *samplers* roedd o 'di ffendio yn stordy Sain ond dwi ddim yn credu i'r *drum kit* ddod allan unwaith yn ystod ei gyfnod ar y prosiect Hen Wlad Fy Mamau.

Erbyn '95 roedd pethau'n prysuro gyda'r Furrys ac roedd Sion, Ronnie a finnau'n gweld llai a llai o Dafydd. Un diwrnod daeth galwad ffôn gan Dafydd drwodd i'r stiwdio – "Roedd Alan McGhee yn y gig neithiwr" – ac o fewn dim roedd y Furrys wedi arwyddo hefo Creation Records. Fel y dywedodd Ronnie, "You won't see him again", ac roedd hynny'n anffodus iawn i ni. Er mor hapus oedd Sion a finnau dros Dafydd, roedden ni hefyd yn colli'r drymar gorau i ni rioed ei gael ac yn colli aelod oedd o hyd wedi bod ar yr un *wavelength* â ni.

'Bleep Boys' oedd Ronnie yn galw Dafydd a Cian achos eu diddordeb mewn stwff electronig, ac ar un o'r *mixes* o 'Brad' lle mae lot o synau Dafydd a Cian mae'r fersiwn yn cael ei chydnabod fel 'Bleep Boy Mix'.

Am yr wythnosau cynta yn y stiwdio roedd gennym siart ar y wal lle roedd pob syniad neu riff gitâr neu *sample* yn cael gofod fel cân, a'r syniad oedd fod pob dim yn cael ei ystyried ac wedyn ein bod yn adeiladu caneuon o'r syniadau hyn. Ar ben y siart roedd Ronnie wedi sgwennu 'Keep the groove' er mwyn atgoffa pawb mai'r *groove* oedd yn bwysig. Fe ddaeth pob math o gymeriadau i mewn ac allan o'r stiwdio, gan gynnwys Siân James, ac fe recordion ni fersiwn newydd o'r 'Eneth Glaf'. Daeth Gerallt Lloyd Owen i mewn i adrodd cerdd gan Mei Mac o'r enw 'S. O. S. Ola'r Saeson' yn dilyn gwahoddiad roddon ni i Mei sgwennu rhywbeth am ddiwedd Prydeindod.

Roedd Mei Mac wedi sôn am yr Anhrefn yn ei awdl 'Gwawr' a enillodd y gadair iddo ym 1993 ac wedi cyfeirio at gigs yr Albert a'r hyder ymhlith yr ifanc, ynghyd â rhai pethau doniol fel 'yn Gymraeg y mae rhegi', ond hefyd roedd llinell yna am y 'bardd sydd heb ei urddo'. Yn ein ffordd fach ein hunain dwi'n meddwl bod yr holl gymeriadau o'r sîn danddaearol yn 'feirdd heb eu hurddo' ac yn feirdd answyddogol. Ein crefft ni oedd dweud sut roedd hi mor syml â phosib yn hytrach na thrin geiriau fel y beirdd swyddogol. Roedd Sion wedi dechrau cyfansoddi riffs ar gyfer syniad arall oedd gen i o'r enw 'In This Dis-United Kingdom', felly roedd rhyw fath o batrwm yn dechrau ei amlygu ei hun.

Daeth Elinor Bennett i mewn i chwarae'r delyn. Yn wir, roedd brwdfrydedd Elinor at y prosiect yn *brilliant* ond dwi'n gwybod bod Ronnie wedi eistedd yno gan feddwl "Rhys is losing it". Fe ofynnodd Dafydd Ieuan gwpl o weithia oeddwn i o ddifri wedi i mi grybwyll enwau fel Lowri Ann Richards a thrio cael *vibe* tebyg i Sinéad O'Connor. Ro'n i wedi sgwennu am Lowri Ann Richards yn fy ngholofn yn *Y Faner*, gan gyfeirio at ei chyfnod gyda Rusty Egan a chriw clwb y Blitz yn Llundain yn yr 80au pan oedd hi'n L A Richards. Os dwi'n cofio'n iawn roedd Lowri wedi bod yn aelod o Shock a hefyd Tight Fit ac eto ro'n i isho cael eiconau Cymreig yn rhan o'r prosiect a chael tipyn o *glamour factor* hefyd achos doedd hynny ddim yn mynd i fodoli gen

Sion a finna. Trefnais i gyfarfod Lowri dros y Dolig ac unwaith eto dyma hitio hi *off* yn syth hefo Lowri ac fe ddaeth hi'n rhan allweddol o'r prosiect. *Typical* o Ronnie, daeth o hyd i lun o Lowri'n hanner noeth mewn hen rifyn o'r *Face* neu rywle tebyg a bob hyn a hyn byddai'r llun yma yn ymddangos yn rhywle ar wal y stiwdio.

Hefo Lowri fe weithion ni ar syniad am gân am dderwyddes a gwthio'r cwch allan i fyd hollol wahanol i'r Anhrefn. Daeth Jon Savage draw un pnawn Sul i wrando ar y stwff newydd ac fe yrrodd ymlaen yn dda hefo Lowri gan eu bod yn rhannu ffrindiau ar y sîn yn Llundain. Mae Lowri yn un arall lle mae'r cyfeillgarwch yn parhau hyd heddiw ac mae gen i feddwl y byd ohoni. Petai Lowri'n ddyn mi fyddai hi yn *true gent* – ychydig iawn o Gymry Cymraeg sydd wedi gwneud beth wnaeth hi ac i mi, unwaith eto, ro'n i yn cael gweithio hefo rhywun ro'n i wedi ei hedmygu ar dudalennau cylchgronau pop yn fy ieuenctid.

Ymdrechais yn galed i drio perswadio'r actores Julie Christie i ddarllen rhywbeth ar y CD er mwyn cael yr un math o effaith â'r *Animals Film* ond gwrthod wnaeth Julie yn y diwedd. Yn ôl ym 1983 ro'n i wedi cael sws gan Julie mewn gig CND lle roedd yr Anhrefn yn canu a hithau'n cyflwyno. Mae hynna wedi bod yn un arall o'r *claims to fame* doniol hefo'r Anhrefn. Cawson ni fwy o lwc gyda Philip Madoc, Magua o *Last of the Mohicans*, a ddaeth i mewn i'r stiwdio i ddarllen hanes y Welsh Not. Pan ofynnodd Philip oedd hyn yn rhywbeth ffurfiol neu anffurfiol a ninnau'n dweud anffurfiol, rhwygodd y cytundeb recordio a gwnaeth y gwaith yn rhad ac am ddim er i ni dalu breindaliadau iddo ers hynny. Yn ôl y sôn, mae o'n dal i chwerthin wrth dderbyn sieciau am £25.

Wrth i bethau siapio yn y stiwdio fe godon ni i lefel arall. Trwy gysylltiadau Ronnie daeth Rob, un o ffrindiau Robbie Williams – a oedd bryd hynny'n aelod o Take That – draw i rapio ar rai o'r caneuon, a thrwy Sion Sebon daeth Harvinder Sangha draw o Birmingham i rapio yn Punjabi ar ganeuon eraill. Yn sydyn roedd gynnon ni *world music* Cymreig a rhoddodd Jamie wahoddiad i mi lawr i Lundain i gyfarfod â'r cynhyrchydd Simon Emmerson a oedd yn dechrau prosiect newydd o'r enw Afro Celts. Dyma oedd dechrau meithrin y cysylltiadau hefo WOMAD gan fod yr Afro Celts wedi arwyddo cytundeb recordio gyda Real World Records, rhan o ymerodraeth WOMAD a Peter Gabriel. Roedd Simon Emmerson yn awyddus i mi gydweithio ar brosiect Afro Celts ond yn y diwedd, er i ni rannu'r llwyfan â nhw sawl gwaith, yr unig gydweithio go iawn oedd fod June Campbell-Davies a Meryl Barton o'r prosiect Hen Wlad wedi bod yn aelodau o'r Afro Celts ac fy mod i'n aml yn dreifio Jamie Reid nôl a mlaen o Lerpwl i stiwdios Real World yn Box ger Bath. Ro'n i a Simon yn gyrru ymlaen yn dda ac yn rhan o ryw symudiad newydd oedd yn digwydd hefo bands fel Zion Train, Dreadzone, Transglobal Underground a Fun-da-mental.

Erbyn diwedd 1995 roedd yr holl beth wedi dod at ei gilydd. Roedd yn bosib cyfuno gitârs *punk rock* hefo'r delyn a bîts *hip hop* gydag alawon traddodiadol Cymreig ond roedd hefyd yn amlwg nad oedd hyn yn 'Anhrefn' felly cytunwyd i ddefnyddio'r enw Hen Wlad Fy Mamau neu Land of My Mothers ar y prosiect.

Dyma'r flwyddyn gyntaf ers 1980 i ni beidio â gwneud gig ond o ran creadigrwydd roedd y flwyddyn wedi bod yn gynhyrchiol. Roedd Sion a finnau wedi gallu camu allan o gysgod yr Anhrefn gyda rhywbeth hollol newydd, ond eto, ar ddiwedd '95, doedd neb wedi gweld y peth yn fyw. Rhyddhawyd CD ar label Crai dan yr enw *Hen Wlad Fy Mamau* yn ystod haf '95 a chafwyd ymateb ffafriol. Doedd hyd yn oed Sain ddim yn siŵr beth oedd y prosiect a dwi'n cofio un hysbyseb neu ddatganiad ganddyn nhw'n cyfeirio at y prosiect fel Anhrefn a'u ffrindiau. Roedd ymateb y cyfryngau Cymraeg eto'n ffafriol er efallai fod nifer yn gofyn y cwestiwn "Beth ydi o?" Yn sicr, doedd Hen Wlad ddim yn grŵp yng ngwir ystyr y gair, a dechreuodd cyfnod o athronyddu bod oes y grŵp bellach ar ben ac mai oes prosiectau amlgyfrwng oedd hi. Yn Saesneg roedden ni'n cyhoeddi "We're not a group, we're a collective" ac roedd pobl fel Jamie yn gymaint rhan o'r 'grŵp' ag unrhyw gerddor ar y CD. I mi roedd mor braf dod o hyd i ffordd newydd o weithio, ffordd oedd yn rhydd o gyfyngiadau a rhwystredigaethau grŵp traddodiadol pedwar aelod gyda bas, dryms a gitârs.

Ar gyfer y clawr fe ddefnyddion ni hen lun o *suffragettes* Cymreig gyda'r olygfa tuag at Garnguwch o gopa Tre'r Ceiri fel cefndir. Yn ein hamser hamdden byddai Jamie a finnau'n cerdded mynyddoedd ac yn ymweld â safleoedd archaeolegol, Jamie bob amser gyda'i gamera yn tynnu lluniau, felly mewn ffordd roedd yr amser hamdden hyd yn oed yn amser ymchwil ar gyfer rhyw brosiect neu'i gilydd. Ar ôl i ni ymweld â'r maen hir, Maen Bras, ar lethrau'r Wyddfa, yn ymyl llwybr Snowdon Ranger, fe dynnodd Jamie lun o'r Wyddfa wrth i'r haul fachlud tu cefn i'r copa ac fe ddefnyddiwyd y llun yma yn ddiweddarach ar gyfer un o gloriau Hen Wlad. Fe ddefnyddiwyd llun Jamie o'r Maen Bras ar gefn CD gynta yr Afro Celts a ryddhawyd ar Real World/ Virgin felly fe aeth llun o'r garreg yna ar ochr y Wyddfa o amgylch y byd ar glawr CD. Yn sicr roedd Jamie a finnau'n teimlo bod y gwaith celf yr un mor berthnasol a'r un mor bwysig â'r gerddoriaeth ac o hyn ymlaen roedd y gair *multimedia* yn cael ei ddefnyddio i ddisgrifio beth roeddan ni'n ei wneud.

Cefais y syniad o fynd â'r prosiect i America, a chan fod Mike Peters allan yn canu yn Efrog Newydd fe es yno ddiwedd '95 i drio creu diddordeb yn y prosiect a chael *hook-up* hefo Mike yr un pryd. Ers dyddiau Llwybr Llaethog ro'n i wedi cadw mewn cysylltiad â label ROIR oedd yn arbenigo mewn stwff *dub* – roedd criw ROIR hefyd yn gyfeillion i Bill Gilliam, Workers Playtime, felly ro'n i'n eu nabod nhw ers blynyddoedd a threfnais iddyn nhw wrando ar dapiau Hen Wlad. Ar y diwrnod cynta yn Efrog Newydd roedd Oasis yn canu yn y Roseland a llwyddais i gael tocyn. Erbyn hyn roedd y band yn anferth ym Mhrydain ond prin oedd eu gyrfa wedi cychwyn yn America felly roeddan nhw'n chwarae mewn lle cymharol fach gyda dim ond lle i tua 2,000. Ro'n i'n credu eu bod nhw'n hynod o ddiflas, roedd y PA yn wych wrth gwrs ond cefais fy siomi, doedd 'na ddim egni i'r peth. O'u cymharu â grwpiau fel The Clash mae'n rhaid i mi ddweud eu bod yn *boring*, dyna oedd y disgrifiad gora fedrwn i feddwl amdano, *boring* tu hwnt.

Ar yr ail ddiwrnod es draw i gig Mike yn Greenwich Village a chael croeso mawr ganddo. Ar un adeg fe ddywedodd dros y PA, "My friend Rhys Mwyn has come over from Wales for the gig", a finnau yn trio cadw *low profile*. Oedd, roedd yn braf cael gweld Mike tra ro'n i yno, ond nid dyna pam es i allan i Efrog Newydd. Hefyd yn Efrog Newydd cefais docyn am ddim i'r opera gan Bryn Terfel, a oedd yn perfformio yn y Met. Ers dyddiau'r Anhrefn roedd gennym hen jôc hefo Bryn Terfel y byddai'n rhaid i ni gyfarfod tro nesa bydden ni yn Vienna neu lle bynnag ac o'r diwedd dyma'r cyfle yn dod yn Efrog Newydd. Gadewais neges yn y Met fy mod yn Efrog Newydd a ffoniodd Bryn y gwesty ychydig wedyn gyda'r gwahoddiad. Rhaid i mi ddweud nad yw Don Giovanni yn *my thing* ond roedd rhaid eistedd drwy rhyw dair awr o opera yn Eidaleg cyn cael gair gefn llwyfan hefo Bryn.

Er i ROIR fod yn ddigon positif am rai o'r caneuon roedd ganddyn nhw fwy o ddiddordeb mewn trwyddedu casgliad o ganeuon Llwybr Llaethog ac wrth i ni ymweld ag Efrog Newydd y flwyddyn wedyn gyda Hen Wlad fe es draw i'w swyddfeydd i wneud yn siŵr fod y manylion Cymraeg a theitlau caneuon Llwybr Llaethog i gyd yn gywir ganddyn nhw. Tom Hewson o gwmni Blue Rose draw ar ochr arall America yn Seattle fu'r cysylltiad allweddol i ni yn America. Ers y trafodaethau am sefydlu Crai US a diddordeb Tom yn Bob Delyn ro'n i wedi cadw mewn cysylltiad hefo fo. Bob tro byddwn i yn Llundain ro'n i'n trefnu cyfarfod Tom hyd yn oed am chwarter awr mewn caffi a pharhaodd y trafodaethau am wneud rhywbeth rhyw ben. Ar ôl iddo glywed *mixes* o 'Brad' neu Brad *as in* Brad Pitt fel oedd o yn galw'r gân roedd o'n benderfynol o wneud rhywbeth hefo ni. Yn sydyn iawn penderfynodd mai fi a Sion oedd y 'sêr' roedd o eu hangen ar gyfer America a chollodd ddiddordeb yng ngweddill stabal Crai a dechreuodd gynllunio dyfodol Hen Wlad Fy Mamau yn America.

Er bod y CD *Hen Wlad Fy Mamau* wedi cael ymateb da gan y cyfryngau yng Nghymru doedd dim gwahoddiad wedi dod i ni berfformio'n fyw. Fe wnaethon ni set fach yn cefnogi Bob Delyn ar 1 Mawrth yng Nghanolfan ECTARC, Llangollen, ond fel arall roedd y rhan fwyaf o'r amser yn dal i gael ei dreulio yn y stiwdio yn cyfansoddi, recordio stwff newydd a gwneud *remixes*. Fe ganodd y delynores Manon

Llwyd hefo ni yn ECTARC a daeth cwpl o ffrindiau Sion hefo ni o'r sîn
rave i chwarae dipyn o *percussion*. Daeth Simon Jones o gylchgrawn *Folk
Roots* draw i'r noson ac roedd wedi gwirioni cymaint hefo syniadaeth
Hen Wlad fel iddo ein cyfweld a chynnwys dros ddwy dudalen yn y
cylchgrawn o fewn y mis. Dwi ddim yn credu i ni gael y sioe yn iawn
yn ECTARC ond o leia roedd y peth wedi cael ei berfformio'n fyw ac
roedd yn rhyw fath o *dummy run* cyn mynd i America.

Roedd sawl agwedd i'r trip i America. Ro'n i wedi sicrhau gig i
Hen Wlad yn yr Atlanta Celtic Festival a chan eu bod yn talu'n dda
i ni roedd yna ddigon o bres i Sion a finnau hefyd dreulio ychydig
o amser yn Efrog Newydd a Seattle. Ffliodd Sion a finnau i mewn
i Efrog Newydd gan dreulio dwy noson yn aros yn y Chelsea Hotel
lle unwaith bu Dylan Thomas yn byw ac, efallai yn fwy enwog, lle
lladdodd Sid Vicious Nancy Spungen. Roedd yn brofiad a hanner
rhannu'r lifft gyda hen wragedd hefo gwalltiau pinc a *poodles* glas. Yn
Efrog Newydd fe gerddon ni fyny o Battery Park yr holl ffordd yn ôl
i Greenwich Village jyst i gael y *vibe* a chawsom gyfarfod gydag un
o gynhyrchwyr Zion Train i drafod y posibiliad o wneud ychydig
o recordio hefo fo yn Efrog Newydd. Ro'n ni hefyd wedi trefnu
ychydig o sesiynau radio, College Radio, ar raglenni Celtaidd ac un
noson fe aeth Sion a finnau fyny i'r Bronx i gampws y Brifysgol i roi
sgwrs a chwarae ychydig o dracs o'r CD. 'Na i byth anghofio'r boi *taxi*
yn cloi'r drysau cyn gyrru mewn i'r Bronx rhag i rywun drio dwyn
rhywbeth neu ymosod arnon ni wrth i ni aros o flaen golau coch.

Yn syth ar ôl Efrog Newydd dyma hedfan allan am Seattle ond
roedd trafferth gyda'r *flights* ac roedd yn bell wedi hanner nos ar Tom
yn ein cyfarfod yn y maes awyr. Ta waeth, roedd yr olygfa wrth i ni
yrru i mewn am Seattle yn y tywyllwch yn wefreiddiol, gyda goleuadau
y *skyscrapers* yn disgleirio yn yr awyr ac ar ddŵr y môr. Fe aeth Sion a
finnau am dro ar hyd glan y môr cyn gallu meddwl am fynd i'n gwlâu.
Roedd Seattle yn *brilliant*. Roedd 'na lwythi o gaffis Rwsiaidd yna a
vibe tebyg i ogledd Cymru a chawson ni un o'n gigs gorau erioed yn
y Crocodile Café yn Seattle. Perchennog y caffi oedd gwraig Peter
Buck o'r grŵp REM ac wrth i ni osod i fyny ar gyfer y gig dyma weld

posteri yn hysbysebu bod Gorkys yn perfformio yno mewn pythefnos. Fel yr hen draddodiad ers dyddiau'r Anhrefn yn Ewrop, dyma adael neges Gymraeg i'r Gorkys ar y posteri.

Yn y clwb yma cefais un o'r genod tu cefn y bar yn gwneud hwyl am fy mhen am gadw arian parod mewn bag plastig dal pres fel mae rhywun yn ei gael o'r banc yn y wlad yma. "Nice purse!" medda hi. A dweud y gwir, heblaw ein bod yn y band roedd y lle yn llawer rhy *poseuy* i ni, yn llawn o *models Japanese*. Er hyn i gyd roedd y gig ei hun yn hollol *brilliant* a chawson ni'n trin fel sêr efo pawb yn dawnsio i ganeuon fel 'Brad' a 'Dis-United Kingdom'. Dwi'n credu mai'r bîts oedd yr allwedd – fel y dywedodd Ronnie, "keep the groove" – a thua hanner ffordd drwy'r set dyma'r hogyn croenddu yn rhoi nod i mi a neidio ar y llwyfan a dechrau *scratchio* ar y *DJ decks*, ac yna daeth un o ffrindiau Tom i chwarae *percussion*. Dyma fyd hollol wahanol i fyd yr Anhrefn a *punk rock* ond yr un mor gyffrous o ran gweld pobl yn ymateb. Y gwahaniaeth mwya oedd bod pawb yn gwenu; gyda *punk rock* roedd pawb yn sgyrnygu neu'n poeri!

Eto, roedd Seattle yn un o'r llefydd hynny lle roeddan ni'n teimlo y gallen ni fyw yno; fel gyda Berlin gyda'r Anhrefn roedd Seattle wedi gwneud synnwyr gyda Hen Wlad. Os oedd Seattle yn gwneud synnwyr roedd y gigs yn Atlanta fel bod mewn *Wild West version* o'r Bala neu Ben Llŷn. *Back to reality* y tro yma – roedd yr hogia yn eu 4x4 Jeeps ac yn Confederates, un cam i ffwrdd o fod yn KKK. Wrth i ni fynd ar y llwyfan yn Atlanta dyma ni'n cyhoeddi "croeso i'r gyddfau cochion" – yn Gymraeg, wrth gwrs, rhag i rywun ddechrau saethu aton ni.

Gan fod y gigs yn Atlanta, tair i gyd, yn rhan o ŵyl fe ddaeth Non o'r grŵp Eden allan i ganu hefo ni ac fe aeth Sion a finnau draw i'r maes awyr i'w chyfarfod. Wrth i ni deithio o'r maes awyr gyda'r *tour manager*, merch oedd yn digwydd bod yn hoyw, esboniodd fod nifer o lefydd yn Atlanta yn gwrthod cyflogi pobl hoyw. Yno mae dau *skyscraper* anferth sef pencadlys rhyngwladol ac America Coca Cola. Ar ôl y gigs fe aethom allan am ddrinc yn y dref gan grwydro'r bars lle roedd bands i'w gweld yn chwarae ym mhob un ohonyn nhw a'r *cowboys* yma jyst yn dreifio o gwmpas yn y 4x4s agored, jyst fel Bala poeth! OK, profiad, ond dwi ddim yn credu y bydda i'n mynd yn ôl i Atlanta ar frys – roedd yr holl beth rhy *redneck* i mi.

Canlyniad y trip oedd fod Tom Hewson wedi cynnig cytundeb i Hen Wlad hefo'i gwmni Blue Rose, a chan fod ei swyddfeydd yn Seattle a Llundain roedd yn argoeli'n dda ar gyfer creu argraff ym Mhrydain ac America. *Typical* sut mae pethau yn mynd, ar ôl yr holl *star treatment* yn America a cheir yn ein nôl ni o'r meysydd awyr, dyma ddal trên o Euston ar ôl i ni gyrraedd Bangor a bu rhaid i mi gael bws yn ôl i Gaernarfon – doedd neb ar gael i'n pigo ni fyny. Ar y bws roedd Edwin o'r grŵp Bob Delyn yn holi "lle da chi di bod?" a dwi'n siŵr ei fod o'n disgwyl i mi ddweud rhywbeth fel Clwb Ifor Bach. "Ummh, Seattle."

Bron yn syth fe aeth peirianwaith Blue Rose i mewn i *action stations* ac o hyn ymlaen ro'n i'n siarad hefo Tom yn ddyddiol am gynlluniau Hen Wlad. Trwy'r cysylltiadau hefo Jamie a'r Afro Celts daeth gwahoddiad gan Thomas Brooman i ni berfformio yn WOMAD, Rivermead, Reading, dros yr haf. Ers blynyddoedd ro'n i wedi bod yn trio perswadio WOMAD bod stwff Cymraeg yn gallu bod yn *world music* a dyma ni yno o'r diwedd – y tro cynta i grŵp Cymraeg berfformio yn WOMAD.

Ar y nos Sadwrn fe hedleiniodd Hen Wlad yr ail lwyfan yn WOMAD; mi fedra i gofio bod y lle'n orlawn efo pawb yn gwenu ac yn dawnsio. Roedd June a Meryl yn ymddangos hefyd ar y prif lwyfan gyda'r Afro Celts ac yn gorfod rhedeg nôl a mlaen rhwng y ddau lwyfan. Does dim dwywaith ein bod wedi gwneud rhywbeth yn iawn ar yr amser iawn ac o fewn y mis daeth cyfle arall, y tro yma yng ngŵyl Big Chill ger Norwich, ac unwaith eto i hedleinio un o'r llwyfannau. Roedd y Big Chill dipyn yn fwy *ravey* felly fe ddaeth hogia Wwzz lawr hefo ni i ychwanegu tipyn o *bleeps* ar y llwyfan a daeth Karen a Carol, dwy ddawnswraig, hefo ni i *veibio*'r gynulleidfa. Fe weithiodd ac unwaith eto roedd yna gymaint o *buzz* a theimlad o gysylltu ac uniaethu gyda'r gynulleidfa. Dwi'n sôn am y gerddoriaeth yn gwneud hyn ac nid cyffuriau; roedd y Big Chill yn arbennig, yn wirioneddol *tribal*.

Fe godwyd ymwybyddiaeth pobl o Hen Wlad drwy WOMAD a

Big Chill ac fe gadwodd hyn griw Blue Rose yn hapus fod rhywbeth yn digwydd. Erbyn hyn roedd Tom Hewson wedi dechrau cyflogi merch o'r enw Leza yn Llundain a hi gafodd y gwaith o gydlynu pethau hefo fi. Trefnodd Tom i Leza a finnau fynd i weld David Steel yn V2, label newydd roedd Richard Branson yn ei sefydlu, ac yn dilyn y cyfarfod sicrhawyd *deal* trwyddedu gyda V2 felly roedd CDs Hen Wlad i'w rhyddhau drwy Blue Rose / V2 gan dderbyn nerth marchnata a dosbarthu V2 ond gan gadw annibyniaeth Blue Rose fel label. Dirprwy Branson oedd David Steel ac yn ystod y cyfarfod gofynnodd i mi beth oedd y weledigaeth ar gyfer Hen Wlad. Atebais fy mod isho'r peth fod fel y KLF, yn y siartiau ond yn radical hefyd, ac mai'r syniad oedd gen i am sengl gyntaf oedd i Tom Jones berfformio fersiwn *drum'n bass* o'r emyn 'Myfanwy' hefo ni. Hefyd yn gweithio yn V2 fel *label manager* roedd Ray Conroy, cyn-reolwr y grŵp MAARS, a thrwy gyd-ddigwyddiad roedd Ray wedi cysylltu hefo mi yn ystod cyfnod Catatonia i holi am eu rheoli. Yn rhyfedd iawn, yn un o'r cyfarfodydd marchnata yn V2 fe ofynnodd Ray ai fi oedd yr un Rhys Mwyn a arferai edrych ar ôl Catatonia. A dweud y gwir, gan fod Hen Wlad yn brosiect newydd do'n i ddim wedi sôn am bethau eraill hefo neb heblaw Tom, ond wedyn pan ddaeth Nick Smash PR i mewn i hyrwyddo'r CDs ar ran V2 y peth cynta gawson ni gan Nick oedd "I loved Anhrefn, we should definitely mention that in press releases." Roedd y cysylltiad hefo'r Super Furrys o ddiddordeb mawr iddyn nhw hefyd yn V2 ac ar sawl achlysur wedyn bu datganiadau a storïau yn yr *NME* yn sôn am y Furrys a Hen Wlad yn yr un golofn.

Trefnodd Jamie y byddai Kevin Douglas o Lerpwl, cyfreithiwr Echo and the Bunnymen, yn rhoi cymorth cyfreithiol i ni hefo'r cytundebau ac fe arwyddwyd y cytundebau ar ben mynydd Tryfan yn Eryri, gan y band hynny yw – doedd dim disgwyl i'r label ddringo i ben Tryfan nag oedd!!

Cawson ni wahoddiad i berfformio ym mharti lansio V2 yn y Riverside Studios ochr yn ochr â grŵp arall o Gymru, y Stereophonics, a gwnaeth Sion Sebon ymdrech i gael sgwrs hefo nhw. Fe arhosodd y rhan fwya ohonon ni yn yr ystafell newid am y rhan fwya o'r noson er mwyn osgoi yr holl *pop stars* yn y gynulleidfa. Roedd rhaid i mi chwerthin achos roedd Jamie'n cuddio rhag ofn iddo ddod wyneb yn wyneb â Richard Branson, ei elyn penna ers dyddiau'r Pistols, a nawr ac yn y man byddai Karen neu rywun yn dod nôl i'r ystafell newid a gofyn i Jamie eu cyflwyno i Boy George neu bwy bynnag a Jamie wrth gwrs yn gwrthod symud. Rasta o Lerpwl oedd Keef ac roedd o hefo ni yn chwarae *percussion* a chwpl o *dreads* eraill hefo fo yn ffilmio. Fe'u cythruddwyd gan danc Jimmy Cauty o'r KLF, oedd yn y parti fel DJ gyda baner Union Jack ar ben y tanc. Doedd angen fawr o berswâd arnon ni i dynnu'r Union Jack lawr oddi ar y tanc a chreu dipyn o *hype* – *shit*, roedd yr holl wasg yno!

Dyna un peth da am Jamie – gwisgodd ei gôt, ac er ei fod yn ffrindiau hefo Cauty, roedd Jamie ochr yn ochr â ni'n dringo i ben tanc y KLFs. Dywedais wrth Cauty: "We're going to take down your Union Jack," a fo'n ymateb "You'll have to buy me another one" yn eitha blin. "OK," medda fi, "I'll send you a Cornish flag instead" gan gofio am gysylltiadau Cernywaidd Cauty. Eto cawson ni lwyth o sylw am amharu ar danc y KLF a daeth hyn yn rhan o chwedloniaeth Hen Wlad gan gael sylw i ni yn yr *NME*, *Loaded*, *Select* a chylchgrawn *DJ*.

Yr wythnos honno fe wnaethon ni dair gig arall yn Llundain – un yn Brixton, un yn y Barfly Camden a *rave* yn Hackney. Wnaethon ni ddim deall tan wedyn, wrth i ni sgwrsio gyda'r DJ Mark Sinclair, bod Irvine Welsh, awdur y llyfr (a'r ffilm) *Trainspotting*, wedi bod yn dawnsio reit o flaen y llwyfan drwy'r set. OK, peth da i ni, achos pan fydd y sengl allan drwy V2 bydda i'n gyrru copi i Irvine Welsh, jyst rhag ofn…

Penderfynwyd mai *Tra Di Di* fyddai'r sengl gyntaf ar V2, *remix drum 'n bass* o linell gan Siân James yn canu 'tra di di yr adar mân' a oedd, yn ôl Ronnie Stone, yn swnio fel 'Ragga Man'. Er mwyn cryfhau'r CD gofynnwyd i Alan Emptage, oedd newydd fod yn gweithio gyda Eric Clapton, a'r DJ Ray Keith i ddod fyny hefo *mixes* o'r un gân, ond mynnodd Tom Hewson fod fersiwn 'Bleep Boy Mix' o 'Brad' hefyd yn ymddangos ar y CD. Y tro yma defnyddiwyd llun o'r *suffragettes* gyda llun Jamie o'r Wyddfa adeg machlud yr haul ar gyfer y clawr blaen a llwyddais i gynnwys hanes y Welsh Not a cherdd 'y llynnau gwyrddion llonydd' gan Gwilym Cowlyd ar y cefn. Ffoniodd V2 i gael caniatâd Cowlyd i ddefnyddio ei gerdd. "Ummh, he's been dead for a few hundred years, I'm sure he won't mind."

O fewn ychydig wythnosau dechreuodd V2 a Blue Rose roi pwysau arnon ni i wella ein delwedd ar lwyfan a sylweddolais y byddai'n well i ni ymateb yn sydyn neu fe fyddai y *London heads* yn dechrau gwneud awgrymiadau eu hunain. Des ar draws cynllunydd dillad o'r enw Andrew O'Toole o Ddinbych oedd wedi ennill tlws 'Welsh Designer of the Year' a chan fod elfen *sporty* a *clubby* i'w gynlluniau roedd ei ddillad yn gweddu i'r dim. Cytunwyd mai Andrew fyddai *stylist* y band cyn i'r *London heads* ddod o hyd i ryw *knobhead* o Soho ar ein rhan. Mantais arall o weithio hefo Andrew oedd fod modd ei gyfarfod yn Ninbych a'i fod hefyd yn gallu cynllunio dillad wedi eu mesur yn unigol ar gyfer pob aelod o'r band. Hefyd, roedd y cysylltiad Cymreig yn parhau. Yn wir, wrth arwyddo cytundeb V2 ro'n i wedi mynnu bod Crai yn cadw'r hawl i ryddhau dwy record hir Gymraeg yn ystod pum mlynedd y cytundeb. Fe fu rhaid i V2 gynnwys hyn yn y cytundeb er mawr ddryswch iddyn nhw ond i ni roedd yn fater o egwyddor ac fe gytunwyd ar y peth yn weddol ddidrafferth. Fe gytunodd V2 ad-dalu oddeutu £13,000 i mi hefyd am yr hyn ro'n i wedi ei fuddsoddi yn y band gan fod gigs fel WOMAD a Big Chill wedi gwneud colled sylweddol i ni ar ôl talu costau ac am ddillad gan Andrew a gwahanol gostau stiwdio.

Daeth galwad ffôn arall annisgwyl, y tro yma gan y gyfarwyddwraig ffilm Sara Sugarman oedd yn trio cwblhau ffilm o'r enw *Valley Girls*. Yn ôl Sara doedd dim rhagor o bres ganddi ond roedd gwirioneddol isho defnyddio 'Brad' ar y *soundtrack*. Rhoddais ganiatâd iddi, wrth gwrs, ar yr amod ein bod yn cael mynd i'r *première*, a dyma ddychwelyd i Lundain i'r Electric Cinema ar Portobello Road. Ar y pryd roedd Sara yn mynd allan hefo'r actor David Thewlis ac ymhlith y gwahoddedigion roedd Alexei Sayle. Eto roedd yn rhywbeth arall oedd yn cryfhau'r prosiect ac yn ffordd o gyrraedd mwy o bobl.

Ar ddechrau '97 cawson ni wahoddiad i gefnogi Coldcut yn

Brixton Academy a chael y disgrifiad o fod yn *sheepish* gan yr *NME* am ein hymdrechion. Ar un lefel roedd pawb mor *stoned* dwi ddim yn amau bod yr *NME* yn iawn; ro'n i hefyd yn gweld bod yna ddiffyg egni o fewn y band. Ond i Sion Sebon a mi bu'r band ar lwyfan Brixton Academy mewn byr amser o'i gymharu â'r holl flynyddoedd o waith y bu rhaid i ni ei wneud er mwyn i'r Anhrefn gael unrhyw lwyddiant, felly doedd yr *NME* ddim yn achosi gormod o boen meddwl i ni.

Yn swyddogol daeth *Tra Di Di* allan ar 24 Mawrth 1997, ac er mwyn hyrwyddo'r sengl trefnodd Blue Rose noson yn yr ICA ar y Mall yn Llundain ac yn perfformio hefo ni ar y noson roedd Olivia Tremor Control, cyfeillion i'r Super Furrys o America. Eto roedd y wasg i gyd yno a phenaethiaid V2 felly roedd cryn bwysau arnon ni i wneud sioe dda. Erbyn hyn roedd pawb yn eu dillad Andrew O'Toole a chan fod yr ICA yn *venue* eitha *arty* cawsom *projections* ar gefn y llwyfan o waith celf Jamie wrth i ni berfformio. Llwyddais i gael hen ffilm o Dryweryn ac fe ddangoswyd hynny yn ystod 'Dis UK' ac am ryw reswm roedd Jamie hefyd wedi dod â bwtleg o *Braveheart* hefo fo i ychwanegu at y cynnwrf Celtaidd. Un syniad ges i oedd cael Côr Cymry Llundain i ganu tu allan wrth i'r gynulleidfa gyrraedd yr ICA ond methwyd â sicrhau ymrwymiad gan y côr. Er hynny, bu'r holl beth yn werth ei drafod yn un o *marketing meetings* V2 jyst i weld y wancars yna yn meddwl "What the fuck is he on about now?"

Yn ddiddorol iawn, cafodd fy syniad am gael Tom Jones i ganu hefo ni ei wrthod gan Ray Conroy am fod yn *novelty record* ond eto'n fuan iawn wedyn roedd V2 yn gweithio ar gasgliad o ddeuawdau gyda Tom Jones sef y CD *Reload*. Ie, reit Ray! Er mor frwdfrydig oedd V2 am bopeth yn y dechrau roedd yn amlwg fod mwy a mwy o bwysau yn dod ganddyn nhw arnon ni fel band i wella ein delwedd a'r peth arall amlwg oedd fod rhai fel Ray Conroy yn dechrau awgrymu y dylen ni gael ei ffrindiau i gynhyrchu. Daeth V2 i fyny gyda logo 'LOMM' ar gyfer y band a llwyddo i biso Jamie *off big-time* ac o hyn ymlaen aeth hi yn llawer mwy o ni a nhw. I ddweud y gwir roedd Blue Rose yn methu dylanwadu ar V2, ella oherwydd diffyg profiad neu ddiffyg hyder. Mewn ambell gyfarfod ro'n i'n gorfod bod yn eitha

Cefn llwyfan, Brno, Tsiecoslofacia, 20 Medi 1990. *Llun: Peter Telfer*

Jamie Reid, cynllunydd y Sex Pistols. Arddangosfa Celtic Surveyor,
Oriel Pendeitsh, Caernarfon, Ionawr 1991. *Llun: Martin Roberts*

Rhys Mwyn, Gwlad y Basg, Mawrth 1991. *Llun: Peter Telfer*

Rhys a Nêst wrth fedd Sarah Bernhardt, Paris, Ebrill 1991. *Llun: Peter Telfer*

Leipzig, 18 Mehefin 1991.
Llun: John Griffiths

Rhys Mwyn yng nghastell Colditz,
19 Mehefin 1991.
Lluniau: John Griffiths

Margi Clarke a Rhys Mwyn yn Stiwdio Sain, 1993.
Recordio *Clutter From The Gutter*.

Sion Sebon, Jamie Reid a Margi Clarke, Derry, 19 Hydref 1991. Noson ola Celtic Surveyor yn Derry – gig Anhrefn a Nyah Fearties.

Ship & Castle, Porthmadog, 27 Chwefror 1992.

Sion Sebon, Rhys Mwyn, a Dafydd Ieuan yn yr Iseldiroedd, 27 Mawrth 1993.
Llun: cylchgrawn Opscene

Recordio 'Welsh Not' hefo Philip Madoc a Hen Wlad Fy Mamau yn Stiwdio Sain,
10 Mawrth 1995. *Llun: Nêst Thomas*

Rhys Mwyn a John Peel yn Stiwdio Sain, 15 Ebrill 1993.
Llun: Peter Telfer

Hen Wlad Fy Mamau, Cwm Idwal, 1996. *Llun: Martin Roberts*

Hen Wlad Fy Mamau: Sion Sebon, Havinder Sangah a Rhys Mwyn, Cwm Idwal, 1996. *Llun: Martin Roberts*

Hen Wlad Fy Mamau: Meryl Barton, Jamie Reid a Rhys Mwyn, cefn llwyfan Parti V2, 26 Tachwedd 1996. *Llun: Nêst Thomas*

Karen, dawnswraig Hen Wlad Fy Mamau, wedi cael ei pheintio gan Jamie Reid. Cefn llwyfan noson lansio cwmni recordio V2 yn Riverside Studios, Hammersmith, gyda Hen Wlad yn cefnogi Stereophonics a KLF, 27 Tachwedd 1996. *Llun: Nêst Thomas*

Gwenno. Llun: John Fletcher

Rhai o Recordiau'r Anhrefn:

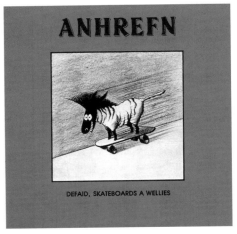

Defaid, Skateboards a Wellies (1987)

Bwrw Cwrw – the Ariwa Sound and Studio One Sessions (1989)

Dragons Revenge (1990)

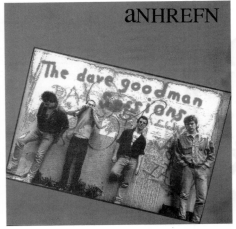

The Dave Goodman Sessions (1990–1991)

pendant er mwyn dal fy nhir ac erbyn mis Mai '97 roedd pethau yn *tense* rhwng y band a'r ddau gwmni recordio.

A dweud y gwir roedd tensiynau o fewn y band hefyd. Dwi'n credu bod Jamie yn gweld V2 yn ffycio'r holl beth i fyny tra o'n i'n trio cadw'r ddysgl yn weddol wastad. Does dim dwywaith fod llawer gormod o gyffuriau o fewn y band a doedd hynny ddim yn helpu pethau chwaith. Roedd 13 o bobl yn y band a'r criw, ac roedd y mwyafrif yn ysmygu *dope*. Ar un adeg yn yr ICA dwi'n cofio Jamie'n gwylltio hefo Pete yr allweddellydd a Keef am orfod cael un spliff arall cyn mynd ar y llwyfan. Dyna oedd y peth, roedd o hyd angen un spliff arall cyn gwneud unrhyw beth. Fedrai rhywun ddim symud amp neu *speaker* heb fod rhywun arall yn rowlio spliff a hefyd, achos yr holl sîn *rave*, roedd 'na Es a *cocaine* yn fflio o gwmpas, *not good*.

Er i bethau fynd yn dda ar y llwyfan yn yr ICA a Leza yn sicr yn teimlo ein bod wedi troi cornel, daeth gorchymyn o'r top yn V2 – roedd yn rhaid sacio rhai o'r band. Dim ond Sion, Meryl, Jamie a finnau fyddai'n weddill. Doedd o ddim yn hawdd, roedd rhaid i Keef, Saul, Pete ac un neu ddau arall fynd. Fe driais eu rhybuddio, ond yn y diwedd roedd y spliffs yn bwysicach a phan ymddangosodd y band yn y Fridge yn Brixton ym mis Mai dim ond Sion, Meryl a finnau oedd ar y llwyfan er i Harvinder Sangha a Molara o Zion Train ymddangos i ganu ar gwpl o ganeuon. Mewn rhai ffyrdd roedd y sŵn a'r ddelwedd yn well ond roedd y band wedi colli'r ddadl o fod yn *collective* a V2 yn trio eu gorau i'n troi ni'n fand traddodiadol.

Y diwrnod cyn y gig yn y Fridge ro'n i wedi mynd ar hyd llwybr Crib Goch ar yr Wyddfa am y tro cynta ac ar ôl dreifio'r holl ffordd lawr i Brixton y diwrnod wedyn ro'n i dal i *buzzian* ac yn sôn wrth Jamie am y wefr.

Daeth syniad gan V2 a Tom Hewson y dylian ni deithio gyda'r Super Furrys ond gwrthodwyd y syniad gan Alun Llwyd, rheolwr y Furrys, achos fy mod wedi dweud mewn cyfweliad fod y Furrys yn *culturally irrelevant* gan eu bod yn gwneud cyn lleied yng Nghymru ac yn Gymraeg. O ran Sion a finnau doedd dim awydd gynnon ni i chwarae gyda'r Furrys ta beth achos roedd eu cynulleidfa nhw yn *indie kids* oedd ddim yn debygol o werthfawrogi Hen Wlad. 'Di o ddim ots faint oeddan ni'n sôn am berfformio hefo'r Afro Celts, Transglobal Underground neu Fun-da-mental, roedd y pwysau o hyd yn dod yn ôl i chwarae'r gêm mewn ffordd fwy traddodiadol a dyma ddechrau ar gyfnod o *siege mentality*.

Ar ôl cyfarfod arall hefo V2 a Blue Rose penderfynwyd y byddai'n well i ni roi'r gorau i berfformio yn fyw am y tro a chanolbwyntio ar recordio, felly fe aeth Sion, Meryl a finnau i stiwdio Ronnie Stone yn Birkenhead am rai wythnosau i sgwennu a recordio stwff newydd. Sion Sebon greodd riff *techno* ar gyfer *remix* 'Dis UK' a gwnaeth Future Loop Foundation o Sheffield *mix* arall ar gyfer y *B-side*, a hon fyddai'r ail sengl, a gafodd ei rhyddhau ar 16 Mehefin 1997. Y syniad gawson ni ar gyfer y lansiad oedd gwneud hynny yn Nhŷ'r Arglwyddi a thrwy Dafydd Êl fe wireddwyd y cynllun. Daeth Kate o Blue Rose hefo ni ar y diwrnod – "God, you guys know a Lord!!!" – a daeth Peter Telfer â chriw ffilmio ar ran HTV ond fel arall chafodd y lansiad ddim sylw o gwbl. Yn amlwg roedd V2 / Blue Rose wedi cael digon a ddim am drio gwthio pethau ond o leiaf cawson ni baned a pheint hefo Dafydd Êl ar ddiwrnod hyfryd o haf ar lannau'r Tafwys. OK, doedd y wasg ddim yno, heblaw am ffilm Telfer chafodd y peth ddim sylw o gwbl a dwi ddim yn credu i 'Dis UK' erioed gael ei chwarae ar Radio Cymru, ond *fuck 'em all* roedd y syniad a'r record yn dda, dwi'n dal i gredu hynny.

Yn y stiwdio hefo Ronnie fe wynebon ni rywbeth doeddan ni ddim wedi ei wynebu o'r blaen. Dyma ni ar *major label*, ond yr holl bwrpas ydi gwerthu recordiau, ac fel y dywedais i wrth Ray Conroy, "We're experts at not selling records, we've signed with V2 to change that", felly dyma ddechrau cyfansoddi caneuon yn Saesneg gyda'r bwriad o gael rhywbeth i'r siartiau. Dwi'n gwybod i ni recordio 'Clutter' ac ychydig o ganeuon gyda Margi Clarke hefo'r Anhrefn, ond dyma'r tro cynta i ni wynebu bod rhaid sgwennu a gwerthu albwm o stwff Saesneg. Drwy Kate yn Blue Rose daeth Nicole Pattersson i'r stiwdio hefo ni i ganu a chyd-gyfansoddi. Roedd Nicole yn canu cefndir hefo D:Ream a Robbie Williams ond yn awyddus i fod yn brif leisydd yn hytrach na chantores gefndir. Nicole ganodd ar yr hysbyseb deledu adnabyddus 'Ohhhh yeah Bodyform'. Fe sgwennon ni gân o'r enw 'Methodism Got To Them Big Time' oedd yn ofnadwy o *bluesy* / New Orleans a chân arall o'r enw 'Hotel Chelsea' am y cymeriadau hynod yna welson ni yn y Chelsea Hotel yn Efrog Newydd ac, efallai yn fwy masnachol, cân o'r enw 'Otherworld' gyda llais *soul* Nicole a riffs *à la* Keith Richards gan Sion. Cân offerynnol oedd 'Union Rocks' wedi ei hysbrydoli gan Graig yr Undeb ger Llanberis a strygl y chwarelwyr yng ngogledd Cymru i sefydlu undeb, ac yn ddiddorol iawn cafwyd ymateb ffafriol i'r *demos* gan Blue Rose.

Er bod Blue Rose a V2 wedi penderfynu mai gwell fyddai i ni beidio perfformio yn fyw, doedd gennym ddim awydd ufuddhau a phan ddaeth gwahoddiad i hedleinio llwyfan Whyrligig yng ngŵyl Guildford fe gytunodd Sion a finnau i wneud y gig heb ddweud wrth y cwmni recordio. Fe aeth y gig yn wych ac mae'n debyg fod llwythi o bobl wedi sgwennu at Blue Rose yn gofyn am fwy o fanylion am y band.

Ffoniodd Kate: "I thought you weren't doing any gigs." "No, that was just Sion and me DJing," medda fi yn hollol gelwyddog. Dwi'n gwybod nad oedd Kate yn fy nghoelio ond wedyn label oeddan nhw nid ein rheolwyr.

Ychydig ddyddiau wedyn ffoniodd Kate a Leza i ddweud eu bod am ddod i ogledd Cymru i gael cyfarfod hefo ni a threfnwyd cael cinio yn Pete's Eats yn Llanberis. Dwi'n cofio Sion yn amau bod pethau ddim yn iawn ond ddywedwyd dim yn ystod y pryd. Ar ôl i ni orffen cinio aeth pawb i lawr at Lyn Padarn i eistedd a dyma Leza yn dweud: "There's no easy way of saying this but V2 don't want to work with you any more." Ar un lefel doedd hyn ddim yn annisgwyl o feddwl sut roedd pethau wedi bod hefo V2 ers mis Mawrth ond ar y llaw arall roedd yn brifo'n uffernol, fel ergyd, dyna ddiwedd ar hynna. Ddywedodd Sion ddim byd ac wrth i Leza a Kate fynd yn ôl i Lundain ar y trên roedd dagrau yn llygaid Leza. Roedd yr holl beth drosodd mor sydyn, fe gymerodd rai dyddiau i'r peth sincio mewn, ond wedyn ciciodd yr hen Rhys Mwyn yn ôl i mewn – reit, roedd rhaid sortio'r *shit* yma allan rŵan.

Pennod 9
Miri Madog

Felly dyna ni wedi cael y *drop* gan V2. Does dim modd disgrifio'r teimlad go iawn, rhywle rhwng teimlo'n sâl, yn *gutted*, yn *pissed off*, mor hynod siomedig. Doedd 'na ddim byd fedren ni ddweud na neud i newid pethau a dyna unrhyw gyfle oedd gan Sion a finnau i fod ar *Top of the Pops* wedi mynd am byth. Er bod Leza wedi sôn am drio cael *deal* arall a bod Chrysalis wedi dangos diddordeb ro'n i'n gwybod bod yr holl beth drosodd. Roedd y misoedd dwetha wedi bod yn ormod o straen, rhwng y cyffuriau o fewn yr *entourage* a gorfod sacio'r rhan fwyaf o'r band. Dwi'n credu i mi fod yn lwcus na ddaru hyn amharu ar fy nghyfeillgarwch hefo Jamie Reid ond eto mae o yn gwybod cystal â neb sut mae'r *majors* yn gweithio. Ar ôl treulio yr holl amser yn datblygu'r prosiect ac wedyn yn trio edrych ar ôl 13 o bobl ar y ffordd dwi'n credu fy mod jyst wedi blino ar yr holl beth a doedd gen i ddim y nerth i gario ymlaen.

Y diwrnod ar ôl y *bombshell* ro'n i yn DJ yn un o gigs Eisteddfod Bala oedd wedi cael ei threfnu gan Huw Gwyn ar ran y Gymdeithas. Ro'n i wedi sôn wrth Huw y byddwn yn hoffi bod yn DJ am yr hwyl ond wedyn doedd fawr o hwyl i hyd yn oed fynd arna i y noson honno. Fedrwn i ddim dweud wrth neb beth oedd wedi digwydd felly cadwais fy mhen i lawr a chwaraeais ychydig o hen feinyls Cymraeg rhwng yr artistiaid. Y prif grŵp y noson honno oedd Anweledig a chyn iddyn nhw fynd ymlaen chwaraeais 'Blaenau Ffestiniog' gan y Tebot Piws. Roedd y band i'w gweld yn gwerthfawrogi hynny a'r noson honno roedd Anweledig yn *brilliant* gyda chymaint o egni ar y llwyfan. Cyn hynny ro'n i o hyd wedi meddwl eu bod yn Bash Street Kids ac yn chwarae *funk*, oedd o hyd wedi bod yn eitha *turn-off* i mi, ac roedd Ceri y canwr o hyd wedi bod wrthi yn tynnu 'nghoes i ond do'n i ddim wedi eu cymryd o ddifri. Y noson honno sylweddolais fod gan y band rywbeth. Hefyd yn chwarae ar y noson roedd Serein o Lanrwst a dwi'n cofio meddwl bod gan Gareth Lewis y prif ganwr rywbeth hefyd.

Wedyn, yn syth ar ôl y Bala, roedd rhaid dal y trên i Lundain gan fod Siân James yn canu mewn gig WOMAD yn Llundain ac ar y diwrnod canlynol ro'n i wedi trefnu mynd i weld Tom yn Blue Rose i gael trefn ar faterion Hen Wlad. Roedd yna'r mater bach o pwy fyddai nawr yn talu i Ronnie am yr amser stiwdio a sut yn union oedd dod allan o'r cytundeb hefo Blue Rose / V2. O hyn ymlaen fu 'na fawr o sgwrsio hefo Tom ond fe gytunodd i dalu costau Ronnie a thrwy ein cyfreithiwr Kevin Douglas cawson ni yr holl hawliau yn ôl ar y recordiau tua blwyddyn yn ddiweddarach ac fe gafodd y rhan fwya o'r *demos* hyn eu cynnwys ar y CD *Post-Punk Post-House Post-Welsh* ar label Crai. Mewn gwirionedd dyna ddiwedd Hen Wlad ond er mwyn cael ychydig o bres fe garion ni mlaen i berfformio'n fyw pan fyddai'r cynigion yn rhai da ac yn talu dros £500. Felly, er bod yr holl beth drosodd cyn belled ag ro'n i yn y cwestiwn, fe berfformiodd Hen Wlad yn y One World Festival yn Frome, Somerset; yn Neuadd y Dref Conwy fel rhan o ŵyl Conwy; yn y Point yng Nghaerdydd; yn y Liet Festival, Leeuwarden yn York Hall, Llundain, ar 31 Rhagfyr 1997; ac wedyn yn Leap, Iwerddon, ym mis Mawrth 1998.

Erbyn i ni gyrraedd Iwerddon ym Mawrth '98 roedd Meryl yn disgwyl plentyn hefo Sion Sebon ac yn dri mis yn feichiog. Treuliodd Meryl yr holl noson yn yr ystafell newid yn gorffwys a methodd y gig yn llwyr. Dyma'r tro olaf i Hen Wlad berfformio, mewn bar bach o'r enw Connolly's yn Leap, Co. Cork, bar roedd yr Anhrefn wedi canu ynddo droeon. Eto reodd hi'n noson arbennig gyda phawb yn dawnsio, un o gigs gorau Hen Wlad, yn cymharu'n ffafriol hefo'r Crocodile Café yn Seattle. Dwi ddim yn credu i ni drafod dod â'r peth i ben; fe ddigwyddodd yn raddol fel roedd Meryl yn dod yn fwy a fwy beichiog a Sion yn llai parod i deithio oddi cartref. Fel yn achos yr Anhrefn, doedd 'na ddim sylw yn y wasg yng Nghymru, sylweddolodd neb ddim.

Ar ôl i bethau ddod i ben gyda V2 roedd yna gwestiwn mawr o ran beth o'n i am ei wneud hefo fy amser. Doedd 'na fawr ddim yn digwydd hefo Crai ers i Catatonia fynd at Warners ac, fel sydd yn digwydd bob amser, fe ganodd y ffôn. Gofynnodd Joe Larmour Jones a fyddwn yn fodlon bod yn *tour manager* i Future Loop Foundation ar eu taith o gwmpas Ewrop. Roedd Future Loop newydd ennill yr anrhydedd o fod y grŵp *drum 'n bass* cynta i recordio sesiwn fyw i Radio 1 a Joe oedd yn rheoli Mark Barrott o Sheffield, sef y dyn y tu cefn i Future Loop Foundation. Roedd hyn yn swnio'n dda i mi. Fydda 'na ddim gormod o gyfrifoldeb gan mai Joe oedd y rheolwr. Y cwbl fyddai rhaid i mi ei wneud oedd cael Future Loop i'r gigs mewn pryd, sortio'r llwyfan, yr *hotels* a'r pres, *piece of piss*; hefyd byddai cyfle i fod allan o Gymru ac i ffwrdd oddi wrth bawb a phopeth am gwpl o fisoedd. Roedd Mark wedi bod yn rhan o ryw grŵp pop o Sheffield ac wedi gweithio hefo'r tîm tu cefn y Spice Girls felly roedd yn eitha *pop star* ond ro'n i'n hoff iawn ohono. Roedd yn *focused*, yn credu yn yr hyn roedd o'n ei wneud, gyda *deal* hefo Planet Dog, felly roedd CDs allan ganddo a marchnata Planet Dog yn sicrhau bod ganddo *profile* yn Ewrop. Yn rhyfedd iawn, er bod Mark yn cwyno am safon y bwyd neu'r *hotels* roedd rhaid i mi ddweud wrtho ei fod yn ei chael hi'n dda iawn o gymharu â phrofiadau'r Anhrefn ar y sîn *punk rock*. Mi oeddwn i'n mwynhau cysgu mewn *hotels* crand a chael bwyd a *rider* bendigedig mewn clybiau dipyn mwy nag a welwn i fel arfer.

Fe fuon ni o amgylch Prydain ac Ewrop ar y daith. Weithiau byddai Joe yn dod hefo ni a dro arall byddai ffrindiau i Mark o Sheffield yn dod yn y fan, ac yn amlach na pheidio ro'n i ar 'y mhen fy hun yn dreifio, darllen y map, dod o hyd i'r clybiau ac yn gofalu am Mark. Cawson ni gig dda yn y Paradiso yn Amsterdam a ches inna gyfle i fynd i ddinasoedd fel Angers a Strasbourg yn Ffrainc lle do'n i ddim wedi canu hefo'r Anhrefn. Yn rhyfedd iawn, ro'n i hefyd yn mwynhau'r daith yn ôl o Sheffield ar ôl gadael Mark yn ei gartre a byddwn yn defnyddio'r map i ffendio ffyrdd gwahanol i groesi'n ôl am Gymru tuag at Gaer neu Telford.

Tua'r un pryd â dechrau gweithio gyda Future Loop fe ffoniais Huw Gwyn a gofyn iddo a oedd unrhyw grŵp Cymraeg yn werth eu clywed ac fe awgrymodd Gwacamoli i mi. Roedd Huw wedi eu gweld yn chwarae yn y Glôb ym Mangor felly fe drefnais i fynd i'w gweld yn Undeb Myfyrwyr Bangor y noson cyn i ni gychwyn am Strasbourg gyda Future Loop. Do'n i ddim am aros yn hir achos bod siwrne hir o 'mlaen ond gwelais ddigon i weld bod gan y band botensial. Yn syth ar ôl Strasbourg trefnais gyfarfod hefo'r 'Gwacs' ac yn rhyfedd iawn fy argraff ohonyn nhw oedd eu bod rhy *aggressive* a dwi'n cofio dweud wrthyn nhw na fyddai hynny'n gweithio yn yr oes oedd ohoni. Y syniad oedd gen i oedd gweithio hefo nhw am flwyddyn neu ddwy gan obeithio wedyn y byddai modd eu symud ymlaen. Mewn ffordd, ail-greu'r patrwm a sefydlwyd gan Catatonia. Yn sicr, roedd gan Gethin, y canwr, rywbeth ac mewn amser fe ddatblygodd i fod yn un o'r cyfansoddwyr mwya dawnus welodd y sîn Gymraeg. I ddechrau roedd angen profiad arnyn nhw, felly fe drefnais gig fach yn yr Heliwr yn Nefyn ac wedyn fe ddaeth cyfle i wneud *showcase* i Gut Records yn TJs Casnewydd – efallai yn rhy fuan yn eu gyrfa, achos ddaeth 'na ddim byd o hynny.

Roedd Gethin wedi sgwennu cân o'r enw 'Plastic Ffantastig' oedd yn eitha Furry-esque a chafodd y gân gryn sylw gan Radio Cymru yn ogystal â'r anrhydedd o fod y gân gyntaf i'w darlledu ar orsaf Champion FM. Fe gafodd y band syniad o ymddangos ar *Pobol y Cwm* ac fe lwyddwyd i berswadio cynhyrchwyr y rhaglen i sgwennu'r band i mewn i'r sgript i ganu 'Plastic' mewn gig yng Nghwmderi. Fe fuon ni fyny i'r Alban i wneud gig hefyd mewn coleg Gaeleg ar ynys Skye felly roedd tipyn mwy yn digwydd na chyda grŵp 'arferol', oedd yn beth da. Yn sicr roedd Gethin yn deall sut i chwarae'r gêm a datblygodd cyfeillgarwch a dealltwriaeth dda rhwng y ddau ohonon ni. Ar y ffordd yn ôl o'r Alban roedd y band yng nghefn y fan yn cysgu a finnau'n gwrando ar y *Top 40* ar Radio 1. Dyma'r noson aeth 'Mulder and Scully' Catatonia i mewn i'r pump ucha ac er nad o'n i wedi gweld na siarad gyda'r band ers dros dair blynedd ro'n i mor falch drostyn nhw. Ro'n i hefyd yn gweld hyn fel cadarnhad i mi fod yn iawn ers y dechrau am Catatonia, felly mae'n rhaid mod i wedi gweiddi allan yn y fan a bod y Gwacs wedi deffro: "Be sy'n bod?" "Mae Catatonia wedi cael Top 5 … *brilliant, nice one, good one.*" 'Na i byth anghofio'r wefr a'r balchder; rhywbeth ro'n i wedi bod yn rhan ohono, er mor bell yn ôl, nawr yn cael llwyddiant. Mi fedra i gofio yn iawn hyd yn oed lle roeddan ni ar y draffordd, yn dod i ffwrdd o'r M56 ar gyrion Caer.

Roedd Joe Larmour hefyd yn gweithio gyda grŵp o'r enw Sugargun o Lerpwl ac yn awyddus i mi gydweithio hefo fo ar y band ond ddaru pethau ddim llwyddo. Mewn gig yn y Normal, Bangor, hefo Gwacamoli a Sugargun, dechreuodd Sugargun daflu offer o gwmpas y neuadd gan gynnwys darnau o'r PA, sef offer yr Anhrefn, felly fe gerddais ar y llwyfan a throi'r trydan ffwrdd. Am ryw reswm doedd gen i ddim amynedd hefo band o Sgowsars yn trasho fy offer, ond dwi ddim yn credu i hynny wneud fawr o les i 'mherthynas waith hefo Joe. Fe benderfynodd y ddau ohonon ni weithio gyda'n gilydd fel cwmni rheoli 33 ond er i mi gytuno mynd â Gwacamoli i mewn i'r pot doedd Joe ddim yn gallu gwneud yr un peth hefo Future Loop gan ei fod yn dibynnu ar Future Loop am ei fywoliaeth ac mewn ffordd ro'n i yn cael cyflog Crai bob mis. Efallai i'r anghyfartaledd hwn gyfrannu at y ffaith mai cyfnod cymharol fyr o gydweithio gawson ni.

Fe edrychon ni ar grŵp dawns o Gaerdydd, Audio Airstrike, oedd yn arbennig o dda yn chwarae arddull *big beat* ond yn anffodus roedd y band yn amharod iawn i berfformio yn fyw felly a'th hynny ddim yn bell iawn, er iddyn nhw gyfrannu traciau i'r CD *Crai Tecno 2*. Mi o'n i wedi cychwyn rhoi gigs i Slip o Gaernarfon ac yn gyrru ymlaen yn reit dda hefo nhw ac yn cael hwyl yn y fan neu yn yr ymarferiadau yn hwyr y nos yn stiwdio Sain. Am ryw reswm aeth Slip ddim i mewn i'r pot 33 hefo Joe ond fe drion ni ddechrau rheoli Lucie Chivers, er nad aeth hynny fawr pellach nag ychydig o sgyrsiau hefo Lucie. Fe lwyddwyd i gael cytundeb rhwng 33 a'r grŵp Cerrig Melys ond unwaith eto a'th y peth fawr pellach na threfnu ychydig o gigs iddyn nhw. Grŵp roedd pawb yn eu licio oedd The Cacan Wy Experience ac mi wnaethon nhw chwarae tipyn hefo'r Gwacs mewn gigs roeddan ni'n eu trefnu, ond eto, er i ni gael y syniad o drio cael John Lawrence o'r Gorkys i gynhyrchu nhw, ddaru'r Cacan Wys ddim llwyddo i ryddhau fawr o ddim chwaith. Bellach mae'r Cacan Wys yn Kentucky AFC ac yn gwneud yn iawn. Hefyd yn ystod y cyfnod yma mi wnes ychydig o waith hefo'r artistiaid Rhian Mostyn, Coaster a Gareth 'Serein Boy' Lewis. Fe recordion ni fersiwn Gymraeg o 'Denis' gan Blondie hefo'r Gwacs a Rhian Mostyn yn canu ond fe wrthodwyd caniatâd gan y cyhoeddwyr i ni ryddhau ferswin Gymraeg felly chlywodd neb y fersiwn yma a dwi ddim yn ama bod y tapia'n dal yn stiwdio Sain. 'Y Gwacs' oedd Gwacamoli, roedd Huw o Cacan Wy yn 'Huw Cacan Wy' a chafodd Rhys Slip yr enw 'Slip-Man'. Dwi'n credu bod y bands yma wedi bod yn rhan o adfywiad yn y sîn Gymraeg ond y ddau fand ddaeth i amlygrwydd yn y cyfnod yma rhwng 1998 a 2000 oedd Anweledig a Big Leaves.

Erbyn 1988 roedd Big Leaves yn cael eu rheoli gan Huw Williams a Natasha Hale o Townhill Music ac wedi arwyddo cytundeb gyda Sony Publishing, ac fe ddaeth Huw yn ôl i gysylltiad i weld a fyddai gen i ddiddordeb gweithio hefo Big Leaves a rhyddhau eu caneuon Cymraeg drwy Crai. Roedd y cysylltiad yna hefo Huw ers dyddiau Catatonia a fo oedd isho ailgydio yn y berthynas waith. Dwi ddim yn amau bod aelodau Big Leaves yn ddrwgdybus o fynd at Sain neu Crai ond fe bwysleisiodd Huw ei fod am gydweithio hefo fi achos ei brofiad o gydweithio yn nyddiau Catatonia. Yn rhyfedd iawn, mi roddais Huw mewn cysylltiad â Ronnie Stone rai blynyddoedd ynghynt i wneud *demos* hefo'r Big Leaves ond, fel y dywedodd Huw, fe wnaeth Ronnie i'r holl beth swnio'n rhy drwm felly ddigwyddodd 'na ddim hefo *demos* Ronnie. O hyn ymlaen roedd y Big Leaves yn gweithio gyda'r cynhyrchydd Richard Jackson ac fe recordio nhw ddau EP a'r albwm *Pwy Sy'n Galw* ar label Crai.

O fewn dim roedd y Big Leaves wedi sefydlu eu hunain fel y prif grŵp Cymraeg yng Nghymru a dwi ddim yn amau bod y Cymry yn eu cymryd o ddifri achos bod ganddyn nhw reolwyr di-Gymraeg yn Huw a Natasha. Dwi ddim yn amau hefyd fod Natasha'n gallu bod yn ddigon caled o safbwynt busnes a dwi'n gwybod i mi ddadlau sawl gwaith hefo hi wrth drio dod i gytundeb ynglŷn â phrosiectau Big

Leaves. Y ddadl fwya oedd cael Big Leaves i gytuno i recordio record hir hefo Crai achos yr agenda gan y band oedd cael *deal* mawr felly roedd yna o hyd deimlad fod y Big Leaves yn mynd i ddilyn Catatonia a diflannu at un o'r labeli mawr rywbryd. Y tro yma gwnes i'n sicr eu bod yn cael recordio cymaint ag y dymunen nhw er bod Dafydd Iwan yn ddigon parod i gwestiynu a oedd gormod o EPs yn cael eu rhyddhau gan y band yn rhy agos i'w gilydd. Mi o'n i yn dweud wrth Huw a Natasha i drafod popeth hefo fi er mwyn cadw Dafydd allan o unrhyw sgyrsiau am gynlluniau'r band.

Fe gawson ni gigs gorlawn hefo Big Leaves mewn canolfannau fel Clwb Chwaraeon Porthmadog, lle roedd dros 300 o *kids* i gyd dan 18 yno. *Brilliant*, fedrwn i neud dim ond chwerthin, a dwi ddim yn siŵr a oedd Big Leaves yn gwybod beth oedd wedi eu hitio nhw. Ar achlysur arall daeth Huw a Natasha fyny i'r Steddfod Genedlaethol i un o gigs Maes B Cymdeithas yr Iaith. Wrth gwrs, fe gawson nhw drafferth dod i mewn gan y Gymdeithas, fel y cafodd awdur llyfr Catatonia, David Owens, gan eu bod wedi gofyn am y *guest list* yn Saesneg a bu'n rhaid i mi ymyrryd ar eu rhan i sicrhau mynediad iddyn nhw. Fe ddisgrifiodd Huw y gig fel *carnage* o weld yr holl bobl ifanc Cymraeg wedi meddwi a dyna oedd yr enw ar gigs Cymraeg ar ôl hyn, gyda Huw yn gofyn "Is it another carnage gig?"

Heb os, Big Leaves oedd y band ddaru roi *kick-start* arall i Crai. Ers i Catatonia adael doedd fawr o fands o werth wedi ymddangos ar y sîn Gymraeg felly roedd pethau wedi bod yn gymharol dawel hefo'r label. Y band arall, a band ar yr ochr arall i'r sbectrwm cerddorol i Big Leaves, oedd Anweledig, ac ar ôl blynyddoedd o haslo gan y band cytunais iddyn nhw ddod i mewn i recordio'r albwm *Sombreros yn y Glaw* gyda John Griffiths a Kevs Ford o Llwybr Llaethog yn cynhyrchu. Dwi'n gwybod nad ydi Anweledig wedi maddau i mi am hyn ond dwi'n hollol sicr fy mod wedi bod yn iawn i ddal yn ôl cyn eu recordio. Ar ôl eu gweld yn Steddfod Bala mi oeddwn yn gwybod bod gan y band y *balls* i wneud rhywbeth da ond hefyd, achos bod Anweledig wedi gigio cymaint, roedd ganddyn nhw ddilyniant, ac o ganlyniad pan ddaeth *Sombreros* allan fe werthodd yn dda iawn. I mi roedd y band yn barod i ryddhau eu halbwm ond do'n i ddim yn credu hynny flwyddyn neu ddwy ynghynt.

Dwi ddim yn credu i mi rioed lwyddo i ennill ymddiriedaeth Anweledig yn iawn, ond am y tro roedd cael albwm allan ganddyn nhw ar Crai i'w weld yn cadw pawb yn hapus, ac yn bwysicach fyth roedd yn gwerthu felly roedd hefyd yn cadw cyfarwyddwyr Sain yn ddistaw. Roedd yna duedd gan rai o gyfarwyddwyr Sain i deimlo bod Ankst neu Gwynfryn o hyd yn achub y blaen er bod Big Leaves ac Anweledig, y ddau grŵp pwysica yng Nghymru, ar y label ac, eto, dwi ddim yn credu i mi allu rioed ddistewi'r pryderon yna.

Roedd yna ochr i Ceri Anweledig oedd yn uffernol o ddoniol; roedd o wedi penderfynu mod i'n gwastraffu fy amser yn gweithio hefo Gwacamoli ac yn sicr roedd o'n meddwl eu bod yn cael ffafriaeth, er i mi drio egluro droeon iddo nad ffafriaeth oedd hynny ond yn hytrach mai fi oedd yn eu rheoli. Fues i rioed yn rheolwr ar Anweledig mwy nag y bues i'n rheolwr ar Big Leaves – yn naturiol, roedd 'y mherthynas i â'r grwpiau'n amrywio gan ddibynnu ar fy rôl hefo'r band. Yn ôl Ceri, roedd Gwacamoli yn 'boi band' achos eu tueddu i wisgo mewn du ar y llwyfan. Roedd ganddo bwynt, wrth gwrs, achos ro'n i wedi sôn hefo'r Gwacs bod angen creu delwedd lwyfan ac angen gwisgo ychydig yn well ond roedd y band wedi mynd allan a phrynu crysau'r un fath i'r tri ohonyn nhw yn lle trio creu delwedd arbennig i bob aelod o'r band. O leiaf roedd y Gwacs yn trio, ond doedd dim darbwyllo ar Ceri. O leia roedd Ceri'n rhoi sêl bendith i'r Cacan Wys, ac ar y pryd roedd yn mynd allan hefo Heddus Gwynedd, chwaer Osian a Meilir Big Leaves, felly roedd y ddau fand yn amlwg yn nabod ei gilydd yn dda, er y gwahaniaeth anferthol o ran proffesiynoldeb ac agwedd.

Dwi'n credu mai'r bwrlwm hwn hefo Big Leaves ac Anweledig arweiniodd at Wil Russell Owen o Glwb Chwaraeon Madog yn dod ata i i ofyn fyddwn i'n cydweithio hefo nhw yn y clwb i ailsefydlu gŵyl Miri Madog. Felly, ym mis Awst 1998, cynhaliwyd gŵyl Miri Madog yn Port gyda Melys a Topper yn hedleinio a grwpiau fel Big Leaves, Anweledig, Gwacamoli a'r Cacan Wy Experience yn chwarae gyda'r nos ac yn y pnawn. Doedd 'na ddim gŵyl fel hyn wedi cael ei chynnal yng Nghymru, yn canolbwyntio'n llwyr ar fandiau newydd cŵl a *hip*. Roedd Sesiwn Fawr yn gwneud eu *thing* gwerin / *world music* a'r Steddfod oedd y Steddfod felly roedd Miri Madog yn ŵyl benodol iawn ar gyfer bands ifanc. Erbyn 1999 roedd Gorkys yn hedleinio'r ŵyl a'r Super Furrys i gyd gefn llwyfan ac yn 2000 llwyddais i ddenu grwpiau Cymreig di-Gymraeg fel Derrero, Murry the Hump, Mo-ho-bish-o-pi, Pink Assassin a Strawberry Blondes, a Radio 1 yn darlledu.

Dyma'r tro cynta mewn ffordd i ŵyl Gymreig fodoli heb reol iaith ac yn sicr, o ran fi'n hun, ro'n i'n gweld hyn fel cam pwysig ymlaen ac yn ffordd i uno pawb yn y byd cerddoriaeth yng Nghymru ychydig bach mwy.

Uchafbwynt Miri Madog 2000 oedd y ffeit rhwng y Strawberry Blondes a Mo-ho-bish-o-pi. Dwi ddim yn siŵr beth oedd wrth wraidd y ffrae ond fe ymosodwyd ar ganwr Mo-ho-bish-o-pi gan ddrymar y Blondes wrth iddo ddod oddi ar y llwyfan. Yn ôl y Blondes roedd o wedi dweud rhywbeth amdanyn nhw o'r llwyfan. Fe alwyd am ambiwlans ac fe fynnodd Radio 1 fod y Blondes yn gorfod gadael y safle – sôn am *punk rock*. Fi oedd yn gorfod arwain y Blondes oddi ar y safle ond do'n i ddim yn ei chael hi'n hawdd osgoi chwerthin wrth i'r Blondes fynd drwy eu pethau. Am weddill y dydd roedd criw Radio 1 yn edrych fel petai'r byd yn dod i ben. "That's rock 'n roll for you – welcome to Wales." Yn sicr fe wnaeth hyn ddrwg mawr i'r Blondes a chawson nhw fawr o gigs yng Nghymru wedyn, er i gynhyrchydd y Manic Street Preachers, Greg Haver, drio achub eu rhan drwy sgwennu at Radio 1 yn canmol ymddygiad y Blondes pan recordiodd o sesiwn hefo nhw yn stiwdio Rockfield.

Yn rhyfedd iawn roedd y Blondes wedi gwneud gig i mi yn y Crown yng Nghaernarfon y noson ar ôl y ffrae hefo Geraint Løvgreen a arweiniodd at y *fatwa* a finnau'n teimlo'n ddigalon hefo agwedd pobl yng Nghymru. Roedd Anweledig yn gallu bod yn llond llaw a chyfarwyddwyr Sain mor sâl eu cefnogaeth nes mod i fwy neu lai wedi penderfynu rhoi'r gorau i weithio o fewn y byd pop Cymraeg. Daeth y Blondes i mewn i'r *pub*, mor ddiolchgar am y gig ac am y cyfle i ddod i fyny i'r gogledd. Nid am y tro cynta roedd pyncs Casnewydd wedi fy achub ac nid am y tro cynta roedd y di-Gymraeg wedi 'mherswadio i i barhau i weithio yng Nghymru.

Dwi ddim yn amau i mi fynd drwy *phase* o fod mor *fed up* hefo rheoli'r Gwacs a gweithio yn Crai a phawb yn cwyno a'r diffyg *loyalty* gan Big Leaves fel mod i'n sicr yn meddwl "be di'r pwynt", ac roedd y ffrae hefo Løvgreen ar ben hynny jyst yn gwneud i mi deimlo fel "fuck Wales, I can't be arsed". Fe gododd y Blondes fy ysbryd, a'r diwrnod wedyn ro'n i yn ôl yn fy ngwaith fel arfer a neb ddim callach, ond dyma ddechrau'r diwedd hefo Crai; dwi'n gallu gweld hynny rŵan, wrth edrych yn ôl. Fe recordiais EP hefo'r Blondes ar Crai ac fe gafwyd cryn sylw ond fawr ddim gwerthiant i'r EP ond dwi'n meddwl iddo fod yn werth ei wneud, unwaith eto pe bai ond i estyn dwylo lawr at Gasnewydd!

Fe ddaeth pethau i ben rhyngddo i a Miri Madog oherwydd yr hen elyn, 'y pwyllgor'. Bob tro bydden ni'n cyfarfod byddai rhywun yn gofyn "Pam da ni ddim yn cael Mynediad am Ddim i ganu?", a finnau'n trio egluro mai naws ac apêl yr ŵyl oedd bands newydd. Eto, ar ôl i mi adael fe newidiodd pethau a fuodd 'na ddim cyfleoedd run fath i grwpiau Cymreig a di-Gymraeg wedyn. Dwi ddim yn colli Miri Madog o gwbl. Fe drefnais dair gŵyl iddyn nhw ac roedd yn amser symud ymlaen, ond unwaith eto roedd rhywun yn gweld y diffyg gweledigaeth a diffyg mentergarwch yn ei amlygu ei hun hefo'r Cymry Cymraeg; y culni a'r chwarae'n saff yna sydd yn bopeth dwi'n gasáu am y Cymry Cymraeg.

Unwaith eto roedd pethau'n newid a daeth yn amser i mi gael safle ar y we i gadw i fyny hefo'r dechnoleg newydd – lansiwyd safle gwe Rhys Mwyn ym 1998. Tua'r un amser daeth Wil Aaron, cynhyrchydd teledu gyda Ffilmiau'r Nant, i gysylltiad gyda syniad o wneud rhaglen 'pry ar y wal' ar gyfer S4C a'm dilyn o gwmpas am flwyddyn. Wil ddaeth â'r enw *Er Mwyn Roc a Rôl* a gofynnodd i Meic (Spielberg) Jones ffilmio gan ein bod yn ffrindiau a chan fod rhaglen o'r fath yn gofyn am rywun fyddai'n ffitio mewn. Mae'n rhaid dweud bod Wil wedi cael y syniad ar yr adeg iawn achos fe barhaodd y prosiect yma dros y cyfnod 1999 – 2000 ac roedd y ffilmio yn rhoi ffocws, neu efallai y byddwn wedi rhoi'r gorau i'r byd yna fel arall. Dwi'n cofio i Wil Aaron fod yn gefnogol iawn i'r Anhrefn yn ôl yn yr 80au ac fe gawsom dipyn o sylw ar raglen *Hel Straeon* roedd Wil yn ei chyfarwyddo, felly fel mae nhw'n dweud, *he's a good man*. Hefyd, wrth gwrs, roedd hi'n *laugh a minute* hefo Meic Jones ac roedd y bands i gyd yn hoff iawn ohono – mae o mor frwdfrydig ac roedd o'n cael y gorau ar gamera bob tro.

Yn anffodus fe wrthododd Big Leaves gael eu ffilmio ar gyfer y gyfres – roedd hynny'n brifo i raddau achos bod y gwaith ro'n i yn ei wneud ar eu rhan yn amlwg yn gwneud i bethau ddigwydd iddyn nhw, ond o fewn cyd-destun y ddogfen doedd hyn ddim yn cael ei weld gan roi'r argraff mod i'n gweithio hefo B *leaguers*. Ar y llaw arall, fe ddechreuais weithio gyda grwpiau ifanc iawn fel y Gogz ac o leia roedd pobl yn cael y cyfle i weld sut mae grŵp ifanc iawn yn datblygu dros gyfnod o flwyddyn. Yn rhyfedd iawn, hefo'r Gogz fe ddywedais reit o'r dechrau mai nhw oedd y grŵp gyda'r potensial mwya allan o bawb, er rhaid i mi gyfadde i mi golli ffydd ynddyn nhw ar ôl rhyw dair blynedd gan nad oedd y peth yn symud ymlaen. Ar ôl i mi stopio gweithio hefo'r Gogz fe recordion nhw CD yn Saesneg a llwyddo i gael *deal* hefo label Best Before drwy gwmni Barfly, ac erbyn heddiw y Gogz yw The Heights ac ma nhw'n gwneud yn dda. Felly mewn ffordd ro'n i'n iawn hefo'r Gogz yn y dechrau ac yn anghywir wedyn, er dwi'n falch iawn iddyn nhw symud ymlaen a'n bod ni i gyd yn dal yn ffrindiau ac yn sgwrsio'n aml heddiw.

Pan a'th y gyfres allan yn 2001 cafwyd ymateb da iawn a ffigurau gwylio parchus. Ddaru S4C gomisiynu ail gyfres? Naddo wrth gwrs! Dwi ddim yn amau i mi wneud datganiadau digon dadleuol, fel arfer, yn ystod y gyfres. Ar un rhaglen fe gyfeiriais at y grŵp Celt fel *bunch of amateurs* a dydi'r grŵp ddim wedi maddau i mi ers hynny. Dwi ddim yn credu bod hyn wedi helpu pethau hefo cyfarwyddwyr Sain chwaith, ond fel y dywedais yn ystod un rhaglen, *this is rock 'n roll not tiddly-winks* ac, wrth gwrs, roedd Wil Aaron am gynnwys y pethau mwyaf doniol a dadleuol. Fe aeth Wil am yr *human interest* a chredaf iddo, ar y cyfan, gael y peth yn iawn.

Roedd ochr ddoniol hefyd, fel y gig yng nghanolfan Aberconwy hefo Eden lle doedd neb wedi troi i fyny, a hefyd ffans Celt yn dadla hefo fi ar ddiwedd Miri Madog i gael mwy gan y grŵp a finnau yn gwrthod oherwydd *curfew* y drwydded berfformio. Beth oedd yn ddiddorol oedd ymateb *Joe public* – pobl yn dod ata i ar y stryd neu mewn siop neu gaffi a dweud eu bod yn mwynhau; yn sicr roedd hynny'n codi calon rhywun ac mewn ffordd dyna oedd yn bwysig, fod pobl yn mwynhau'r gyfres.

Fel roedd y ffilmio yn dod i ben daeth grwpiau newydd i mewn i stabal Crai. Roedd dyddiau Topper gydag Ankst i'w gweld wedi dod i ben ac ar ôl trafodaethau hir llwyddwyd i recordio EP hefo Topper cyn iddyn nhw chwalu'n syth wedyn. Dechreuais weithio hefo Alcatraz o ardal Castell Newydd Emlyn ac fe recordion nhw EP gyda Richard Jackson yn stiwdio Le Mons, Casnewydd, ac ychydig o ganeuon yn stiwdio Sain hefo Ronnie Stone. Heb os roedd Cate Timothy, y gantores, yn un o dalentau mwya'r cyfnod ond wnaeth y band fawr o argraff go iawn. Ella mai grŵp ysgol oeddan nhw, ac mae Cate dal wrthi yn canu ar ei phen ei hun, ond dwi'n sicr fod Cate yn un o'r *wasted talents* mwya yn y sîn Gymraeg. Efallai y daw ei hamser yn y dyfodol? Gobeithio wir!

Mi driais ac fe fethais gael unrhyw beth gan Estella – fe aeth y trafodaethau yn *stuck* wrth ddadlau am gyfradd freindal. Dywedais wrth Dafydd Iwan na fedrwn weld bod grŵp cymharol newydd yn haeddu cyfradd freindal uwch na Catatonia felly rhois y gorau i drio eu darbwyllo. Un cyfarfod yn unig gefais i hefo Texas Radio Band, yn y Cŵps yn Aberystwyth, ond unwaith eto aeth y peth ddim pellach. Os oedd *Cam o'r Tywyllwch* wedi profi unrhyw beth, yr hyn a brofodd oedd mai'r ffordd o greu chwyldro oedd rhyddhau llwyth o stwff gan lwyth o grwpiau a chreu sîn newydd. Dwi'n meddwl mai dyma ro'n i'n drio ei wneud yn y cyfnod hwn; os oedd Gwacamoli a Slip yn creu y *rank and files* a'r Big Leaves ac Anweledig yn *headliners*, roedd Topper ar eu camau olaf fel band ac am wahanol resymau nath 'na neb ymateb i Alcatraz, ond roedd y syniad yn un iawn. Fel arfer, cefais cyn lleied o gefnogaeth gan gyfarwyddwyr Sain; yn sicr, roedd 'na deimlad fod angen cadw'r momentwm i fynd, ond doedd hi ddim yn hawdd.

Ar ôl sgwrsio hefo Bryn Roberts o gwmni Gwynfryn (Bryn Tafari fel oedd o i ni oherwydd ei ddiddordeb mewn *reggae* a'i gefnogaeth i grwpiau fel One Style ac End of Culture) fe ddaeth Maharishi, Epitaff a Nar dan fy ngofal yn Sain er eu bod yn parhau i fod ar label Gwynfryn, a oedd nawr wedi ei brynu gan Sain. Fe recordiodd Maharishi EP mwy neu lai uniaith Saesneg gyda Mark Cyrff / Catatonia yn cynhyrchu, eto lawr yn stiwdio Le Mons yng Nghasnewydd. Dwi'n credu bod yr EP yn un da, ond oherwydd cefndir Maharishi gyda'r gân 'Tŷ ar y Mynydd' a'u dilynwyr traddodiadol Cymraeg nath yr EP ddim argraff o gwbl ar y sîn Gymraeg a methu wnaeth Maharishi hefyd i dorri i mewn i'r sîn ddi-Gymraeg er iddyn nhw gael ymateb positif mewn ambell gig yng Nghaerdydd a Chasnewydd drefnais i iddyn nhw.

Yn rhyfedd iawn, tua'r adeg i Catatonia ryddhau 'I am the Mob' fe ddigwyddais daro i mewn i Cerys yn ddamweiniol mewn bar yng Nghaerdydd. Do'n i ddim wedi siarad hefo run o'r band ers i MRM ddod i mewn hefo'u tactegau *heavy-handed* a chlywais Cerys yn dweud "Rhys Mwyn!" o ochr arall yr ystafell. Daeth hi draw am sgwrs ac ro'n i'n falch iawn o'i gweld eto ar ôl yr holl amser. Roedd Cerys newydd ddod yn ôl o drip sgio yn rhywle neu'i gilydd ac i'w gweld yn hapus. Dywedais wrthi mod i'n hoff iawn o 'I am the Mob' a dywedodd hithau y byddai'n gyrru copïau o'u recordiau i mi o hynny ymlaen. Ohhh yeahhh? Ddigwyddodd hynny ddim, wrth gwrs, ond ro'n i'n falch o fod wedi siarad hefo hi eto.

Ychydig wythnosau wedyn, mewn gig yng Nghlwb Ifor Bach hefo Gwacamoli, teimlais rywun yn neidio ar fy nghefn wrth i mi helpu cario gitârs Gwacamoli i'r llwyfan, ac wrth i mi droi rownd dyna lle roedd Mark Cyrff / Catatonia. Eto, dyma'r tro cynta i mi ei weld ers '94 ac fe aethon ni'n ôl i gefn llwyfan am sgwrs. "Long time no see," meddwn i wrtho, a Mark yn dweud "Ie, ers y gig yna yn St Helens, ie?" *Shit!* Roedd o'n cofio'n iawn a do'n i ddim isho iddyn nhw ddeall i mi fod yn eu hosgoi, ond wedyn mae Mark yn bell o fod yn stiwpid. Eto, roedd yn braf iawn cael ailafael yn ein cyfeillgarwch ac roedd y Gwacs yn eitha *impressed* fod *pop star* go iawn gefn llwyfan hefo ni.

Dwi ddim yn credu bod ailgyfarfod Cerys a Mark wedi cael unrhyw effaith ar yr hyn ddigwyddodd wedyn, ond daeth ffacs drwodd gan gwmni MRM i swyddfa Sain a finnau'n meddwl *"Oh shit,* be mae nhw isho rŵan?" Roedd y ffacs yn dweud bod disg *platinum* ar fy nghyfer i gydnabod gwerthiant o 600,000 ar y CD *International Velvet* gan Catatonia a bod angen i mi drefnu *courier* i nôl y disg o swyddfeydd MRM. Y peth cynta nes i oedd ffonio Nêst a dweud "Ti ddim yn mynd i goelio hyn!", ac er mawr syndod i mi dyma Nêst yn dweud "Dwi'n gwybod, Rhys, mi ffoniodd Mark a Paul i ofyn a fyddet ti'n gwerthfawrogi cael disg." Heb os dyna un o ddiwrnoda hapusa 'mywyd i, jyst y gydnabyddiaeth a'r ffaith fod Mark a Paul wedi meddwl amdana i. Dwi'n cymryd bod Cerys yn gytûn hefyd, ond roedd yr holl beth yn golygu lot fawr i mi a dwi'n hynod falch o'r disg, sy'n dal gen i yn fy swyddfa. Fel mae'r cyd-ddigwyddiadau yma'n digwydd, ro'n i a Nêst yn teithio i fyny i Sheffield y diwrnod wedyn i weld Big Leaves yn cefnogi Catatonia yn yr Octagon. Dyna'r tro cynta i mi weld Catatonia yn fyw ers St Helens a'r Cnapan yn ôl yn '94 ac unwaith eto roedd yn *full stop* go iawn ar bethau. Roedd Catatonia yn wych a chaneuon fel 'Storm the Palace' yn dechrau'r set yn fy atgoffa o gig y Clash yn Deeside yr holl flynyddoedd yn ôl. Dwi'n falch i mi eu gweld unwaith ar lwyfan mawr ond wedyn dyna ni, doedd dim mwy i'w wneud gyda'r bennod yna byth wedyn. Wel, dyna ro'n i'n feddwl ta beth, ond wedyn daeth pwysau gan gwmni Proper, cwmni dosbarthu Sain, i ni ailryddhau CDs Catatonia yn sgil eu llwyddiant. Yn rhyfedd iawn, wnaeth MRM na Sain rioed sortio'r breindaliadau am y CD o EPs Catatonia a bu rhaid i mi wneud hyn mor ddiweddar â 2005 gan sicrhau bod Cerys, Mark, Paul, Clancy Pegg a Dafydd Ieuan yn cael yr hyn oedd yn ddyledus iddyn nhw. Mewn gwirionedd dyma oedd y *full stop* go iawn hefo Catatonia a chefais e-bost gan Cerys yn dweud "Nadolig Llawen! Diolch am y pres" er ei bod yn ganol yr haf.

Yn ystod fy nghyfnod hefo Catatonia, dros y Dolig ym 1993, penderfynais i a Nêst fynd am wylia i Cuba gan dreulio wythnos yn

Havana i wneud yr un peth â'n hen gyfaill Amin o'r KOB yn Berlin: "Check out the revolution, maaan." Ar y diwrnod cynta i ni gyrraedd Havana fe daron ni ar draws *sound system reggae* ar un o'r hen sgwariau yn chwarae *cuts* diweddar o Jamaica a hynny drwy *speakers home made*, fel popeth arall yn Cuba. Pan mae pobl yn sôn am *I died and went to heaven* dyna'n union oedd hyn, cael eistedd ar sgwâr yn yr awyr agored yn yr haul poeth yn Havana yn gwrando ar *reggae*. Dydi *fucking brilliant* ddim yn agos ati.

Ar ôl yr holl deithio hefo'r Anhrefn roedd Nêst a finnau bellach yn barod i feddwl am gychwyn teulu, a pha well lle i ymlacio na'r haul poeth yn Cuba – dyna'r syniad go iawn dros fynd yno. Doedd dim pwysa a dwi ddim yn credu i ni feddwl gormod am y peth, ond ar ôl blwyddyn neu ddwy dwi'n credu i ni gychwyn meddwl bod pethau'n cymryd amser gan ein bod heb lwyddo i feichiogi. Erbyn '97, teimlad y ddau ohonon ni oedd y byddai'n beth doeth cychwyn gwneud ymholiadau meddygol rhag ofn fod yna broblem. Fe edrychon ni i mewn i'r posibiliadau o fabwysiadu plant – doedd hyn ddim yn agos o gwbl at fod yn 'ail ddewis'. Yn rhyfedd iawn, dwi o hyd wedi cael y teimlad, ers dyddiau ysgol, y byddwn i'n hoffi mabwysiadu, er efallai fod rhywun wedi meddwl am wneud hyn ar ôl cael plant ein hunain gynta. Dwi'n cofio i 'nhad ofyn un tro pryd oedd o am gael bod yn Taid a finnau'n chwerthin wrth ddweud ein bod wrthi yn trio, ond wnaethon ni ddim sôn bod pethau i weld yn cymryd yn hirach na'r disgwyl ar y pryd.

Fe anwyd Efan, mab cynta Sion a Meryl, ac fe gafodd Dad fod yn Taid a finnau fod yn *uncle*, ac eto dyna un o ddiwrnodau mwya hapus 'mywyd i. Dwi'n cofio ein bod ni bron â marw isho mynd i weld y babi yn Ysbyty Gwynedd ond yn gorfod aros tan amser ymweld am 2 o'r gloch y pnawn. Roedd Taid, wrth gwrs, wedi torri'r rheolau ac wedi bod i weld Efan a Meryl ben bore ond o'r diwedd dyma gael gafael yn y babi bach, er nad oeddwn yn siŵr sut roedd rhywun i fod i afael mewn babi. Diolch byth, roedd digon o ddillad amdano i gael *grip* reit dda a dyma ei osod i orwedd ar fy nglin a jyst syllu ar y peth bach pinc rhyfeddol yma oedd yn hanner Sion a hanner Meryl! Roedd

Nêst a finnau wedi penderfynu peidio dweud dim am ein trafferthion rhag amharu ar bleser a mwynhad pawb arall yn ystod beichiogrwydd Meryl, ond wedyn daeth yr amser i egluro, o leia wrth fy nhad a rhieni Nêst, ein bod yn gwneud ymholiadau meddygol rhag ofn fod yna broblem yn rhywle. Wrth gwrs, roedd pawb wedi amau ond heb ddweud dim gan adael llonydd i ni.

Fe symudon ni ymlaen hefo'r broses fabwysiadu a hefyd mynd am gyngor meddygol. Erbyn 1999 roedd Sion a Meryl yn disgwyl eu hail blentyn, Gruff, ac mae'n rhaid bod 'na rhywbeth yn yr awyr. Ro'n i wedi bod i fyny i Brifysgol Leeds un Sadwrn i roi darlith ar 'From Anhrefn to Super Furry Animals' a phan ddes yn ôl yn hwyrach yn y pnawn roedd Nêst ar bigau'r drain yn trio cael fy sylw. Fel roedd hi'n digwydd, roedd Bert de Vries, ein hen asiant o'r Iseldiroedd, newydd gyrraedd i aros hefo ni am wythnos a finnau angen dadlwytho'r car felly fe fu rhaid i Nêst aros. Yn y diwedd fe lusgodd hi fi fyny i'r llofft er mwyn dweud y newyddion da ei bod yn disgwyl! O'r diwedd! Treuliais yr wythnos yn methu stopio gwenu ac er na ddywedon ni wrth Bert a'i wraig roedden nhw'n amlwg yn ama rhywbeth. Cefais y cyfle i ffonio 'nhad a dweud "Ti'n mynd i fod yn daid eto", ond cyn i ni gyd gael amser i wirioneddol werthfawrogi'r holl beth roedd y babi wedi ei golli.

Bu rhaid mynd â Nêst i mewn i Ysbyty Gwynedd ac am gyfnod ella fod yna lygedyn o obaith, ond dwi ddim yn meddwl chwaith, ac yn y diwedd dywedodd y doctor "You've had a miscarriage." Beichiodd y ddau ohonon ni grio ond o leia roedden ni wedi llwyddo i feichiogi felly roedd hynny'n beth positif ac yn rhoi gobaith i ni. Doedd y canlyniadau meddygol ddim wedi taro unrhyw oleuni ar bethau ac, yn ôl y sôn, roedd Nêst a finnau y ddau ohonom yn iach fel cneuen, fel y dywedodd y doctor, a'r unig beth oedd ganddyn nhw i'w gynnig fel esboniad oedd *unexplained infertility*. Beichiogodd Nêst eto yn haf 2000 ac unwaith eto cefais y newyddion ar ôl teithio yn ôl o gig dros nos hefo Gwacamoli ein bod wedi colli'r babi. Fe drion ni un cwrs IVF yn Lerpwl ond er i'r wyau gael eu ffrwythloni ddaru nhw ddim gafael ac unwaith eto roedd rhaid wynebu'r golled. O leiaf wedyn, ar ôl trio cwrs IVF, mae rhywun yn gwybod bod pob ymdrech wedi ei gwneud i feichiogi ond doedd fawr o awydd gan Nêst na finnau i barhau hefo'r broses IVF.

Daeth llygedyn arall o obaith o gyfeiriad llai confensiynol, efallai, ond mi ddechreuon ni fynd i weld gwraig oedd yn arbenigo ar feichiogi drwy ddulliau naturiol. Fe newidiodd ein bywydau – allan aeth y meicrodon a bwydydd wedi eu prosesu ac yn eu lle daeth bwyd iach, fitaminau ac agwedd newydd tuag at fywyd. Yn sicr gwnaeth hyn les mawr i'r ddau ohonon ni ond yn anffodus ni lwyddwyd i feichiogi wedyn chwaith. Yng nghanol hyn i gyd roedd Big Leaves yn y stiwdio yn recordio'r albwm a finnau yn ôl ac ymlaen hefo Gwacamoli, ond heblaw am staff Sain doedd hyn ddim yn rhywbeth i'w drafod gyda'r grwpiau. Hefyd mae'n rhaid i mi bwysleisio i Dafydd Iwan ddangos ochr hynod sensitif yn ystod y cyfnod yma ac yn y cyd-destun hwn mae Nêst a finnau'n ddiolchgar iawn iddo. Er yr holl ddadleuon busnes hefo Dafydd Iwan fe ddangosodd fod ochr garedig iddo. Erbyn hyn mabwysiadu oedd ar ben y rhestr a doedd dim i'w wneud ond cael ein cymeradwyo gan y panel mabwysiadu.

Yn ystod haf 2000 roedd Nêst a finnau wedi mynd ar wyliau i Dartmoor a Bodmin i weld y cromlechi a'r meini hirion pan ffoniodd Sion Sebon i ddweud bod Barry Cawley o'r Cyrff wedi ei ladd mewn damwain ar ei feic. Roedd Barry yn un o'r *good guys*, o hyd yn chwerthin a chyda gwên ar ei wyneb, ac o'r holl bobl dwi wedi gweithio hefo nhw roedd yn un o'r rhai a fuodd yn hollol onest. Cofiaf adegau pan nad oedd gan Barry fynedd mynd i'r stiwdio hefo'r Cyrff achos fod Richard Morris y cynhyrchydd yn rhy galed hefo fo, ac wedyn dro arall fe gwrddais Barry ar ei feic yn Llanrwst a daeth draw am sgwrs. Roedd newydd gael cynnig gwaith fel *guitar tech* i Catatonia a Barry yn fanna'n chwerthin "Be ti'n feddwl Rhys? Ti'm yn meddwl 'i fod o *beneath* fi i fod yn *guitar tech*?" Gofynnais i Barry lle roeddan nhw'n mynd a fynta'n dweud Awstralia, felly dywedais wrtho "Os dyn nhw'n talu, *do it.*" Y tro ola i mi weld Barry oedd yn y gig yn yr Octagon yn Sheffield yn clirio'r llwyfan ar ôl i Catatonia orffen canu. Fe waeddais ar Barry ond roedd o'n rhy brysur i sgwrsio rhag ofn i weddill y criw llwyfan roi *stick* iddo fo felly gwaeddais "Welaf i ti eto!"

Dros y blynyddoedd dwi wedi colli nifer o gyfoedion a ffrindiau, gan gynnwys Alan Edwards (Al Maffia) a Harri EV ac, yn ddiweddarach, Johnny o'r grŵp y Fflaps. Dydi rhywun ddim yn disgwyl eu colli nhw mor fuan ac eto fel mae rhywun yn mynd yn hŷn, yn anffodus, mae'n dod yn brofiad mwyfwy cyffredin. O ran fy hun medraf ddweud ei bod wedi bod yn bleser ac yn anrhydedd gweithio hefo nhw i gyd. Gall meddwl am unrhyw un o'r uchod ddod â gwên i'm hwyneb yn syth a hynny ran amla'n atgof o fod mewn fan neu gefn llwyfan hefo nhw ac yn aml iawn am eu bod wedi gwylltio am agwedd rhywun neu'i gilydd. Roedd pob un o'r rhain ar yr un *wavelength*; fuodd rioed raid i mi esbonio unrhyw beth iddyn nhw, roedd y ddealltwriaeth yno.

O ran diddordebau, roedd ymweld â meini hirion a chromlechi bellach yn obsesiwn a byddwn yn mynd â fy nghamera hefo mi i gael llun ac yn cadw albwm o'r llunia. Fy ffrind oedd y map OS, ond hefyd roedd llyfrau fel *The Modern Antiquarian* gan Julian Cope a llyfrau fel y rhai ar henebion siroedd Cymru – er enghraifft, *Gwynedd* gan Frances Lynch – yn gymorth mawr er mwyn cael ychydig o hanes a syniad lle i fynd. Erbyn hyn dwi wedi teithio hyd a lled Cymru o Benrhyn Gŵyr i Gaergybi i ddarganfod rhyw garreg neu'i gilydd ac wedi cael pleser mawr wrth wneud. Ydi o'n rhywbeth ysbrydol? Wel, 'na i adael hynny i Jamie Reid a grwpiau fel yr Afro Celts.

Dwi hefyd wedi bod yn casglu hen lyfrau Cymreig am feirdd Dyffryn Conwy ac, yn benodol, llyfrau gan griw Gwilym Cowlyd, Trebor Mai ac Owen Gethin Jones a oedd yn gyfrifol am sefydlu a chynnal Arwest Glan Geirionydd. Eto, dwi ddim yn hollol siŵr beth oedd yr atyniad. Efallai am fod Cowlyd yn honni bod y gwir Eisteddfod i'w chynnal yn yr awyr agored – yn sicr, po fwya o ymchwil ro'n i'n ei gwneud am Cowlyd mwya i gyd roedd yr holl beth yn gafael. Meddyliais am ailsefydlu'r Arwest a chafodd y syniad gefnogaeth frwdfrydig gan y delynores Llio Rhydderch ond hyd yma dydi'r amser ddim wedi bod yn iawn i gynnal Arwest o'r newydd.

Parhau hefyd wnaeth y mynydda ac erbyn hyn dwi wedi cyrraedd y rhan fwya o gopaon Eryri ac yn cael y fath bleser o gerdded ta beth yw'r tywydd. Dwi'n gwybod bod y mynyddoedd yn fy nghadw yn *sane*, does dim dwywaith am hynny. Dwi bron yn sicr, drwy gydol y cyfnod yma, fod yr holl beth wedi bod yn *struggle*. Ni fyddwn yn mynd mor bell â defnyddio geiriau fel iselder, ond ar ôl i Hen Wlad fy Mamau ddod i ben roedd y 'pwrpas' wedi diflannu. Os oeddan ni'n arfer sôn am fod *on a mission* doedd hynny ddim yn berthnasol hefo Gwacamoli neu Big Leaves. Yn sicr, ro'n i'n eu hoffi fel bands a dwi'n credu i mi fod yn gydwybodol hefo fy ngwaith, ond oeddwn i'n credu yn y peth? *Probably not*! Go iawn, dwi'n gorfod cael rhywbeth i gredu ynddo i allu gwneud y peth yn iawn ac erbyn hyn doedd y byd roc Cymraeg ei hun ddim yn ddigon i mi gadw'r ffydd. Mi oedd 'na ddyddiau pan na allwn i wneud fy ngwaith; roedd rhaid gadael swyddfeydd Sain a mynd am dro i rywle fel traeth Llanddwyn neu fyny Mynydd Mawr achos fedrwn i ddim canolbwyntio, sydd yn agos iawn at fod yr un peth ag *I can't be arsed*. Dwi ddim yn gallu egluro'r peth yn iawn ond mae'n debyg mai rhedeg yn fy unfan oeddwn i. Wedi dweud hynny, 'di'r peth ddim yn hawdd heb y bands iawn a dwi'n cofio Jon Savage yn sôn am hyn hefo fi – ar ôl yr Anhrefn, Hen Wlad a Catatonia ella y byddai'n rhaid aros am rywbeth arall gwirioneddol dda.

Er mwyn cadw'n llaw i mewn fe ddechreuodd Sion Sebon a finnau grŵp newydd o'r enw Mangre hefo Sion Llwyd a Deian Elfryn o Gwacamoli, gyda'r bwriad o wneud rhywbeth roc ond tipyn yn fwy *laid-back* na'r Anhrefn. Eto fe wnaethon ni dipyn o gigs gan gynnwys hedleinio'r nos Wener yn Sesiwn Fawr a *fringe* Radio 1 Live yng Nghaerdydd ond rywsut doedd y fflach ddim yna. Fe wnaethom ein gig ola ar lwyfan Miri Madog o bob man, yn cefnogi Maharishi, ond fel fysa rhywun yn dweud, doedd y *vibe* ddim yna. Mae yna ambell gân o gyfnod Mangre y bydd yn werth eu hailddefnyddio yn y dyfodol efallai, ond fe ddaeth Mangre i ben yr un mor ddistaw ag y dechreuodd. Ar ôl yr Anhrefn a Hen Wlad roedd yn anodd darganfod y pwrpas. Dwi'n gwybod i Sion a finnau sôn am jyst mwynhau ein hunain ond dwi ddim yn meddwl bod hynny'n ddigon i ni. Roedd yr Anhrefn a Hen Wlad a hefyd, i raddau, gweithio hefo Catatonia wedi dod â rhywbeth mwy at y bwrdd – ie, *on a mission*, ond hefyd rhywbeth roedd rhywun yn gallu rhoi cant y cant iddo, rhywbeth roedd rhywun yn gallu credu ynddo, ac efallai mai hyn oedd ar goll yn y cyfnod yma. Yn yr isymwybod hefyd ella mod i isho cael plant ac yn aros am bwrpas uwch i'r holl beth.

Pennod 10
Pop (o Datblygu i TNT)

Hyd yn oed ar ddechrau'r 80au ro'n i wedi bod yn meddwl y byddai'n dda gwneud prosiectau oedd yn fwy 'pop' a chyda mwy o ddelwedd yn perthyn iddyn nhw. Er i mi fethu gweithio gyda'r grŵp Ti Na Na yn '85 roedd hyn yn sicr ar yr agenda a hyd yn oed yn '83 dwi'n cofio gwneud *sketches* ar gyfer cynlluniau dillad Cymreig gan gael fy ysbrydoli gan Malcolm McLaren, Vivienne Westwood a chylchgrawn *The Face*. I mi, do'n i erioed am wneud yr un peth am byth felly dwi rioed wedi teimlo bod cael diddordeb mewn pop yn gwrthdaro â neu'n gwrth-ddweud unrhyw beth arall dwi wedi'i neud. Eto, fel mae pethau'n digwydd, daeth galwad ffôn gan Haydn Holden, oedd yn aelod o'r grŵp CIC a grëwyd gan S4C. Roedd Haydn yn awyddus i wneud pethau ar ei liwt ei hun a chytunais i'w gyfarfod yn swyddfeydd Sain. Fel mae pethau'n digwydd ro'n i'n ddigon hoff o Haydn ac roedd yn ymddangos yn berffaith barod i wneud y gwaith caled felly cytunais y byddwn yn cydweithio gyda fo ar ychydig o ganeuon.

Cysylltais gyda chynhyrchydd o'r enw Dazzle o Bontypridd oedd wedi bod yn gyrru *demos* ata i o bryd i'w gilydd, gan ddweud wrtho o'r diwedd fod gen i rywun fyddai'n gallu defnyddio ei ganeuon. Trefnodd Dazzle i ni fynd i stiwdio Lynise Esprit yn Stryd Talbot, Caerdydd, a dyma ddechrau gweithio ar y caneuon 'Hefo Fi' a 'Trydydd Tro'. Roedd yn stwff pop masnachol wedi ei anelu at blant cyn eu harddegau mwy na thebyg, i'r gynulleidfa rhwng 7 a 12 oed. Rhaid i mi ddweud i mi fwynhau gweithio hefo Dazzle a Lynise cystal ag unrhyw un arall i mi rioed weithio gyda nhw. Roedd y ddau yn eitha *smoothies* – Lynise hefo ei *thing* am Star Trek ac yn sôn am glybiau nos a merched a

Dazzle yn *smooth operator* go iawn yn sgwennu caneuon am gariad. Llais gweddol oedd gan Haydn ond gwnaeth i fyny am hynny drwy weithio'n galed yn y stiwdio a chael agwedd iach tuag at ei waith. Yn aml iawn byddai Haydn a finnau'n chwerthin am ganeuon Dazzle ac yn ei ddynwared drwy siarad mewn llais dwfn distaw yn sôn am *lurve*.

Er mwyn gwerthu CD Haydn fe gytunodd y ddau ohonon ni mai'r peth gorau i'w wneud fyddai mynd o amgylch ysgolion a dwi'n cofio'r tro cynta i ni ganu yn Ysgol Gynradd Trawsfynydd, hen ysgol Haydn, gan werthu dros 25 CD mewn un bore.

Es yn ôl i Sain a dweud wrth Dafydd Iwan mai dyma oedd y dyfodol o ran gwerthu CDs i bobl ifanc yng Nghymru a dyma ddechrau go iawn ar y prosiect o wneud gigs mewn ysgolion. Cyfle arall i hyrwyddo Haydn oedd noson wobrwyo Radio Cymru, sef RAP, yn Barcud a dwi'n cofio'r sibrydion wrth i mi a Haydn droi fyny hefo'n gilydd i'r noson. "Mae Rhys Mwyn newydd gerdded i mewn hefo Haydn Holden." *Shock horror*! Fe garion ni ymlaen i ganu mewn ysgolion a llwyddo i werthu rhai cannoedd o'r CD. I mi roedd hyn yn hynod bositif a daliais ati i ddilyn y trywydd yma gan obeithio y byddai hyn yn meithrin dilynwyr ac yn creu cynulleidfa newydd i'r sîn Gymraeg a fyddai mewn amser yn tyfu ac yn darganfod grwpiau fel Big Leaves neu bwy bynnag.

Tua'r un pryd roedd Anweledig wedi dechrau aflonyddu ac, o'r hyn a ddeallais i, wedi dechrau sgwrsio gyda label Gwynfryn am y posibiliadau o ryddhau CDs gyda nhw ac wedi bod yn recordio ar eu liwt eu hunain. Fe gafodd Anweledig gyfle i recordio EP gyda'r cynhyrchwyr *dub* Zion Train oedd yn hen ffrindiau i mi ond am ryw reswm doedd hyn ddim wedi plesio pawb yn y band a dwi'n cofio Dafydd Iwan yn anhapus fod "mwy o Zion Train nag o Anweledig" ar y CD, ond dyna oedd y syniad wrth wneud rhywbeth *dub*. *Can't win sometimes*. Fe recordion nhw eu hail CD hir, *Gweld y Llun*, a'r tro yma cefais gigs iddyn nhw mewn llefydd gwahanol fel Le Pub yng Nghasnewydd ac yn y *fringe* Radio 1 yng Nghaerdydd. Dwi ddim yn credu iddyn nhw ddeall y gêm yn iawn achos fe lwyddon nhw i wagio Le Pub yng Nghasnewydd; eto, *punk rock city* ydi Casnewydd felly doeddan nhw ddim yn barod am *funk* Cymraeg. Ond o leia ro'n i wedi trio ar ôl i Ceri swnian fy mod i'n cael y gigs hyn i fands fel Gwacamoli.

Eto roedd y neges wedi ei cholli – does gan bobl ddim diddordeb mewn grwpiau Cymraeg *per se*, mae'r diddordeb yn deillio ran amlaf o'r arddull cerddorol ac nid o'r iaith. Ta waeth, doedd dim plesio i fod ar Anweledig, a chan fy mod yn ymwybodol eu bod yn recordio mewn stiwdios eraill teimlwn nad oedd fawr gen i i'w ddweud wrthyn nhw. Roedd y band wedi cael cefnogaeth Sain a Crai a nawr roedden nhw'n chwarae *silly buggers*. Dywedais hynny wrth Bryn Gwynfryn hefyd. Beth oeddwn i fod i'w wneud?

Un prynhawn ar ôl cinio cerddais yn ôl i mewn i'r swyddfa yn Sain a Rhian yr ysgrifenyddes yn dweud i Anweledig fod i mewn i weld Dafydd Iwan hefo'r *usual shite* – doeddan nhw ddim yn hapus hefo'r hyn roedd Rhys Mwyn yn 'i wneud iddyn nhw. Wel dyna chi'r bands i chi, *what's new*? Es i mewn i weld Dafydd Iwan a dyma fo'n troi arna i a deud bod rhywbeth mawr o'i le os oedd Anweledig ddim yn cael recordio hefo Crai a finnau'n gwneud record hefo "Haydn H-o-l-d-e-n". Dyna sut y dywedodd Dafydd enw Haydn, fel petai'n trio bychanu'r boi drwy gam-ddweud ei enw. Edrychais yn syn ar Dafydd cyn dweud "*Hang on*, dwi ddim yn cymryd hyn, Dafydd." Cerddais yn syth allan o swyddfa DI ac allan o'r adeilad; unwaith eto, ro'n i'n 'gadael' Sain. Wel, rhywbeth felly, a dyna'n sicr sut ro'n i'n teimlo. Roedd Dafydd wedi syrthio am y tric hyna yn y llyfr – grwpiau'n cwyno ac yn achwyn. Doedd gan Anweledig mo'r cwrteisi i 'nghynnwys i yn y sgwrs, jyst mynd at Dafydd Iwan yn uniongyrchol fel rhyw lygod mawr yn y tywyllwch.

Fe ffoniodd Dafydd Iwan y noson honno i drio ymddiheuro ond nes i ddim mynd yn ôl i Sain am fis cyfan, ac wedyn ddim cyn cytuno bod angen cyfarfod hefo Dafydd a'r cyfarwyddwr arall gweithredol yn Sain, O P Huws. Gan fod gwaith Gwynfryn hefyd ar fy nesg nawr roedd gen i ddadl gref dros aildrafod fy swydd ddisgrifiad a hyd yn oed ystyried codiad cyflog gan Sain. Yn wir, roedd Dafydd Iwan yn derbyn hynny, er na lwyddon ni i gytuno go iawn ar y gyfradd, a hefyd ro'n i'n teimlo y dylwn i gael rheolaeth a chyfrifoldeb llwyr dros Crai ond doedd OP na Dafydd ddim yn fodlon hefo hynny. Fe gytunais i ddychwelyd i Sain ond, wrth edrych yn ôl, *big mistake* – fe ddylwn i fod wedi symud ymlaen yn y fan a'r lle ar ôl be ddigwyddodd hefo Anweledig.

Yr hen ddadl oedd hi – mae gan Sain y stiwdio a'r adnoddau a'r arian ac mae'n galluogi fi i wneud pethau. C'mon Rhys Mwyn, *cop out and you knew it*, ond yn ôl yr es i a chario ymlaen. Unwaith eto doedd fawr ddim yn digwydd ar yr ochr *rock 'n roll* ond fe ddechreuais weithio hefo'r grŵp Carlotta sef y brawd a chwaer o Lanfair PG, Ioan Llywelyn ac Elin Fflur. Doedd Carlotta ddim i fod, mae'n amlwg, ond erbyn heddiw mae Elin Fflur yn un o brif artistiaid Sain. Eto, does yna byth ddiolch nac unrhyw gydnabyddiaeth am bethau fel hyn, ond wrth edrych yn ôl dwi'n gweld bod cymaint o bethau dwi wedi eu dechrau neu eu darganfod neu eu hyrwyddo wedi mynd ymlaen i fod yn llwyddiannus. Dwi ddim yn gofyn am glod na medal ond dwi chwaith ddim yn gofyn am *kick in the balls* a dyna oedd i ddod gan Sain cyn bo hir.

Derbyniais alwad ffôn gan Chris Adshead o gwmni Me Me Me oedd yn rheoli Jason Donovan. Roedd Me Me Me newydd arwyddo grŵp pop o Gymru, grŵp o ferched o'r enw TNT, ac yn ansicr sut i'w hyrwyddo felly dyma Chris yn dod i gysylltiad oherwydd fy nghefndir gyda Catatonia a Big Leaves. Unwaith eto dyma fynd â'r merched lawr at Dazzle a Lynise a oedd bellach yn rhyw fath o Stock, Aitken and Waterman Cymreig ac fe recordion ni'r EP *Gyda'n Gilydd*, eto ar gyfer Crai. *Shit, man*, roedd Crai yn troi yn label pop go iawn! Unwaith eto dyma hyrwyddo'r genod o amgylch ysgolion Cymru ac o fewn dim o amser roedd y CD wedi gwerthu dros 1,000 o gopïau a bu rhaid i Sain gyfadde mai hon oedd y CD roc/pop werthodd orau y flwyddyn honno, mwy na Big Leaves a mwy nag Anweledig.

Cafwyd *mayhem* llwyr yn yr ysgolion – roedd y *kids* wedi gwirioni hefo TNT – ond roedd y *backlash* ar ei ffordd gan y gwybodusion o fewn y sîn roc Gymraeg. Fe ddechreuodd y feirniadaeth ar bop Cymraeg ar raglenni teledu ond methodd pawb â gweld y pwynt. Yr hyn oedd yn cael ei gynnig oedd cerddoriaeth Gymraeg i blant o dan eu harddegau. Oedd gan y grwpiau roc unrhyw ddiddordeb mewn canu mewn ysgolion cynradd? Nag oedd, felly gadewch i'r peth fod!

Soniodd Dafydd Iwan wrtha i fod arian mawr ar gael gan Fwrdd yr Iaith ac awgrymodd y dylid trafod y posibiliadau o gael nawdd ganddyn nhw i drefnu teithiau ysgolion, felly trefnais i gyfarfod â Rhodri Williams o'r Bwrdd yng Nghastell Deudraeth, Portmeirion, am fwyd. Cafwyd ymateb hynod bositif gan y Bwrdd ac awgrymwyd y dylwn yrru cais i mewn iddyn nhw am nawdd. Dyma ddechrau ar y prosiect teithio ysgolion gyda Bwrdd yr Iaith, ond yn y cyfamser roedd y byd pop Cymraeg yn mynd o nerth i nerth.

Gwelais Gwenno Saunders ar raglen deledu yn gwneud dawns Wyddelig. Roedd Gwenno yn dawnsio gyda Michael Flatley yn *Lord of the Dance* ac roedd cyfweliad gyda hi ar S4C am y peth. Yr unig beth fedrwn i ei feddwl oedd nad o'n i wedi gweld merch mor brydferth yn siarad Cymraeg o'r blaen felly cysylltais â hi drwy lythyr a holi "Wyt ti isho gwneud pop?" Dyna i gyd oedd yn y llythyr ond o fewn ychydig ddyddiau daeth galwad o Las Vegas a Gwenno ar ochr arall y ffôn. Roedd hi allan yno hefo *Lord of the Dance* ond roedd hi isho gwybod mwy ac yn barod i symud ymlaen o'r sioe i wneud rhywbeth arall. Felly dyma ei chyfarfod yng Nghaerdydd pan ddychwelodd hi a chychwyn trafod pethau. Rai misoedd wedyn ffoniodd Gwenno i ddweud ei bod wedi gadael y sioe a bellach yn byw yn Llundain ac wedi dechrau gweithio gyda'r cynhyrchydd Oswin Falquero gynt o'r grŵp Edison Lighthouse.

Teithiais i lawr i Lundain i'w chyfarfod un pnawn Sul a chanfod ei bod yn byw jyst oddi ar Elgin Avenue yn Maida Vale lle roedd Jon Savage yn arfer byw. Erbyn hyn roedd ganddi reolwraig hefyd ac efallai y byddai hyn yn cymhlethu pethau ond soniais wrth Gwenno y byddwn yn gallu cynnig EP iddi drwy Crai fel man cychwyn. Y diwrnod canlynol aeth y ddau ohonon ni i lawr i Kenleigh ger Croydon i stiwdio Oswin i gael sgwrs hefo fo am y peth. Fe welodd Oswin yn syth fod cael rhywbeth allan yn gam ymlaen felly gweithiodd ar gyfieithiad o un o'r caneuon. Y gân oedd 'Môr Hud', sef y sengl gynta a wnaeth Gwenno drwy Crai. Er mwyn cael cysylltiad hefo'r sîn Gymraeg fe weithion nhw ar fersiwn o 'Ysbryd y Nos' gan Edward H achos bod Gwenno'n cofio canu'r gân yng Nglan-llyn. Ar y pryd roedd hon yn fersiwn eitha *sensual* o 'Ysbryd y Nos' ond dwi ddim yn ama bod y fersiwn yma wedi dyddio erbyn heddiw.

O fewn dim o amser roedd rheolwraig Gwenno wedi cael digon arni hi ac fe drosglwyddwyd y cyfrifoldeb o'i rheoli i mi, sef yr union beth ro'n i isho yn y lle cynta. Yn fuan iawn fe ffendion ni fod gynnon ni *rapport* da – roedd Gwenno, er mor ifanc, yn hynod ddeallus ac yn awyddus i ddysgu. Fe gafodd fagwraeth ddigon diddorol. Ei thad yw'r bardd Cernyweg Tim Saunders ac arferai siarad Cernyweg hefo'i thad felly pan fyddai hi efo ni yn y car yn teithio o gwmpas byddai Gwenno ar ei *mobile* yn siarad Cernyweg gyda'i thad. Roedd ei mam, ar y llaw arall, yn aelod o Côr Cochion, y côr sosialaidd sy wedi canu ar record hefo Billy Bragg. Dyna gychwyn da, ond hefyd fe ffendiais mod i'n gallu sgwrsio hefo Gwenno. Roedd ganddi feddwl gwleidyddol, sydd yn beth gweddol brin y dyddiau yma yn y byd pop. Er cymaint o hwyl ro'n i'n ei gael hefo genod TNT doedd y sgwrs ddim yn amrywio llawer y tu hwnt i golur, gwallt a ffasiwn, ac eto mi ro'n i'n hollol gyfforddus yn trafod hyn i gyd hefo'r TNTs hefyd.

Fel rhan o'r 'addysg' fe es â Gwenno draw i Lerpwl i gyfarfod Jamie Reid a chytunodd Jamie weithio ar glawr ei CD ar gyfer *Môr Hud*. Fysa Jamie heb gytuno oni bai ei fod yn hoffi Gwenno. Y cam nesa oedd cael swper hefo Jon Savage a fo'n dweud wrtha i "bring your new protégé". Eto, gyda sêl bendith Jon roedd rhywun yn teimlo ein bod yn gwneud y peth iawn – roedden nhw'n hoff o Gwenno am ei hagwedd a'i hysbryd a'i gwleidyddiaeth. Yn wir roedd Gwenno a finnau'n gallu teithio nôl a mlaen o Gaerdydd yn y car a sgwrsio'r holl ffordd am bopeth o sefyllfa Palesteina i fy anturiaethau gyda'r Anhrefn neu Catatonia.

Ers dyddiau Gwacamoli dwi 'di bod yn hoff o sôn am yr anturiaethau pan fydda i'n teithio hefo artistiaid mewn cerbyd. Mae'n hwyl, yn rhoi cyfle iddyn nhw ddod i 'nabod i'n well a hefyd i gael syniad o sut mae'r diwydiant yn gweithio. Dwi'n ei dweud hi fel yr oedd hi ond gydag ychydig o liw yma ac acw a dwi'n trio cadw rhan pawb hefyd. Er yr holl *shit* sydd yn digwydd yn y busnes yma mae rhyw fath o *loyalty* hefyd felly mae unrhyw storïau am Cerys neu Jamie Reid neu bwy bynnag yn rhan o'r chwedloniaeth, yn rhywbeth Kerouac-aidd, ein cyfnod bach ni *on the road.*

Gan mai *Môr Hud* oedd teitl CD Gwenno i fod fe soniodd hi am greu delwedd debyg i fôr-forwyn ar gyfer y clawr ac awgrymais i fod Ynys Llanddwyn yn lle da fel cefndir ar gyfer *photo shoot.* Ymhlith aml ddoniau Gwenno roedd hi hefyd yn cynllunio dillad ac fe gynlluniodd wisg liwgar eitha Indiaidd ei naws ar gyfer y llunia. I ni roedd yr holl brosiect yn gyfanwaith a delwedd y fôr-forwyn yn cyd-fynd â'r gân 'Môr Hud'. Fel roedd hi'n digwydd bod, doedd y dillad ddim yn cuddio rhyw lawer ar gorff Gwenno ac fe gafodd y clawr a'r lluniau dipyn o ymateb. Dwi'n cofio hogia Gogz yn dod heibio'r swyddfa isho gweld y lluniau a dwi ddim yn amau i'r prosiect gael y *go-ahead* yn ddigon hawdd gan Dafydd Iwan y funud y gwelodd o Gwenno.

Fe ffoniodd Kev Tame o Big Leaves i weld beth oedd yn digwydd, fel y gwnaeth Andy Barding a drefnodd rai o gigs cynnar Catatonia; pawb wedi clywed si. Ychydig wedyn, yn y Pop Factory Music Awards yn y Porth, y Rhondda, ymosodwyd ar Gwenno gan un o'r bands Cymraeg gan ei chyhuddo o 'gael ei thits allan'. Ffoniodd Gwenno fi am y peth ond, fel y dywedais wrthi, wnaethon ni ddim o'i le, roedd y cysyniad yn un da, ond erbyn hyn roedd y cyllyll allan a'r byd pop Cymraeg oedd y targed. Ffoniais reolwr y band a dywedais wrtho petaen nhw'n trio tric fel yna eto y byddwn yn fwy na pharod i ffonio pawb ro'n i'n eu nabod yng Nghymru ac egluro bod y band yn *sexist*.

Drwy gyd-ddigwyddiad, roedd aelodau'r un band wedi dweud pethau digon atgas amdana i o'r llwyfan yn ystod Miri Madog, gan sôn bod gen i aeliau mawr ac yn y blaen. Dim byd i wneud hefo'r gerddoriaeth, jyst *shite* personol. Reit syml, *don't fuck with Mr Mwyn*, ac mi oeddwn yn fwy na pharod i daro nôl yn galed. Un rheol, wrth gwrs – pan fyddwch yn rheoli artist eich cyfrifoldeb chi yw buddiannau'r artist, felly mae unrhyw un sydd yn ymosod ar eich artist yn *public enemy No. 1.* Ond felly mae hi yng Nghymru, ac yn sicr o fewn y sîn Gymraeg mae 'na ryw elfen dan din a dauwynebog.

Daeth hyn i'r amlwg yn ystod noson wobrwyo RAP 2002 yn stiwdios Barcud. Cefais alwad ffôn ar y nos Wener cyn y digwyddiad gan y BBC i ddweud fy mod wedi ennill y tlws 'Cyfraniad Arbennig' i'r byd pop Cymraeg a gobeithio y gallwn fod yn bresennol yn y digwyddiad. Eglurais fy mod yn gorfod teithio lawr i Lundain i orffen cymysgu CD Gwenno gydag Oswin felly cytunais i recordio fideo yn derbyn y tlws cyn y noson. Nes i ddim meddwl mwy am y peth nes i'r ffôn ganu ar y bore Llun gyda'r cylchgrawn *Golwg* yn gofyn am fy ymateb i'r holl fŵian pan ddarlledwyd y fideo.

OK, doedd o ddim yn cymryd Einstein i ddyfalu pwy oedd wedi bod wrthi. Roedd Ceri ac aelodau eraill o Anweledig yn ei chanol hi gyda phennau bach eraill, felly fy ymateb oedd nad oedd gronyn o ots gen i. Ond wedi deall bod Ceri a'r criw wedi amharu hefyd ar Haydn Holden wrth iddo dderbyn tlws am ganwr gwrywaidd y flwyddyn ffoniais BBC Radio Cymru i gwyno am eu diffyg rheolaeth ar y noson. Doedd gan y BBC ddim yr asgwrn cefn i wneud dim am y peth achos bod Ceri a'r bands eraill yn rhan o'r clic sanctaidd Cymraeg. Fues i rioed yn ôl i noson RAP a wna i byth fynd i un arall eto.

Yn ystod rhaglen *Bandit* o'r digwyddiad holwyd nifer o artistiaid a oeddwn i'n deilwng o'r wobr a rhai'n ymateb "Pam, beth mae o wedi'i wneud?" OK, dwi ddim yn disgwyl bod pob grŵp ifanc yn gwybod be dwi wedi'i wneud, ond i mi roedd hyn jyst yn dangos diffyg parch llwyr y byd roc Cymraeg a hefyd y diffyg mwy sylfaenol o unrhyw ymwybyddiaeth o hanes y byd pop Cymraeg. Wnes i ddim colli cwsg am y peth ond dwi ddim yn bwriadu maddau iddyn nhw chwaith. Does dim rhaid i mi wneud, does dim angen i mi wneud felly wna i ddim!

Dwi ddim yn ama bod hyn yn hoelen arall yn arch fy mherthynas hefo Sain a Crai. Mae'n siŵr bod y sylw negyddol wedi poeni Dafydd Iwan ac O P Huws; yn sicr, ches i fawr o gydymdeimlad, er i Dafydd ei hun gael ei fŵian a'i heclo pan ganodd o yno y flwyddyn cynt. Penderfynodd Chris Adshead y byddai recordio albwm hefo TNT yn syniad da ond fe wrthodwyd y syniad gan Dafydd ac OP oherwydd y costau ac unwaith eto roeddwn mor agos i adael Sain oherwydd eu diffyg ffydd a'u diffyg cefnogaeth, ond fel roedd hi'n digwydd bod doedd dim rhaid i mi wneud y penderfyniad yna.

Galwodd Dafydd ac OP fi i gyfarfod hefo nhw, a finnau'n mynd yno'n bositif gan feddwl bod rhywbeth cyffrous ar droed. Dywedodd Dafydd yn syth "Da ni ddim am gario ymlaen hefo dy gytundeb." Dim rhybudd, dim trafodaeth ... nes i ddim dweud dim, beth fedrwn i ddweud? Yr unig beth ddywedodd Dafydd wedyn oedd nad oeddynt wedi bod yn hapus ers amser, ond ar ôl popeth ro'n i wedi'i neud i Sain byddwn wedi disgwyl trafodaeth neu gyfle i ailystyried fy mherthynas waith neu rywbeth. Na, roedd y penderfyniad wedi ei wneud a finnau, chwedl Celt, 'yn amau dim'. Fe gefais dipyn o sioc achos do'n i ddim yn disgwyl hyn, ond ar y llaw arall dyma'r gic dan din ro'n i wedi bod ei hangen ers blwyddyn neu fwy. OK, fe ddylwn fod wedi gadael flwyddyn ynghynt a methais â pheidio meddwl "bastards" am gael y gorau arna i. Cerddais o'r swyddfa yn Sain gan wybod na fyddai Plaid Cymru yn cael pleidlais eto gen i tra byddwn i byw ond ro'n i hefyd yn gwybod bod hyn yn beth da.

Y diwrnod wedyn ro'n i wedi dod o hyd i swyddfa newydd yng Nghaernarfon. Llwyddais i glirio fy stwff o swyddfa Sain gyda'r nos heb weld fawr o neb o'r staff ond deallaf fod staff Sain wedi mynegi eu hanfodlonrwydd i'r cyfarwyddwyr am y modd y daeth fy swydd i ben, chwarae teg iddyn nhw. Peth bach arall, ond doedd 'na ddim bonws na gair o ddiolch a dwi'n cofio dweud wrth rai o'r staff beidio â threfnu parti na dim byd felly achos fyddai hynny ddim wedi bod yn addas. Dwi'n gwybod bod sawl un yn y busnes wedi dweud dros y blynyddoedd *it's a thankless job* ac mae'n teimlo felly weithiau ond dwi ddim yn credu i mi erioed gael fy nhrin mor ddrwg ag a ges i gan gyfarwyddwyr Sain, a hynny gan bobl ro'n i'n meddwl oedd yn rhyw fath o ffrindiau i mi.

Mae'n beth od, achos mae ochr arall ohona i'n dal i licio Dafydd Iwan ac mewn rhai ffyrdd mae yna ryw fath o gyfeillgarwch yna, ond ar y llaw arall — ac er fy mod yn gwybod go iawn fod hyn yn hollol afresymol – fe gollodd Plaid Cymru fy nghefnogaeth y diwrnod hwnnw ac fe gollodd Dafydd ac OP fy mharch. Heblaw bod Dafydd wedi bod mor glên hefo Nêst ar ôl i ni golli'r babi dwi ddim yn credu y byddwn i wedi siarad hefo fo byth wedyn. Cyn belled ag y mae O P Huws yn y cwestiwn, bydda i'n ei osgoi os yn bosib. Does gen i ddim i'w ddweud wrth y dyn.

Fel mae pethau'n digwydd, dyna fi yn fy swyddfa newydd ac o fewn diwrnod roedd Emyr Afan o gwmni Avanti ar y ffôn isho i mi weithio gyda'r grŵp Lolipop. Roedd teledu Apollo am i mi weithio ar raglen deledu newydd oedd ganddyn nhw dan sylw a daeth Rhodri Llwyd Morgan, gynt o Cerrig Melys a bellach o Fwrdd yr Iaith, i gysylltiad gan eu bod am symud ymlaen hefo'r teithiau pop ysgolion. Yr unig beth bonheddig wnaeth Dafydd Iwan oedd cytuno i ryddhau ail CD gan Gwenno a TNT gan fod y cytundebau wedi eu harwyddo. Doedd o ddim yn ei gweld hi'n deg gwrthod hynny i'r grwpiau. Mi wnes osgoi sôn am y peth ar y cyfryngau, er bod ambell un wedi ffonio. Ro'n i'n dweud yr un peth wrth bawb – ffoniwch Sain – a dwi'n falch i mi wneud hynny achos mae'r wasg yng Nghymru, yn enwedig cylchgronau fel *Golwg*, wrth eu bodd yn *shit stirrio* ac o hyd yn camddyfynnu. Rywsut roedd cadw'n ddistaw yn fwy urddasol na bod mewn rhyw fath o *slanging match* hefo cyfarwyddwyr Sain, ond os oedd rhywun yn gofyn ro'n i'n dweud y gwir wrthyn nhw.

Yn ddoniol iawn, ro'n i'n westai ar raglen *Wedi 7* yr wythnos honno a nhw'n sôn am Sain hyn a Crai llall, a llwyddais i wneud y cyfweliad heb ddangos bod dim o'i le. Dwi'n cofio rhai o staff Sain yn fy llongyfarch am hynny. Achos fy mod yn hŷn, dwi ddim yn credu bod yr amynedd na'r egni genyf i ddadlau hefo Sain yn gyhoeddus, ond weithiau mae rhywun yn meddwl am y *damage* y bysa rhywun wedi gallu ei neud i 'Lywydd Plaid Cymru'; dwi'n gwybod 'di o ddim ei werth o a dydi rhywun byth yn ennill hefo pethau felly, ond wedyn mae 'na lot o bobl, yn enwedig rhai fel Ceri Anweledig a rhai o'r bands dibwys eraill Cymraeg, wedi pwsho eu lwc ac yn sicr byddai sawl person arall wedi rhoi cweir haeddiannol iddyn nhw neu wedi mynd yn gyhoeddus am y peth.

Fe ddigwyddodd y teithiau ysgolion dan nawdd Bwrdd yr Iaith yn ystod 2003 a 2004 ac yn ôl y disgwyl roedden nhw'n hynod lwyddiannus ac yn hynod effeithiol yn eu nod o gyflwyno cerddoriaeth Gymraeg i bobl ifanc Cymru. Oherwydd y swm o arian oedd yn cael ei roi roedd yn rhaid tendro am y gwaith, er mai fi oedd wedi mynd at y Bwrdd hefo'r syniad yn y lle cynta, ac erbyn y drydedd flwyddyn roedd rheolwr newydd Sain, Dafydd Roberts, ac is-label newydd Sain, Rasal, yn cystadlu yn fy erbyn am y tendr.

Er i mi drefnu dwy daith lwyddiannus, Sain enillodd y tendr, a does dim dwywaith i mi deimlo'n hynod o siomedig gyda phenderfyniad Rhodri Llwyd Morgan a'i gyd-noddwyr Eleri Twynog yn S4C ac C2 / BBC Radio Cymru. Yn bennaf, nid yn gymaint am golli'r tendr ond am mod i am weld yr holl brosiect yn datblygu ac yn ehangu. Fedrwn i ddim gweld Sain yn gwneud hynny – roeddan nhw yno am y pres, ac yn ôl Dafydd Roberts i godi *profile* label Rasal, ond ers i mi adael Sain does dim ymdrech o gwbl wedi bod ganddyn nhw i gysylltu gyda'r grwpiau pop fel TNT, Haydn a Gwenno, a daeth eu cytundebau gyda Crai i ben yn ddiseremoni heb na llythyr na galwad ffôn.

Y tro yma doedd dim cwestiwn o gwbl fod Plaid Cymru wedi colli fy nghefnogaeth am byth. Yn ei araith yng nghynhadledd y Blaid roedd Dafydd Iwan wedi sôn am fusnesau bach fel asgwrn cefn Cymru a dyma ni nawr, cwmni mawr fel Sain yn tanseilio busnes bach oedd wedi ei sefydlu yng Nghaernarfon; y tro yma doedd Sain ddim gwahanol i beth roedd Sion Sebon a finnau'n cyfeirio atynt fel Toris Cymraeg wrth drafod diffygion a chulni y Gymru Gymraeg.

Yn ddoniol iawn, fe aeth pethau o ddrwg i waeth gyda'r teithiau ysgolion. Dad-drefnwyd y daith yn weddol dda gan Sain ac fe fu cwyno mawr am y diffyg trefn gan y noddwyr a'r artistiaid oedd yn cymryd rhan – ffaith oedd yn rhoi gwên ar fy ngwyneb, wrth gwrs. Y flwyddyn ganlynol rhoddwyd y tendr i gwmni cynhyrchu teledu Boomerang, cwmni oedd yn barod yn derbyn nawdd gan S4C fel cwmni cynhyrchu rhaglenni ac enghraifft arall o gwmni na fyddai'n parhau gyda'r gwaith yn yr hirdymor. Fel arfer yng Nghymru, roedd yn amser symud ymlaen ac anghofio a gadael i'r peth fod. 'Na i byth weithio eto hefo Rhodri Llwyd Morgan ac Eleri Twynog? *I seriously doubt it, mate*!! Dwi'n credu iddyn nhw groesi'r llinell go iawn y tro hwn ac mae'n rhaid bod yna *conflict of interest* gan gwmni Boomerang o ystyried mai nhw hefyd oedd yn darparu rhaglenni pop a roc ar gyfer S4C. Wedi dweud hynny, doedd hi ddim wirioneddol yn iawn fod cwmni recordio fel Sain yn trefnu taith chwaith – fe ddylia'r gwaith yna fod yn mynd i drefnwyr neu hyrwyddwyr annibynnol. Erbyn heddiw dwi ddim isho gwybod am y peth.

Daeth ail CD Gwenno allan ar Crai, ond wrth gwrs doedd 'na neb yna i hyrwyddo'r CD. Er holl ddatganiadau Dafydd Iwan yn y wasg ar y pryd fe barhaodd Crai fel label ac fe sefydlwyd Rasal gan Dafydd Roberts ond, fel y dywedais, gwanio wnaeth ymroddiad Sain i grwpiau pop. Roedd Gwenno wedi cydweithio hefo Llwybr Llaethog ar gân yn y Gernyweg o'r enw 'Vodya' a hefyd wedi gwneud tipyn o sesiynau gyda'r cynhyrchydd Greg Haver, sydd wedi gweithio gyda grwpiau fel Catatonia a'r Manic Street Preachers. Er mai Greg ffoniodd fi i gael gweithio gyda Gwenno, o fewn dim o amser ro'n i'n cael fy nghadw allan o'r *loop* ganddo – dwi'n credu iddo ffansïo Gwenno a bod hynny yn rhan o'r peth. Er mai fi oedd ei rheolwr hi, dwi'n cofio Greg yn dweud bod croeso i mi ymweld â nhw yn y stiwdio, fel petai angen ei ganiatâd.

Fe wnaeth Greg waith da ar gynhyrchu rhai o'r caneuon ond rywsut hefyd fe arweiniodd hyn at ddiwedd fy mherthynas waith hefo Gwenno. Un o'r pethau cynta wnaeth o oedd mynd â hi allan am bryd o fwyd hefo John Brand, rheolwr y Stereophonics, a'i chyflwyno i dîm rheoli'r Manics. Mewn ffordd roedd hyn yn brofiad da i Gwenno ond gan nad oedd Greg yn gwneud unrhyw ymdrech i ddweud wrtha i roedd y peth hefyd yn creu cyfle iddi hi fynd at rywun arall. Dwi ddim yn meddwl am eiliad fod Gwenno wedi meddwl hynny nac wedi amharchu ein perthynas mewn unrhyw ffordd ond dwi ddim chwaith yn teimlo i Greg roi'r parch na'r cwrteisi haeddiannol i mi. Dyma ddiwedd cyfnod Oswin Falquero fel cynhyrchydd ar gyfer Gwenno ac o hyn ymlaen roedd pawb yn chwilio am gyfeiriad ar gyfer Gwenno ac fe aeth y peth yn fwy a mwy anodd i'w reoli.

Ar ddiwedd 2002 fe enillodd Greg, Gwenno a finnau dlysau yn y Welsh Music Awards yn y Gyfnewidfa Lo yng Nghaerdydd – Greg fel cynhyrchydd y flwyddyn, Gwenno am y fideo gorau a finnau am yr ail waith mewn blwyddyn yn ennill 'Outstanding Contribution to Welsh Music'. Y tro yma cefais barch gan y gynulleidfa; doedd dim grwpiau Cymraeg yno yn bŵian. Diolchais i *punk rockers* Bangor a Chasnewydd o'r llwyfan, y bobl oedd wedi bod yna reit o'r dechrau, gan feddwl am Karl Words of Warning a chriw TJs a'r gynulleidfa yn y Jazz Rooms ym Mangor. Hefyd soniais mor braf oedd gweld y sîn Gymreig yn uno'r Cymry Cymraeg a'r di-Gymraeg. Tynnodd Huw Pooh Sticks fy nghoes wedyn: "Good you got punk rockers, Bangor and Newport in." Treuliais y noson yn y Big Sleep Hotel yng Nghaerdydd yn ddyn hapus iawn – fel dwi 'di sôn, bob hyn a hyn mae'n braf cael ychydig bach o barch, sy'n well na *kick in the balls*, a chofiais gael yr un teimlad cynnes ar ôl derbyn y disg gan Catatonia.

Tua'r un adeg daeth hogyn o'r enw Scouse Mick i gysylltiad. Roedd Mick yn ffrind i Dafydd Ieuan a Rhys Ifans a'r peth cynta ddywedodd o ar y ffôn oedd "Iawn cont!" Reit, pwy oedd wedi dysgu hynna iddo fo sgwn i? Gwaith bob dydd Mick oedd rheoli cwmni Cube Music a'u gwaith nhw oedd darparu fideos *in-store* ar gyfer siopau fel Top Shop a H&M felly trefnwyd bod fideos Gwenno ar gyfer 'Môr Hud' a 'Vodya' yn cael eu dangos yn y siopau drwy Brydain ac Ewrop. Eto, dyma gam mawr ymlaen o ran marchnata a hyrwyddo stwff Cymraeg, neu Gernyweg i fod yn fanwl gywir yn achos Gwenno, er bod 'Môr Hud' yn gân ddwyieithog oedd yn cynnwys y Gymraeg a'r Gernyweg.

Fe ddechreuodd TNT weithio yn y stiwdio gyda Henry Preistman o'r grŵp The Christians a daeth Ronnie Stone yn ôl fel cynhyrchydd ac mae'n rhaid i mi ddweud bod y bartneriaeth hefo Henry a Ronnie wedi gwneud byd o les i'r genod. Fe ddysgon nhw ganu go iawn ac fe ddatblygon nhw i fod yn feistrolgar yn y stiwdio recordio. Drwy Jon Savage a'i *dinner parties* y des i adnabod Henry a bu'r ddau ohonon ni'n siarad am rai blynyddoedd am wneud rhywbeth gyda'n gilydd cyn penderfynu mai TNT fyddai'r grŵp i wneud hynny. Dwi'n dal i weithio hefo Henry hyd heddiw ar wahanol brosiectau ac mae ganddo stiwdio fach ym Moelfre ar Ynys Môn, neu Pop Island fel maen nhw'n galw Sir Fôn.

Er i TNT gael cytundeb gydag asiant Concorde International yn Llundain a theithio gyda Liberty X ac Emma Bunton ymhlith eraill, ni ddaeth y *deal* fel roedd pawb wedi gobeithio. Fe ffraeodd Chris Adshead gyda'r genod a daeth Sam Tromans o gwmni Me Me Me / Me 2 yn ei le fel rheolwr, er mai fi oedd yn gwneud y gwaith i gyd. Soniais wrth Sam fy mod angen *co-management* ar y genod ond gan nad oedd yna rioed arian yn cael ei wneud roedd yr holl drafodaethau'n eitha academaidd a chymharol ddi-werth. Cafodd y genod rannau mewn ffilmiau fel *Shoreditch* hefo Shane Richie a Joely Richardson ac yn ddiweddarach ran mewn ffilm o'r enw *American Daylight*, a'r peth ola wnaethon nhw fel band oedd teithio i India i hyrwyddo *American Daylight*. Yn y diwedd doedd dim mwy y gallai'r genod ei wneud – roedd yr holl *showcases* yna yn Llundain wedi profi'n ddiffrwyth a heb gwmni recordio tu cefn iddyn nhw doedd dim modd eu hyrwyddo'n effeithiol felly arafu wnaeth y cynigion gan Concorde. Daeth y genod draw i'r swyddfa yn haf 2004 a chytuno i roi pethau *on hold*.

Allan o'r holl fands dwi rioed wedi gweithio hefo nhw, dwi'n credu mai TNT oedd y mwya ffyddlon a gonest; hefo nhw y ces i fwyaf o hwyl a hefo nhw, heb os, roedd y pedwar ohonon ni'n ffrindiau. Dwi'n gwybod i'r rhan fwyaf o'r sgyrsiau fod am *lipstick*, dillad a gwalltia ond fe chwerthon ni'n sâl am bethau hefyd ac fe weithiodd y genod yna'n uffernol o galed gan ganu dair gwaith y diwrnod weithiau mewn llefydd mor anghysbell â Northampton a Glan-llyn ar yr un diwrnod. Ar adegau eraill, wrth deithio adre o gigs yn hwyr y nos, fe fyddai'r genod yn glanhau eu colur a pharatoi am eu gwlâu yng nghefn y car er mwyn gallu mynd yn syth i'w gwlâu wrth gyrraedd gartref a finnau yn fanna yn chwerthin wrth eu clywed yn mynd drwy eu pethau yn y tywyllwch. Dwi'n dal yn ffrindiau a dal mewn cysylltiad hefo'r genod a does dim amheuaeth yn fy meddwl eu bod yn un o'r bands gorau i mi rioed weithio hefo nhw, *full stop*.

Daeth pethau i ben hefo Big Leaves mewn gwirionedd yng Ngŵyl

South X South West yn Austin, Texas, ym mis Mawrth 2002. Fe es allan hefo'r band i helpu Huw Townhill edrych ar eu hôl a delio hefo'r wasg a'r cyfryngau. Erbyn hyn roedd Big Leaves wedi teithio Prydain hefo Catatonia, wedi bod ar y daith 'Melody Maker Breaker Tour' ac am gyfnod wedi cael Conal Dodds o gwmni Metropolis fel rheolwr, ond er yr holl sylw, gan gynnwys record yr wythnos gan Mark and Lard ar Radio 1, doedd neb o'r *majors* wedi eu harwyddo. Dwi'n credu i'r band ddod drosodd yn dda yn America − roedd pawb i weld yn hoff o'r caneuon Kinks-aidd a'r alawon *catchy* ac, yn ddiddorol iawn, roedd y caneuon Cymraeg yn cael derbyniad da yn Austin. Efallai, petai label o America wedi cynnig abwyd iddyn nhw, fe fyddai'r band wedi gallu cario ymlaen, ond fel roedd hi roedd pethau'n sychu i fyny yng Nghymru a Lloegr a doedd fawr o ddewis ond dod â'r peth i ben. Er nad oeddwn rioed yn rhan o'r *inner circle* go iawn hefo Big Leaves fe nes lot hefo nhw ac roeddan nhw o hyd yn dod yn ôl gan wybod fy mod yn gefnogol ac yn ddibynadwy. Eto, roedd Big Leaves yn grŵp ro'n i o hyd yn eu mwynhau yn fyw ac ar y cyfan roedd gweithio hefo nhw'n bleser, er ar adegau i mi deimlo'n *pissed off* fel yn achos ffilmio'r ddogfen neu beth bynnag. Dwi yn credu mai Big Leaves gadwodd yr holl sîn Gymraeg i fynd ar ddiwedd y 90au a dechrau'r 2000au a hebddyn nhw byddai'r sîn Gymraeg wedi bod yn *sorry state of affairs*. Erbyn heddiw Kevin Tame o'r Big Leaves a bellach un o'r Acid Casuals sydd yn gyfrifol am edrych ar ôl rhysmwyn.com felly mae'r berthynas waith yn parhau a dwi'n falch iawn o hynny − mae Kevin Tame yn rhywun y byddwn yn ei ddisgrifio fel *good man*, yn ddyn sydd yn dallt y dalltings ac yn ei gweld hi sut mae hi.

Dwi'n credu mai'r peth mwya doniol ddigwyddodd hefo Gwenno oedd y si ein bod yn cael *affair*. Dwi ddim yn siŵr lle dechreuodd hyn ond yn ystod Eisteddfod Meifod roedd rhywbeth wedi ei gyhoeddi yng nghylchgrawn *Lol* a chyn i mi droi rownd roedd pob yn ail berson yn gofyn a oedd hyn yn wir. Roedd hyd yn oed staff Sain yn holi a finnau'n gorfod gofyn "Ers faint da chi'n nabod fi?" Yn sicr, roedd rhai o ffrindiau Nêst a'u teuluoedd yn cam-ddallt pethau ac yn ffonio Nêst yn poeni, sydd yn dangos efallai'r effaith mae'r cyfryngau yn gallu ei chael. Doedd dim bygythiad o gwbl i Nêst a finnau a'n hymateb ni oedd chwerthin am y peth. Ddaru hyn ddim effeithio pethau rhwng Gwenno a finnau chwaith achos roedd dealltwriaeth dda rhyngddon ni, fel byddai rhywun yn ei ddisgwyl hefo artist a rheolwr.

Ella fod y ffaith ein bod yn mynd allan am brydau bwyd hefo'n gilydd wedi rhoi glo ar y tân, ond wedyn mae hyn yn rhywbeth hollol naturiol i'w wneud yn y byd busnes ac yn ffordd dda o sgwrsio a thrafod syniadau a chynlluniau. Duw a ŵyr, ond mae'n rhaid i mi gyfadde, dwi'n dal i chwerthin am y peth; dwi'n greadur doniol yr olwg hefo llai o wallt a mwy o wallt gwyn yn ei bedwar degau ac mae hi'n un o'r merched prydfertha welodd Cymru rioed. Mae'r geiriau *as if* yn dod i feddwl rhywun, ond wedyn mae'n rhaid i mi gyfadde fod yna rywfaint o bleser meddwl bod pobl wedi credu'r stori – ella fod gobaith i ni gyd! Y gwir amdani yw fod fy mherthynas gyda Nêst yn un gref iawn felly mae'r ddau ohonon ni wedi gallu chwerthin am hyn oll.

Dwi ddim yn gwybod beth oedd cariad Gwenno, y cerddor James Chant, yn ei feddwl chwaith; nath yr un ohonon ni rioed drafod y peth. Fe jociais i a Gwenno weithiau y dylen ni gerdded i mewn i lefydd law yn llaw jyst i weindio pobl. Eto hefo Gwenno fe gawson ni gyfnodau da o ddealltwriaeth ond dwi ddim yn credu bod gan Greg na James lawer o ffydd yno' i. Mae o hyd yn haws o'r tu allan dweud be ddylia rhywun fod yn ei wneud ac yn y diwedd fe gyrhaeddon ni'r pwynt lle doedd dim pwrpas i ni fod yn cydweithio ar ei gyrfa. Mae'r ddau ohonon ni wedi llwyddo i gadw'n ffrindia ac mae Gwenno bellach yn gwneud yn dda fel aelod o'r grŵp The Pipettes o Brighton. Mae'n well felly na ffraeo a drwgdeimlad a dwi ddim wironeddol isho ailadrodd beth ddigwyddodd hefo Catatonia byth eto. Cyn belled ag y mae Gwenno a genod TNT yn y cwestiwn does dim cynlluniau i weithio gyda'n gilydd yn y dyfodol ond ar y llaw arall fyswn i byth yn cau'r drws chwaith. Fe aethon ni i gyd drwy gymaint hefo'n gilydd fel bod y cyfeillgarwch yno am byth.

Yn 2004 fe newidiodd ein bywydau unwaith eto – am byth. Cafodd Nêst a finnau ein cymeradwyo fel darpar rieni ar gyfer mabwysiadu ar yr union ddiwrnod pan oedd Gwenno'n canu yng ngŵyl MIDEM yn

Cannes a finnau felly yn colli trip i dde Ffrainc! Yn fuan iawn wedyn fe ddaeth y newyddion fod hogyn bach ar gael i'w fabwysiadu a dyma drefnu ymweliad â'r rhieni maeth. Does dim all ddisgrifio'r teimlad o weld plentyn fel hyn am y tro cynta – petai pob pleser yn y byd wedi cael ei gywasgu i dabled fach fyddai hynny ddim yn cychwyn gwneud cyfiawnder â'r peth. A sôn am wybod bod y peth yn iawn. Pur anaml mae rhywun yn gallu bod yn hollol sicr mewn bywyd, ond roedd y ddau ohonon ni'n hollol sicr y diwrnod hwnnw wrth weld ein mab am y tro cynta.

O fewn y flwyddyn roedd yr ail fab wedi ei fabwysiadu gynnon ni; fedra i ddim dweud pa mor lwcus dan ni wedi bod. Am yn hir doedd gen i ddim gronyn o ddiddordeb mewn gweithio – ro'n i'n rhy brysur yn bod yn dad, a dwi'n dal yn teimlo felly yn aml iawn.

Am ryw reswm mae pethau yn cyd-ddigwydd ac yn ystod y flwyddyn fe ddaeth Amy Wadge i gysylltiad gan ofyn a fyddwn i'n fodlon gweithio hefo hi ar yr ochr hyrwyddo yng Nghymru. Yn fuan iawn wedyn, drwy gysylltiadau Amy, daeth y canwr a'r cyfansoddwr Martyn Joseph i gysylltiad ar gyfer yr un math o waith felly yn sydyn iawn ro'n i'n gweithio gydag artistiaid di-Gymraeg a hefyd artistiaid oedd yn gweithio ar lefel dipyn fwy proffesiynol na'r artistiaid yn y sîn Gymraeg. Ro'n i wedi cyfarfod Martyn flynyddoedd yn ôl pan oedd yn cefnogi Mike Peters ac fel gyda Amy roedd 'na ddealltwriaeth yn syth. Roedd mor braf cael gweithio gydag artistiaid 'go iawn', sy'n beth mor brin yn y sîn Gymraeg.

Galwad ffôn arall gefais i oedd honno gan Phil Bates, gynt o'r grŵp ELO (Part II), a oedd bellach yn byw ger y Gelli Gandryll, ac roedd Phil hefyd angen rhywun i gydlynu ei yrfa unigol, er ei fod yn parhau'n aelod o'r Electric Light Experience yn yr Almaen ac yn aelod o'r Bev Bevan Band a fersiwn ddiweddar Bev, The Move.

Dyma'r tro cynta i mi reoli artist di-Gymraeg go iawn, a chan fod Phil yn canolbwyntio i raddau ar gerddoriaeth *blues* dyma fynd i gyfeiriad hollol wahanol unwaith eto. Drwy Amy daeth Noel Sullivan, gynt o'r grŵp Hear'Say, ata i am gyngor ac ychydig o gymorth, ac yn dilyn taith drwy Brydain gyda Morrissey daeth Ian Devine, gynt o Heb Gariad a nawr o Taffia, ata i am gyngor iddo fo a Linder, cantores y grŵp Ludus a oedd wedi cael y gwahoddiad i gefnogi Morrissey. Ian oedd gitarydd Ludus, y grŵp o Fanceinion, ac yn rhyfedd iawn ro'n i wedi eu gweld yn ôl ar ddechrau'r 80au yn un o'r gigs cynta i mi fod ynddynt. Linder oedd ffrind gorau Morrissey ac unwaith eto roedd hyn yn codi gwên ar fy ngwyneb wrth feddwl eu bod yn troi ata i am gyngor. Fe soniodd pawb am gymeriadau fel Richard Boon oedd wedi ein helpu yn ôl yn y cyfnod *post-punk*. Felly ro'n i fel rhyw fath o *consultant* yn rhoi cyngor i artistiaid ac yn eu helpu ym mha bynnag ffordd y gallwn. O leia roedd y busnes yn tyfu ac ro'n i mor hapus i fod yn gwneud fy mheth fy hun; fi oedd y CEO a'r MD, fyddai neb yn cwyno nac yn edrych dros fy ysgwydd, a chanolbwyntiais ar ddatblygu'r busnes a bod yn dda yn fy ngwaith.

Yn 2005 agorwyd Galeri, y ganolfan greadigol newydd yng Nghaernarfon, a symudais fy swyddfa i mewn yno ym mis Chwefror gan gychwyn pennod arall, ac o'r diwedd teimlwn fod pethau'n dechrau symud i'r cyfeiriad iawn a bod y *plan* gwreiddiol o fod yn rheoli busnes fel hyn fy hun erbyn ro'n i yn bedwar deg yn dechrau cael ei wireddu. Roedd Amy a Martyn yn mynd â phethau i'r lefel nesa ac yn dod â fi i gysylltiad hefo mwy a mwy o bobl yn y diwydiant. Mae'n beth od i'w ddweud, ond roedd yn braf cael parch am yr hyn ro'n i'n ei wneud achos ches i mo'r parch mewn cymaint o'r gwaith o fewn y sîn Gymraeg. Roedd Amy yn fy nghanmol a Martyn a Noel ac eraill wedyn yn dod at y bwrdd yn bositif ac yn barod i gydweithio a gwrando.

Drwy wneud gigs hefo Phil Bates y cwrddais i â Tia McGraff o Nashville. Un noson yn y Marr's Bar yn Worcester roedd Phil wedi sôn wrtha i "there's a good support act playing tonight" a finnau wedi clywed am Tia drwy fod ar y *circuit* hefo Phil. Ar ddiwedd y noson daeth Tia ata i a gofyn a fyddai modd cael llun ohoni hi hefo Phil ar gyfer ei safle gwe gan ei bod hi'n ffan mawr o ELO. Yn ystod y sgwrs cynigiais drefnu cwpl o gigs yng Nghymru iddyn nhw'r tro nesa roedden nhw'n ymweld â Phrydain a dyna ddigwyddodd. Canodd Tia yn Galeri, Caernarfon, a'r George III, Penmaenpool, ger Dolgellau ac ar ddiwedd y ddwy noson fe ofynnodd Tia a'i gitarydd Tommy Parham a fyddai diddordeb gen i eu rheoli ar gyfer Prydain ac Ewrop – mae mor braf gweithio gydag artistiaid lle mae yna ddealltwriaeth hollol a dim nonsens. Bu Tia'n recordio hefo Henry o'r Christians a grŵp arall dwi'n gweithio gyda nhw o'r enw The Storys o Abertawe sydd yn cynnwys Steve Balsamo sef Iesu Grist, gynt, o *Jesus Christ Superstar* wrth gwrs.

Artist arall a ymunodd â fi'n ddiweddar yw Jeb Loy Nichols o Missouri, sydd bellach yn byw yn yr Adfa ger Llanfair Caereinion, ac unwaith eto tyfodd dealltwriaeth dda rhyngon ni. Mae ei gefndir o'n ddiddorol – bu'n rhannu tŷ hefo Neneh Cherry, Ari Up o'r Slits ac Adrian Sherwood o On-u Sounds, a Jeb oedd yn gyfrifol am gynllunio cloriau i'r label *reggae* Pressure Sounds. Ei gefndir yw cerddoriaeth *southern soul* ac ar ôl teithio a recordio gyda'r grŵp Fellow Travellers fe aeth Jeb ar ei liwt ei hun. Gan ein bod yr un oed ac yn rhannu'r un meddylfryd dwi ddim yn amau mai hwn fydd un o'r prosiectau gorau i mi weithio arnynt. Mae Jeb yn gymaint o artist ag oedd Catatonia a dwi'n gymaint o ffan o'r gerddoriaeth. Dyna sy'n digwydd, mae'n rhaid – ar ôl *punk rock* dan ni'n troi at *soul*.

Dwi hefyd wedi dechrau gweithio gyda Tracey Curtis, cyfansoddwraig eitha gwleidyddol a rhywun roedd yr Anhrefn yn ei nabod yn ôl yn yr 80au pan oedd Tracey'n aelod o'r grŵp Shelley's Children o Reading.

Dwi rioed 'di bod mor hapus – mae gen i ddau o hogia hyfryd, swyddfa yn Galeri a busnes sydd yn mynd o nerth i nerth, ond hefyd dwi'n ôl *on a mission* achos mai fy musnes i ydi o. Mae'r artistiaid dwi'n gweithio hefo nhw nawr o safon uwch ac mae nhw i gyd yn ymddiried yno' i. Fel arall fyddai'r peth ddim yn gweithio, ond dwi hefyd yn gwybod na fydda i byth eto'n gorfod delio hefo sefyllfa debyg i'r un hefo Anweledig. Mae'n beth braf gwybod mai dim ond yr hyn dwi isho'i neud y mae'n rhaid i mi ei neud.

The Thoughts
of Chairman Mwyn

M ae 'na linell yn y gân 'Public Image' lle mae John Lydon yn canu "I'm not the same as when I began", a dwi'n gallu uniaethu hefo hynna. Mae gan rywun yr hawl i newid ei farn ac i aeddfedu a siawns bod crefft rhywun, boed hynny gyda grŵp neu wrth drefnu, yn cael ei meithrin a'i datblygu. Ond yr hyn sydd wedi fy synnu i wrth i mi ymchwilio i'r llyfr hwn yw cyn lleied dwi 'di newid go iawn. Rŵan mod i'n bedwar deg pedwar mlwydd oed, yn dad i ddau o blant a chyda saith mlynedd ar hugain o brofiad yn y busnes, mae'n anodd iawn i mi fod yr un person â'r hogyn ifanc un deg saith oed drefnodd y gig yna i Essential Logic ym 1979, er bod 'yn syniadaeth i'n agos iawn at fod yr un peth. Yr hyn sydd wirioneddol wedi newid pethau yw profiad ond dwi ddim yn credu mod i wedi gwyro oddi ar y llwybr yn wleidyddol nac o ran egwyddorion. Mae 'nghydwybod i'n glir – neu fwy neu lai'n glir.

Galla i restru'r bobl dwi'n gwybod fy mod wedi gwneud cam â nhw (ar un neu ddwy law) – yn sicr fe gafodd yr artist Catrin Williams gam mawr yn ystod cyfnod arddangosfeydd Jamie Reid – ond fedra i ddim meddwl am grŵp lle dwi wirioneddol heb wneud fy ngorau iddyn nhw. Dwi'n gwybod bod nifer o grwpiau'n anghytuno â hynny – Anweledig, mae'n siŵr, yn eu plith – ond yn achos yr artistiaid a'r grwpiau dwi'n weddol hapus i mi roi fy ngorau, lle gallwn, iddyn nhw bob tro.

Yn y dyddiau cynnar dwi'n sicr i mi groesi'r llinell hefo'r gyflwynwraig Siwan Jones yn HTV, a doedd hynny ddim yn deg er cymaint roedd pawb yn ystyried y cyfryngau fel y gelyn. Mae un digwyddiad arall gweddol ddibwys o hyd wedi aros ar fy nghydwybod.

Y digwyddiad hwnnw oedd ar faes rhyw Steddfod tua '84, efallai, neu '85 a Tecwyn Ifan yn ein cyfarch "helô hogia" a ninnau fel grŵp (Anhrefn) yn gwrthod ei gydnabod. Erbyn heddiw dwi'n hoff iawn o Tecs ac yn ffan o'r albwm *Wybren Las*. Yn wir, mae Tecs wedi bod yn dda yn trefnu gigs i grwpiau fel Frizbee yng Nghlwb Rygbi Crymych a nosweithiau i Heather Jones, a finnau'n cydweithio fel asiant i'r grwpiau. Duw a ŵyr a yw Tecs yn cofio hynna ond dwi o hyd wedi teimlo'n euog achos doedd Tecs erioed wedi gwneud dim o'i le, jyst ei fod yn hŷn na ni ac yn perthyn i'r 'Oes Aur'. Does 'na fawr o neb arall lle dwi'n sicr i mi wneud cam â nhw go iawn.

Ar y llaw arall, does dim cwestiwn fod y cyfryngau Cymraeg wedi haeddu pob owns o feirniadaeth gawson nhw, hyd yn oed pan oeddan ni jyst yn cael hwyl am eu pennau. Yn yr un ffordd, roedd y tagfeydd o ran datblygiad y sîn a grëwyd oherwydd *artic lorries* Edward H hefyd yn haeddu pob gronyn o daflegrau daflwyd atyn nhw. Does dim amheuaeth fod yn rhaid chwalu er mwyn creu fel y dywedodd yr artist Francis Bacon, ond dwi ddim yn credu bod y sîn Gymraeg wedi bod yn fodlon agor ei drysau i'n cenhedlaeth ni felly doedd fawr o ddewis gynnon ni mewn gwirionedd. Efallai y byddai pethau wedi bod yn wahanol petai'r cyfryngau a'r hen grwpiau wedi bod yn fwy cefnogol ond, ar y llaw arall, yn ein golwg ni ar y pryd roeddan nhw mor amherthnasol, henffasiwn a *damn right unsexy* mae'n dal yn gwestiwn faint fyddan ni wedi cydweithio gyda nhw ta beth.

Gyda phobl fel Geraint Davies Radio Cymru, a chanddo gymaint o ddylanwad pa recordiau oedd yn cael eu chwarae ar y radio yn yr 80au, yr oedd ein dadleuon. Busnes oedd o, a 'nghyfrifoldeb i oedd hyrwyddo bandiau newydd. I mi roedd y ffaith fod John Peel yn cynnig sesiwn i'r Fflaps ar BBC Radio 1 tra bod Geraint Davies a Radio Cymru ar yr un pryd yn gwrthod eu chwarae oherwydd diffyg safon yn dweud y cyfan. Yn ddiweddar, pan wobrwyodd Radio Cymru / C2 David R Edwards Datblygu gyda'r tlws 'Cyfraniad Arbennig i'r Byd Pop Cymraeg' fedrwn i ddim peidio chwerthin – *contempt* dwi'n credu fyddai'r disgrifiad yn Saesneg. *Yeah man, you banned their records and now you give them awards.* Fel y dywedodd Huw Jones, "Sut fedrwch chi anghofio", ac fel dwi'n dweud, pam ddylian ni? Mi alla i yrru ymlaen yn iawn hefo Geraint heddiw ond does dim dwywaith i Geraint a'i gyfoedion wneud cam mawr â'r sîn Gymraeg drwy drio, a methu, rhwystro y datblygiadau tanddaearol.

Dwi'n credu i mi fod yn iawn yn ystod y cyfnod *Cam o'r Tywyllwch* a'r sîn danddaearol. Ella fod bands fel Tynal Tywyll, Datblygu a'r Cyrff ac, i raddau hefyd, Elfyn Presli gynnon ni ond roedd angen cic yn y tin ar y sîn Gymraeg a'r diwylliant Cymraeg. O edrych yn ôl dwi'n credu bod David R Edwards a Wyn a Pat Datblygu yn *visionaries*. Oedd Mark Cyrff yn *star*? Oedd, wrth gwrs, ond oedd o'n gallu sgwennu caneuon? Oedd, neu fydda 'na ddim Catatonia. Ond wedyn, am gyfnod, roedd Paul, Barry a Dylan hefyd yn aelodau o'r un gang â ni, ar yr un ochr, yn cyfrannu at yr un newid ac yn dweud yr un pethau. Pwy all ddadlau nad oedd Ian Morris yn *pop star* reit o'r dechrau? Dwi ddim yn credu i mi rioed gyfarfod â rhywun oedd gymaint mewn caraid â fo'i hun ond roedd Ian hefyd yn uffernol o ddoniol ac yn gallu gwenu gyda'r gora. Heb gitâr Nathan Hall fyddai Tynal Tywyll ddim wedi mynd mor bell, ond beth oedd gan bob un o'r bands yma oedd steil, reiat a rhyw, fel y sgwennais yn fy ngholofn yn *Y Faner*.

Mae rhai o fy atgofion gorau gyda Dylan, oedd yn ddrymiwr gyda'r Cyrff ac yn ffrind, a chyda David R Edwards, athrylith ac un sy'n dal yn ffrind. Roedd pobl fel Barry Cawley, Johnny Fflaps ac Al Maffia ymhlith y gorau, *the good guys always die young*, ac mi fyddwn yn hollol onest i ddweud ei bod wedi bod yn fwy na braint gweithio hefo nhw i gyd, er yr holl ddadlau ac anghytuno – go iawn, *we were all on a mission. Cam o'r Tywyllwch* sydd wedi cael y clod a'r gydnabyddiaeth i gyd er bod *Gadael yr Ugeinfed Ganrif* yn llawer gwell record. Dwi hefyd yn sicr i mi fod yn iawn i wthio pawb i sefydlu mwy o labeli er bod hyn wedi golygu, mewn ffordd, bod Recordiau Anhrefn yn dod i ben gan adael i Ankst etifeddu'r rhan fwyaf o'r grwpiau roedd Anhrefn wedi eu meithrin.

Fy ngwelediageth i ar y pryd oedd sîn Gymraeg iach gyda nifer o labeli annibynnol ond dwi hefyd yn credu i'r chwyldro gael ei 'feddiannu'. Dwi rioed wedi bod yn ffan mawr o'r rhaglen *Fideo 9*, a dwi'n sicr mai gwaith S4C yw adlewyrchu'r hyn sy'n digwydd ac nid ei greu. Dwi ddim yn ama i *Fideo 9* gychwyn troedio'r ochr arall i'r ffordd, law yn llaw gyda chwmnïau fel Ankst a nifer o'r grwpiau, ac i'r rhaglen fod yn rhan o'r hyn ro'n i'n ei alw yn *mutual appreciation society.* Beth sydd hefyd yn ddoniol mewn ffordd, ac yn dda hefyd mewn ffyrdd eraill, yw gweld bod rhai fel y Ffa Coffis wedi mynd un cam ymhellach a bod y *mutual appreciation society* yn dal i alw'r Super Furrys yn grŵp Cymraeg yn hytrach na Chymreig hyd yn oed pan nad oedd caneuon Cymraeg ar eu CDs neu yn y set. Dwi ddim yn rhoi barn ar hyn, jyst yn gwahaniaethu rhwng Cymraeg a Chymreig a phryd mae'r geiriau'n addas. Dwi'n falch dros y Furrys a hefyd yn credu iddyn nhw dorri'r rheolau a'u newid, felly mae'n rhaid bod hynny'n beth da.

Efallai mai dyna ddiweddglo pob chwyldro, bod y system a'r dyn yn ailfeddiannu ac yn rhoi eu breichiau chwyslyd o amgylch y chwyldroadwyr gan ddweud 'ydan, dan ni'n cytuno'n llwyr â chi ond beth am i ni gyd fod yn ffrindia?' Dim ond heddiw, yn fy mhedwar degau, dwi 'di gallu teimlo mod i'n gallu siarad â'r rhan fwya o'r bobl hyn eto, gan gynnwys rhai o artistiaid Recordiau Anhrefn. Rŵan dan ni'n gallu edrych yn ôl ar y 'dyddiau da' ac mae'n siŵr ein bod ni run mor euog â'r holl bobl yna o'r 70au roeddan ni'n gwrthryfela yn eu herbyn, er mod i mewn sefyllfa hollol wahanol. Dwi'n gweithio hefo artistiaid rhyngwladol gan wybod rŵan bod mwy i bethau na'r byd pop Cymraeg. Bellach mae'n weddol hawdd edrych o bell a pheidio cael fy effeithio, ond yr hyn sydd yn anoddach weithiau yw peidio chwerthin ar ben y sîn Gymraeg. Dro ar ôl tro allan nhw ddim dysgu o'u gwersi, ac mae hynny yr un mor wir am rai o aelodau'r grwpiau ag ydi o am y sîn yn gyffredinol.

Felly be dwi'n feddwl go iawn? Wel, fe gafodd y sîn danddaearol effaith, does dim dwywaith am hynny, ond hefyd dwi'n credu i bawb fodloni hefo hynny yn lle parhau i wthio'r ffiniau ac efallai mai dyna'r gwahaniaeth mawr. Dwi o hyd wedi dweud bod yr holl beth am ddatblygu a symud ymlaen yn hytrach na gwneud yr un peth am yr ugain mlynedd nesa. Mewn ffordd, 'di o ddim hyd yn oed yn deg i'w beirniadu, ond o edrych ar grŵp fel Ectogram does fawr o ddatblygiad ers dyddiau'r Fflaps, neu o weld polisi cerddorol Emyr Glyn Williams yn Ankstmusik, does dim yn fanna na wnaethon ni yn ôl ym 1985. O leia mae rhai fel Alun Llwyd wedi symud ymlaen drwy reoli'r Super Furrys, a bellach Cerys Matthews, ond beth sydd yn od hefo rhai fel Alun yw eu bod mor amharod i gyfrannu at bethau yng Nghymru ar lefel llawr gwlad, Cymraeg, neu hyd yn oed ymwneud â sefydliadau fel y Welsh Music Foundation. Mae gan bobl fel Alun gyfraniad i'w wneud ond am ryw reswm mae'n dewis peidio ymwneud â'r sîn y buodd yn rhan mor bwysig ohoni ar ddechrau'r 90au hefo Ankst.

Dwi'n gwybod bod rhywun fel Attila the Stockbroker yn dal i alw ei hun yn *punk poet* ond er cymaint dwi 'di sôn a sgwennu am ddylanwad *punk* dwi ddim bellach yn gallu galw fy hun yn Rhys Mwyn, *punk rocker*. A dweud y gwir mi fyddai Attila yn anghytuno â mi am weithio gyda grwpiau pop fel TNT neu weithio hefo artist fel Tia McGraff o Nashville, felly dwi ddim hyd yn oed yn sôn hefo fo am y peth pan fydda i'n ei weld neu yn trefnu gigs iddo. Yn ddiddorol iawn, yn ddiweddar mi fuodd Tracey Curtis, sydd yn ffrindiau hefo Attila, yn rhannu'r llwyfan gyda Tia ac yn cyfadde iddi eitha mwynhau'r gerddoriaeth a dyma'r ddau ohonon ni'n chwerthin a throi at ein gilydd gan gyfadde na fyddai'r un ohonon ni yn sôn wrth Attila am y peth.

O ran pobl fel Dafydd Iwan ac O P Huws yn Sain, sydd yn ddynion busnes ac yn gwybod yn iawn beth maen nhw'n ei wneud, dwi ddim yn credu y bydd modd maddau iddyn nhw byth am y ffordd y daeth fy mherthynas â Sain i ben mor ddirybudd, ond dwi'n credu i Sain ddysgu gwers i mi; pobl ro'n i'n gwneud busnes â nhw, neu iddyn nhw, oedd Dafydd ac OP, nid fy ffrindia. Y gymwynas, wrth gwrs, oedd rhoi y rheswm i mi fynd ati i sefydlu fy musnes fy hun ac i orfod gweithio heb *safety net* stiwdio Sain a Crai. Dwi ddim yn amau i mi fod yn Sain rhy hir, beth bynnag, ac o edrych yn ôl mae rhywun yn gallu rhestru Catatonia a Big Leaves fel llwyddiannau ond hefyd dwi'n gallu gweld pa mor ddwfn ro'n i wedi llithro i mewn i'r rhigol oherwydd y rhwystredigaethau yn sgil diffyg menter Sain a'r grwpiau Cymraeg. Os canodd Catatonia am ddod yn fyw wrth gyrraedd yr M25 a bod Llundain yn sugno pob egni o'r enaid, dyna oedd Sain a'r sîn Gymraeg wedi'i neud i mi.

Dros y blynyddoedd mae'r di–Gymraeg, mewn ffordd, wedi dangos llawer mwy o barch. Yn aml roedd pobl fel Jamie yn sôn am Sain fel 'Crai' a rhai fel Margi Clarke yn meddwl mai fi oedd perchennog stiwdio Sain. Felly hefyd gyda rhai fel Huw a Natasha Townhill. Iddyn nhw roedd Crai yn label hefo hygrededd, ond wedyn i'r Big Leaves, Sain oedd o a doedd dim hygrededd yn perthyn iddo. Cofiaf Chris Adshead, rheolwr TNT a Jason Donovan, yn sôn y dylwn i fod wedi gallu cadw'r hawl ar yr enw Crai oherwydd yr holl waith nes i i'r label, ond wedyn, mewn gwirionedd, roedd rhaid symud ymlaen a gwybod pryd i adael pethau fynd. Dwi'n cofio i Dafydd ac OP deimlo, ar adegau, i mi gael gormod o sylw fel 'rheolwr' Crai yn y wasg ond, wrth gwrs, nid y fi oedd yn gyfrifol am sgwennu hyn.

O'r diwrnod cynta i mi adael Sain ro'n i'n ôl yn Rhys Mwyn, *man on a mission*, efo swyddfa newydd i'w pheintio, artistiaid newydd i'w harwyddo a'u hyrwyddo, rhif ffôn newydd, cardia busnes... Yn ddoniol iawn, o fewn y flwyddyn roedd fy nghyhfrifydd yn gofyn "Be ti 'di bod yn wneud?" wrth weld y twf yn y busnes, a'r ateb syml oedd "Dwi 'di gadael Sain." Felly ella wir mai "Diolch Dafydd ac OP" ddylia hi fod.

Os yw'r diwylliant Cymraeg wedi methu ymateb i'r her a'r cyfleoedd a gynigiwyd gan *Cam o'r Tywyllwch* ac wedi llithro'n ôl yn raddol i'w ffantasi Tir Na n'Og-aidd amaethyddol o gwrw cynnes a grwpiau *pub rock*, dydi gwleidyddiaeth Gymreig ddim wedi gallu sicrhau fy nghefnogaeth dros y blynyddoedd chwaith. Fedra i ddim dweud gydag unrhyw sicrwydd beth fu fy marn dros y blynyddoedd am Blaid Cymru. Yn sicr bu cyfnod yn yr 80au lle triodd rhai ohonon ni drefnu gigs dan faner 'Y Lletem Werdd', ond wedyn ers dyddiau'r Pistols a Crass mae anarchiaeth o hyd wedi bod yn rhan o'r maniffesto hefyd, felly rhyw bartneriaeth ddigon od fuodd hi rioed.

Dwi'n credu bod unrhyw ddiddordeb yn y Blaid wedi hen ddiflannu flynyddoedd yn ôl. Wrth heneiddio dwi 'di colli amynedd hefo gwleidyddion a'u celwyddau a'u twyllo; dydi hi ddim yn hawdd bellach gallu ymddiried mewn unrhyw wleidydd na phlaid. Pa ffordd

ddylia rhywun bleidleisio? Yn sicr mae unrhyw un sydd wedi byw
drwy gyfnod Thatcheriaeth yn gwybod na fyddai'n dymuno byw dan
lywodraeth asgell dde fel 'na byth eto. Ond wedyn adeg etholiad daw'r
hen ymadrodd anarchaidd 'Don't vote, it only encourages them' i'r
cof, neu'r linell hyfryd sydd yng nghân Larry Norman, 'The Great
American Novel', lle mae o'n gofyn 'I wonder who would lead us
then if none of us would vote.'

Cyn belled ag y mae Cymdeithas yr Iaith yn y cwestiwn, eto
mae'r berthynas wedi bod yn un agos a phell, cyfeillgar a dadleugar.
Mi wnaeth yr Anhrefn a finnau gydweithio â'r Gymdeithas yn yr Ŵyl
Danddaearol ym 1983, ar y prosiect gwrth-apartheid 'Galwad ar Holl
Filwyr Buffalo Cymru' ac ar y gân 'Dull Di-drais' gan Llwybr Llaethog
a ryddhawyd ar Recordiau Anhrefn. Ond hefyd dros y blynyddoedd
mae rhiw *niggles* bach o hyd wedi bodoli; rhyw ffrae am *guest list* neu,
ar sawl achlysur, rhai o'r Gymdeithas yn cymryd yn ganiataol bod yr
Anhrefn ar gael i berfformio iddyn nhw ac yn cyhoeddi posteri cyn
cael cytundeb y grŵp. Ella mai ni sydd yn bobl wahanol ond rhywsut
dan ni ddim cweit erioed wedi gyrru ymlaen. Dwi'n gwybod bod nifer
o aelodau'r Anhrefn wedi meddwl am y Gymdeithas fel *wankers* dros
y blynyddoedd ac i finnau efallai fod yn fwy pragmataidd. Yn sicr yn
ystod Steddfod Casnewydd fe deimlwn fod angen i'r sîn Gymraeg, gan
gynnwys y Gymdeithas, gael gwell deialog gyda'r gymdeithas leol a'r
gymdeithas ddi-Gymraeg. Ychydig iawn o dystiolaeth fedra i weld i
awgrymu bod hyn wedi newid.

Dyma un rheswm pam yn ddiweddar, fel colofnydd wythnosol i'r
Herald Gymraeg, rwyf wedi codi pwyntiau am y Gymdeithas neu hyd
yn oed wneud awgrymiadau – fy mwriad oedd ac, yn wir, fy mwriad
fydd yn y dyfodol i gyfrannu tuag at y ddeialog o drio cael pethau i
symud ymlaen yng Nghymru. Dyna 'mwriad i erioed wrth ysgrifennu,
ers dyddiau'r golofn yn *Y Faner* ac wedyn yn *Golwg* yn y 90au. Dwi o
hyd wedi mwynhau sgwennu ac mae'n od iawn y dyddiau hyn wrth
i bobl gyfeirio ata i fel 'Rhys Mwyn sy'n sgwennu i'r *Herald*'. Mae
hynny'n wir, ond i mi dim ond cyfran fechan o'r hyn dwi'n neud ydi
hynny. Does dim dwywaith fod y golofn yn yr *Herald* wedi bod yn dda

o ran *profile* ac o ran cyflwyno syniadau.

O ran y Gymdeithas, dwi'n argyhoeddedig, fel mae pethau heddiw yn newid mor gyflym, fod angen iddyn nhw ailddiffinio eu hunain. Dwi ddim yn credu bod hynny'n feirniadaeth arnyn nhw – onid dyna yw realiti'r byd sydd ohoni? Dan ni i gyd yn gorfod ymateb i dechnoleg newydd a ffasiynau newydd ac os ydyn ni am barhau mae'n rhaid i ni gyd fod yn barod i ail-greu ac i ailddiffinio ein maniffestos. Ond am ryw reswm yng Nghymru, Duw â helpo *rhywun* os meiddia gwestiynu sancteiddrwydd y mudiad iaith! Yn achos Schiavone rwyf yn berffaith fodlon colli ei gyfeillgarwch yn dilyn y *fatwa* achos dwi'n credu yn yr hyn dwi wedi'i sgwennu.

Efallai mai dyna pam dwi'n ei chael hi mor hawdd sgwennu, am 'y mod i'n sicr iawn fy marn, ond yn wahanol i beth mae nifer fawr iawn yn ei gredu dwi ddim yn hunangyfiawn; mae cymaint o bobl yn colli'r hiwmor tu cefn i bethau. Hefyd, y ffaith syml amdani yw fod rhaid i rywun sy'n sgwennu colofn neu'n areithio ar lwyfan sicrhau difyrrwch – *you have to give good quotes* – neu fel arall does gan neb ddiddordeb. Os dwi'n credu be dwi'n ddweud mae hynna'n golygu mwy i mi nag unrhyw gyfeillgarwch ffug. Gall rhywun ddweud wedyn, o leiaf, fod Rhys Mwyn yn onest ac mi fydda i'n fodlon ar hynny. Dros y blynyddoedd hefyd soniwyd fy mod yn onest ac yn *straight* o ran busnes ac arian. Gobeithio wir, dwi 'di trio bod, er bod rhai pobl ac artistiaid na fedra i byth eu darbwyllo o hynny.

Erbyn heddiw, gyda fy nghartref yng Nghaernarfon a'm swyddfa yn Galeri, dwi yn sicr yn teimlo rhyw fath o ddyletswydd i barhau i hyrwyddo grwpiau ifanc mewn pa bynnag ffyrdd y galla i. Dwi'n gwybod bod pobl yn gwneud hwyl am y comisiwn 15% ac yn y blaen ond, go iawn, dwi'n dal i deimlo bod y ffaith fod pobl ifanc Cymru yn ffurfio grwpiau Cymraeg yn beth positif ac yn rhywbeth i'w gefnogi. Mae hi'n dal yn ffordd dda o gael swydd yn y cyfryngau felly dyna beth arall sydd ddim wedi newid ers y 70au.

Dwi hefyd yn ymwybodol iawn fod rhyw fath o ddyletswydd arna i i drefnu gigs a chyngherddau yn lleol a dwi'n trio gwneud hynny.

Dyna un wers ddysgais i gan The Clash, fod angen buddsoddi yn ôl, sef buddsoddi yn yr economi lleol yng Ngwynedd, neu yr economi Cymreig hefyd, wrth gwrs, yn fy achos i. Mi fyddai'n hawdd iawn ar adegau troi cefn ar bethau achos bod gormod o *hassle* ond dwi'n dal i fwynhau'r ochr honno hefyd. Dros y blynyddoedd dwi'n credu iddo fod yn beth da i mi weithio gyda grwpiau ifanc a newydd gan ei fod yn cadw rhywun mewn cysylltiad â'r hyn sydd yn digwydd. Roedd y profiad o deithio ysgolion gyda'r grwpiau pop yn dda yn hynny o beth; cael sgwrsio hefo *kids* am gerddoriaeth a sut roeddan nhw'n clywed am bethau a pham mae un grŵp yn well na'r llall.

Un peth wnaeth fy siomi am yr holl ochr 'pop Cymraeg' oedd yr atgasedd llwyr tuag at y maes gan y grwpiau roc a'r diffyg cefnogaeth llwyr gan y cwmniau recordio a Sain yn benodol. Dwi'n cofio edrych ar Haydn Holden o ochr y llwyfan yn Ysgol Trawsfynydd a gweld yr holl blant yn gwenu; hynny yw, gwenu ar gerddoriaeth Gymraeg. OK, efallai nad oedd recordiau Haydn y CDs mwyaf *cutting edge* erioed, ond sut i fethu'r pwynt yw hynny. Ar ôl i mi adael Sain fuodd 'na ddim ymdrech o gwbl i barhau gyda'r maes yna gan y cwmni ac wrth i TNT a Gwenno symud yn eu blaenau daeth anterth 'pop Cymraeg' i ben ac fe gafodd y grwpiau roc eu buddugoliaeth wag, gan amddifadu cynulleidfaoedd oed ysgolion cynradd Cymru o unrhyw bop Cymraeg. Unwaith eto, *I say to you, you were so wrong, so very very wrong*! Dyna enghraifft arall lle 'na i byth fadda iddyn nhw.

Yr ochr arall i hyn i gyd yw fod oes y *girl band* neu'r *boy band* wedi dod i ben erbyn hyn beth bynnag, ac mae'n siŵr mai dyna welodd genod TNT, ond ers hynny does neb arall wedi llenwi'r bwlch chwaith a dwi'n meddwl bod hynny'n gywilydd ar y sîn Gymraeg. Gwenno wedyn, swn i'n dweud, ochr yn ochr â Cerys, oedd hefo'r *star potential* mwya o'r holl lot. Eto, fel mae seren y Pipettes yn dod yn fwy a fwy llachar yn y gofod pop rhyngwladol dwi'n edrych ymlaen at dderbyn disg arall un ai gan Gwenno neu hyd yn oed gan The Heights (Gogz).

Llwyddais i gadw cyfeillgarwch Gwenno ac osgoi ailadrodd y ffraeo ddigwyddodd gyda Catatonia, ac o ran fy musnes i heddiw 'di o'n gwneud dim drwg pan mae pobl yn dweud "you discovered

Catatonia" neu Gwenno neu bwy bynnag. Wrth gwrs, nid y fi sydd yn eu 'darganfod' ond dwi'n gallu cael pethau i symud i artistiaid a dod â nhw i ryw fath o amlygrwydd neu i sylw y bobl iawn. Mae'r gair 'catalydd' yna roedd Malcolm McLaren mor hoff ohono yn dal i apelio ata i; mae 'impresario' yn rhy henffasiwn rhywsut a does neb yn mynd i ddeall be 'di 'cultural activist', felly gwaetha'r modd dwi'n cadw at swydd-ddisgrifiad gweddol gall Rhys Mwyn Management, er gyda pobl fel Huw Williams, Townhill, dan ni'n dal i jocio mai *punk rock* dan ni'n wneud o ddydd i ddydd. Mewn ffordd mae hynny'n hollol wir achos *punk rock* roddodd yr hyder a'r cyfle i rywun fel fi, oedd ddim yn gerddor a chyda dim profiad trefnu, i gychwyn yn y maes. Hyd heddiw mae'n siŵr mai *punk rock* ydi o o ran ysbryd, sef codi oddi ar eich tinau a gwneud rhywbeth, ond dwi ddim yn credu i'r gair yna godi ei ben yn y car hefo TNT er i Gwenno ddarllen *England's Dreaming* gan Jon Savage wedi iddi ei gyfarfod.

Peth arall sydd wedi taro Sion Sebon a finnau yn od dros y blynyddoedd yw fod cyn lleied o grwpiau Cymraeg wedi dilyn esiampl yr Anhrefn a mynd amdani tu allan i Gymru. Dydi'r Super Furrys na Catatonia ddim wedi gwneud yr un peth. Er ein bod i gyd wedi dechrau yn y sîn Gymraeg fe aeth y Super Furrys a Catatonia yn eu blaenau drwy ganu yn Saesneg yn y byd *NME*, Radio 1, Camden, Llundain, fel unrhyw fand arall o unrhyw dref ym Mhrydain. Fe lwyddon nhw am eu bod yn dda, am fod eu caneuon yn dda ac am fod Mark, Cerys a Gruff Rhys a'r criw yn gwybod sut i fod mewn band, sut i *walk the talk* a sut i fod yn cŵl. Ella fod y sîn Gymraeg wedi bod yn *basic training* iddyn nhw, ond fel mae Tony Wilson, Factory Records, o hyd yn dweud, mae pethau gwirioneddol dda yn sicr o ddod i'r amlwg yn hwyr neu'n hwyrach. Rhoddodd gweithio gyda Catatonia sawl peth i mi – profiad gyda'r diwydiant recordio, magu cysylltiadau, cael pleser – ac erbyn heddiw mae'n golygu un peth: *good for business*. Fel y dywedodd Jon Savage wrtha i un tro, dydi grwpiau fel Catatonia ddim yn dod heibio'n aml, ond wedyn fel dwi 'di dadlau gyda nifer o bobl hefyd, ar y llaw arall mae'r recordiau wnaethon ni gyda Datblygu hefyd yn 'llwyddiant' – efallai ei fod yn fath arall o lwyddiant, ond mae yr un mor bwysig o ran diwylliant Cymru a'r un mor *valid* yn greadigol ac o ran *great art*. Os cafodd Catatonia y *Top 5s* ac os llwyddodd Cerys i wneud ei miliwn fe wnaeth Datblygu eu cyfraniad hefyd, yr un mor bwysig, ar yr ochr arall i'r sbectrwm economaidd, ac maent yn sicr o gyrraedd uchelfannau unrhyw dabl fyddai'n gwerthuso grŵp yn ddiwylliannol, yn greadigol neu'n artistig.

Yn aml iawn pan fydda i'n sôn am hyn adre, bydd Nêst fy ngwraig yn sôn nad yw'r stamina gan lot o grwpiau i wneud beth wnaeth yr Anhrefn. Dim jyst gwneud dros gant o gigs mewn blwyddyn neu yrru'r holl ffordd i Berlin, heb gwsg, i wneud un gig ac wedyn yn syth adre, eto heb gwsg, ond yna wneud gig y diwrnod wedyn mewn ysgol gynradd yng Nghaernarfon neu lle bynnag – dyna yw stamina ac ymroddiad. Mwy na thebyg mai dyna pam mae cyn lleied o grwpiau Cymraeg wedi llwyddo, achos bod y byd pop Cymraeg mor fach ac mor saff.

Heddiw mae'r *bastard offspring* o'r *mutual appreciation society* yna yn eu gogoniant, yn sêr ar raglenni S4C Digidol gyda chynulleidfa o chydig gannoedd. Pam mynd yr holl ffordd i Berlin ar golled pan fedrwch chi fod yn sêr ar S4C digidol? Dwi'n gwybod bod pawb yn cydnabod Datblygu fel dylanwad ond unwaith eto, *ever get the feeling you've missed the point?* Neu rywbeth felly ddywedodd Johnny Rotten ynde? *Lightweights* dwi'n eu galw nhw, grwpiau sydd ddim yn haeddu cael eu cydnabod fel grwpiau go iawn, grwpiau fyddai'n suddo tu allan i'r *bubble* bach Cymraeg. God! Ai er mwyn i'r byd a'r betws gael trefnu Brwydr y Bandiau i hyrwyddo grwpiau newydd oedd *Cam o'r Tywyllwch*? Gora po gynta y cawn wared â phob eisteddfod dan haul ddyweda i, os nad ydyn nhw'n Arwest ar lan Llyn Geirionydd yn yr awyr agored!

C'mon, *it's not a competition*! Dwi ddim yn credu bod gobaith y bydd unrhyw beth yn symud tra bydd Bwrdd yr Iaith, Cymdeithas yr Iaith, yr Eisteddfod Genedlaethol, Radio Cymru / C2 ac S4C yn rhoi eu bysedd bach busneslyd i mewn yn y pwdin. Eu gwaith nhw i gyd yw rhoi sylw neu lwyfan ond mae'r awydd i greu y sîn yn aml yn mynd yn drech na nhw. Beth am Brwydr y Bandiau? Dim diolch.

Beth am dwf newydd grwpiau sydd yn eu ffyrdd eu hunain yn codi dau fys ar bawb a phopeth sydd wedi bod o'r blaen ac yn creu o'r newydd ar gyfer cenhedlaeth newydd? Lle llwyddon ni yn yr 80au oedd drwy greu o'r newydd a thrwy godi sawl bys sawl gwaith, ond hefyd drwy chwarae'r gêm lle roedd angen. Os oeddwn i'n jocio yn y bennod ar Recordiau Anhrefn mai hefo'r Cyrff roedd yr *haircuts* gora, mae ochr ddifrifol i hynny hefyd. Mae'n rhaid wrth ddelwedd ac agwedd, mae angen steil, reiat a rhyw. Heb hynny fydd 'na ddim byd. Hefyd mae angen caneuon sydd yn glasuron o'r eiliad gynta ac mae angen *pop stars* sydd yn gwneud i bobl droi ac edrych. Fy hun, os bydda i'n gweithio gyda grŵp ifanc Cymraeg eto, dwi angen rhywun i ddod mewn i'r swyddfa ac un ai yn llythrennol i weiddi "Rhys Mwyn you're a total c★★t" neu i gyfleu hynny mewn rhyw ffordd. Mae mwyafrif y bandiau yn dod i mewn rŵan am gymorth ac isho mwy o gigs, ac yn amlach na pheidio dwi'n gorfod dweud bod hynny yn gorfod dibynnu arnyn nhw i ddechrau; does gan reolwyr ddim *magic wands* a dydi *rock 'n roll* ddim i fod yn hawdd. Mi fyddwn i'n gweithio â phleser gyda fersiwn y 2000au o Dave Datblygu neu Mark Cyrff neu Ian Tynal Tywyll.

O ran diwylliant Cymraeg mae yna ryw ddiffyg mawr, mae yna fethiant llwyr i symud ymlaen yn ddigon cyflym neu ar adegau i symud ymlaen o gwbl. O leiaf gyda'r Anhrefn dan ni'n gallu edrych yn ôl a gweld i ni gael effaith ar bethau. O leiaf fe gawson ni *punk* a *post-punk* drwy gyfrwng y Gymraeg, a hyd yn oed hefo'r *fanzines* a'r casetiau, ta beth oedd eu safon, fe lwyddon ni i greu yr isddiwylliant yr oedden ni'n chwilio amdano. Yn aml wrth edrych yn ôl dwi'n teimlo bod rhai o ganeuon yr Anhrefn yn glasuron y galla i fod yn falch ohonyn nhw a rhai eraill ymhell o fod yn ddigon da, ond wedyn o leia maen nhw yna. Roedd trio yn bwysicach na pheidio trio a gwneud yn bwysicach na pherffeithrwydd. Hefo Hen Wlad Fy Mamau fe aeth pethau i'r lefel nesa o ran syniadaeth a dyma brosiect ddaru groesi ffiniau a dechrau uno sawl agwedd ar y celfyddydau yng Nghymru. Am yr Anhrefn y cawn ni ein cofio mae'n siŵr, ac mae hynny'n ddealladwy, ond o feddwl bod prosiect Hen Wlad mor Gymreig roedd yn rhyfedd cyn lleied o sylw gawson ni yng Nghymru. Yn aml dwi'n credu, o ystyried yr holl bethau dan ni wedi eu gwneud ac wedi eu cyflawni, mai'r wir effaith oedd y ffaith i ni allu bod yn ddraenen yn ystlys y diwylliant Cymraeg a Chymreig. Ni oedd y gwrthsafbwynt, y rhai oedd yn fodlon dweud na, bod 'na fersiwn arall o Gymreictod. Fel y dywedodd Jon Savage, 'to negate is a very powerful statement'. Does dim hawlfraint ar Gymreictod.

Allan o'r holl *collaborators* bu Sion Sebon yna o'r dechrau a 'di o rioed wedi troi ei gefn – dwi ddim yn credu bod Sion yn gwybod sut i wneud hynny. 'Di o rioed wedi cael ei sugno mewn ac fel *barometer* gall rhywun wneud yn llawer gwaeth na gwrando ar Sion Sebon achos mae o yn llygad ei le 99% yr amser. Mae o'n frawd i mi, felly dwi'n gallu madda'r 1% arall pan oeddan ni'n ffraeo. Jamie Reid yw'r llall sydd wedi aros yn gadarn heb blygu dan y pwysau. Heddiw dwi'n fwy o ffrindiau hefo Jamie ac yn gweithio llai hefo fo ond unwaith eto dydi'r drysau yna byth yn cael eu cau. Dwi'n dal i gael yr awydd i greu'n gerddorol, dwi'n dal i gael syniadau a phwy a ŵyr, os bydd yr amser yn iawn ella y bydd modd gwireddu rhai ohonyn nhw. Fel arall dwi'n hapus ac yn fodlon bod yn Rhys Mwyn *business head* ac yn codi bob bore yn edrych ymlaen at fynd i fy ngwaith. A gwaith dwi'n 'i alw fo y dyddiau yma. Dwi'n gorffen am 7 p.m. neu pryd bynnag a mynd adre at yr hogia heb ddim mwy o alwadau tan y bore wedyn.

Yr unig golled fawr yn fy mywyd, wrth gwrs, yw'r ffaith na chafodd fy mam fyw i gyfarfod Nêst na gweld Aron ac Ilan yr hogia bach. Galla i fod yn hapus iawn o gofio beth gefais i gan fy mam; roedd hi'n ddynes dda ac mi roeddan ni'n ffrindiau gora. Yn sicr byddai ei chael o gwmpas heddiw yn help mawr a dwi'n gwybod y byddai hi wedi bod mor dda hefo'r hogia. Dan ni'n galw hi yn 'Nain arall' ac mae'r hogia'n adnabod ei llun ac maen nhw wedi cael gweld ei bedd: 'y lle sbesial lle mae Nain arall'. Does gen i ddim crefydd ond os oes y ffasiwn beth â rhywun yn gallu edrych i lawr arnon ni dwi o hyd yn gobeithio bod fy mam yn gallu gweld ein bod i gyd yn hapus. Mae Nêst o hyd yn dweud hynna, ei bod yn gwybod ein bod i gyd yn iawn. Dwi'n falch fod fy nhad wedi cael bod yn daid i bedwar o hogia a bod Taid a Nain ochr Nêst hefyd wedi cael byw i fwynhau amser gyda'r hogia. Y dyddiau yma dwinna hefyd yn teimlo mod i angen ugain mlynedd arall ar y byd yma i wneud yn siŵr fod yr hogia'n iawn. Mae'n dychryn rhywun i feddwl bod Mam wedi marw yn bum deg un oed a finnau bellach yn bedwar deg pedwar. Dwi'n dal i deimlo'n ifanc, wrth gwrs, a'r bwriad yw byw am o leiaf bedwar deg mlynedd arall!

Wrth sgwennu'r llyfr clywais fod Dave Goodman, cynhyrchydd y Sex Pistols a chynhyrchydd *Rhedeg i Paris* a'r record hir *Dial y Ddraig*, wedi marw; cefais lythyr gan ei wraig yn dweud bod Dave wedi mwynhau gweithio hefo ni ac wedi meddwl bod canu'n Gymraeg yn beth pwysig. Diddorol, achos ro'n i wedi meddwl bod Goodman yn ormod o *wide boy* i werthfawrogi hynny, ond fe symudodd i fyw i Malta a bu'n gweithio ar gerddoriaeth draddodiadol tan ddiwedd ei fywyd.

Heddiw dwi'n eistedd yma'n hapus ac yn gweithio gydag artistiaid fel Jeb Loy Nichols a Tia McGraff nad oes a wnelo nhw un dim â'r sîn Gymraeg. Efallai fy mod yn fwy parod rŵan i weithio ar y llwyfan rhyngwladol heb rhyw *backup* gwleidyddol neu ddiwylliannol. Dwi'n neud hyn am y pres, am y gerddoriaeth ac am mod i'n hoff o'r artistiaid; yn sicr dwi ddim yn ei neud o i achub yr iaith Gymraeg. Mi fyddai'n hawdd iawn peidio gwneud pethau yng Nghymru achos does dim cwestiwn ei fod yn lle uffernol o anodd a rhwystredig, yn benna oherwydd y culni a'r diffyg diddordeb. Ond ar y llaw arall, y wers dwi wedi'i dysgu hefo'r Anhrefn a *Cam o'r Tywyllwch* yw ella na fydd y chwyldro'n llwyddo ond mae modd cael effaith. Ella yn y dyfodol y bydda i'n fwy parod i greu eto er mwyn rhoi mwy o ddrain yn ochr glwyfedig corff diwylliant Cymraeg a Chymreig. 'Di o ddim yn derm sydd mor hawdd ei ddefnyddio bellach ond mae dadl gref dros *art terrorism*.

Dwi'n dal yn hoff o'r syniad mod i'n *cultural activist* ac ella wir, o gofio be nes i hefo Datblygu, mai'r creu sy'n bwysig – creu y posibiliadau, y digwyddiadau a'r recordiau, tanio'r dychymyg a thaflu *hand-grenades* diwylliannol o gwmpas y lle a pheidio poeni na bod yn gyfrifol am yr effaith.

Mae'n rhaid chwalu er mwyn creu.

Am astudiaeth fanwl o hanes canu poblogaidd Cymraeg yn niwedd yr ugeinfed ganrif, mynnwch gopi o:

Ble Wyt Ti Rhwng: Hanes Canu Poblogaidd Cymraeg 1980-2000
gan Hefin Wyn pris: £14.95

"Gonest a brwdfrydig – ardderchog" – Gareth Potter

Am restr gyflawn o lyfrau'r wasg, mynnwch gopi o'n catalog - neu hwyliwch i mewn i'n gwefan newydd:

www.ylolfa.com

TALYBONT CEREDIGION CYMRU SY24 5AP
ebost ylolfa@ylolfa.com
gwefan www.ylolfa.com
ffôn (01970) 832 304
ffacs 832 782